Claudio Manella *Cesare Pallante*

Guida ai verbi italiani

I verbi più usati della lingua italiana
regolari e irregolari.
Coniugazioni complete.
Traduzioni in inglese, francese,
tedesco, spagnolo
Esercizi e chiavi.

Progetto Lingua
Firenze

6ª edizione.
Progetto Lingua Edizioni
Via S. Reparata, 105
50129 Firenze, Italia

Tel/fax 055 486644
www.progettolingua.it
pled@inwind.it

ISBN 88-87883-00-9

Libro stampato in Italia – printed in Italy

INDICE DEL VOLUME

INTRODUZIONE

Questa «Guida» raccoglie i 2000 verbi regolari e irregolari più usati della lingua italiana, tradotti in inglese, francese, tedesco e spagnolo. Le 142 schede che presenta il volume comprendono tutti i Tempi e Modi e le forme irregolari sono evidenziate in grassetto per una migliore comprensione.
Completano il lavoro una scheda sull'uso dei verbi ausiliari, con la lista dei verbi che si coniugano sempre con l'ausiliare «essere», e circa 600 esercizi a vari livelli di difficoltà (elementare, intermedio e superiore) con le chiavi.
Nella speranza di avere reso meno difficile lo studio dei verbi italiani, auguriamo a tutti gli studenti buon lavoro.

Gli autori.

INTRODUCTION

This book contains the 2.000 regular and irregular verbs most used in the italian language, translated in English. The 142 tables which the volume presents comprise all of the tenses and modes and the irregular forms are highlighted in bold letters for easier comprehension.
To complete the book, there is a table on the use of auxiliary verbs, with a list of the verbs which are conjugated with the auxiliary «be», and about 600 exercises at varying levels of difficulty (elementary, intermediate, advanced) with the answer keys.
In the hope of having rendered the study of italian verbs less difficult, we wish our English speaking friends *buon lavoro.*

The authors.

AVANT-PROPOS

Ce «Guide»rassemble les 2.000 verbes réguliers et irréguliers les plus utilisés dans la langue italienne et traduits en français.
Les 142 fiches présentées dans ce volume comprennent tous les Temps et les Modes et, afin d'être plus clair, les formes irrégulières sont mises en évidence en caractère gras.
L'ouvrage est completé par une fiche sur l'utilisation des verbes auxiliaires, avec la liste des verbes qui se conjuguent toujours avec l'auxiliaire «être» et environ 600 exercices de différents niveaux de difficulté (élémentaire, intermédiaire et supérieure) ainsi que les mots clefs.
Dans l'espoir d'avoir rendu moins difficile l'étude des verbes italiens, nous souhaitons aux amis de langue française de bien travailler.

Les auteurs.

EINLEITUNG

Dieser Führer vereinigt die 2.000 meistgebrauchtesten regelmäßigen und unregelmäßigen Verben der italienischen Sprache, ins Deutsche übersetzt.
Die 142 Tafeln dieser Ausgabe umfassen alle Zeiten und Formen. Für ein besseres Verständnis sind die Unregelmäßigkeiten fettgedruckt. Zusätzlich gibt es eine Tafel zum Gebrauch der Hilfsverben mit einer Liste der Verben, die immer mit dem Hilfsverb «sein» konjugiert werden, und etwa 600 Übungen verschiedener Schwierigkeitsstufen (einfach, mittel, schwierig) mit den Lösungen.
In der Hoffnung das Studium der italienischen Verben vereinfacht zu haben, wünschen wir unseren deutschsprachigen Freunden viel Spaß beim Lernen!

Die Autoren.

INTRODUCCIÓN

Esta «Guía» recoge los 2.000 verbos regulares e irregulares más usados del italiano, traducidos al español. Los 142 cuadros esquemáticos que presenta el volumen comprenden todos los tiempos y modos, y las formas irregulares están marcadas en negrita para una mejor comprensión.
Completan el trabajo un cuadro con el uso de los verbos auxiliares, la lista de los verbos que se conjugan siempre con el auxiliar «essere», y alrededor de 600 ejercicios de diversos niveles de dificultad (elemental, medio y superior) con los modelos para su corrección.
Con la esperanza de facilitar el estudio de los verbos italianos, deseamos a nuestros amigos de habla hispana buenos resultados.

Los autores.

Verbi ausiliari

Avere

Essere

AVERE to have - avoir - haben - haber/tener

MODO INDICATIVO

Presente		*Imperfetto*	*Passato prossimo*		*Trapassato pross.*	
io	**ho**	avevo	ho	avuto	avevo	avuto
tu	**hai**	avevi	hai	avuto	avevi	avuto
lui,lei	**ha**	aveva	ha	avuto	aveva	avuto
noi	**abbiamo**	avevamo	abbiamo	avuto	avevamo	avuto
voi	avete	avevate	avete	avuto	avevate	avuto
loro	**hanno**	avevano	hanno	avuto	avevano	avuto

Futuro sempl.		*Futuro comp.*		*Passato remoto*	*Trapassato rem.*	
io	**avrò**	avrò	avuto	**ebbi**	ebbi	avuto
tu	**avrai**	avrai	avuto	avesti	avesti	avuto
lui,lei	**avrà**	avrà	avuto	**ebbe**	ebbe	avuto
noi	**avremo**	avremo	avuto	avemmo	avemmo	avuto
voi	**avrete**	avrete	avuto	aveste	aveste	avuto
loro	**avranno**	avranno	avuto	**ebbero**	ebbero	avuto

MODO CONGIUNTIVO

Presente		*Imperfetto*	*Passato*		*Trapassato*	
io	**abbia**	avessi	abbia	avuto	avessi	avuto
tu	**abbia**	avessi	abbia	avuto	avessi	avuto
lui,lei	**abbia**	avesse	abbia	avuto	avesse	avuto
noi	**abbiamo**	avessimo	abbiamo	avuto	avessimo	avuto
voi	**abbiate**	aveste	abbiate	avuto	aveste	avuto
loro	**abbiano**	avessero	abbiano	avuto	avessero	avuto

MODO CONDIZIONALE

Semplice		*Composto*	
io	**avrei**	avrei	avuto
tu	**avresti**	avresti	avuto
lui,lei	**avrebbe**	avrebbe	avuto
noi	**avremmo**	avremmo	avuto
voi	**avreste**	avreste	avuto
loro	**avrebbero**	avrebbero	avuto

MODO IMPERATIVO

Diretto	*Indiretto*
abbi !	
	abbia !
abbiamo !	
abbiate !	
	abbiano !

MODO GERUNDIO

Semplice	*Composto*
avendo	avendo avuto

MODO INFINITO

Semplice	*Composto*
avere	avere avuto

MODO PARTICIPIO

Presente	*Passato*
avente	avuto

ESSERE to be - être - sein - ser

MODO INDICATIVO

Presente		*Imperfetto*	*Passato prossimo*		*Trapassato pross.*	
io	**sono**	**ero**	sono	**stato,a**	ero	**stato,a**
tu	**sei**	**eri**	sei	**stato,a**	eri	**stato,a**
lui lei	**è**	**era**	è	**stato,a**	era	**stato,a**
noi	**siamo**	**eravamo**	siamo	**stati,e**	eravamo	**stati,e**
voi	**siete**	**eravate**	siete	**stati,e**	eravate	**stati,e**
loro	**sono**	**erano**	sono	**stati,e**	erano	**stati,e**

Futuro sempl.		*Futuro comp.*		*Passato remoto*	*Trapassato rem.*	
io	**sarò**	sarò	**stato,a**	**fui**	fui	**stato,a**
tu	**sarai**	sarai	**stato,a**	**fosti**	fosti	**stato,a**
lui,lei	**sarà**	sarà	**stato,a**	**fu**	fu	**stato,a**
noi	**saremo**	saremo	**stati,e**	**fummo**	fummo	**stati,e**
voi	**sarete**	sarete	**stati,e**	**foste**	foste	**stati,e**
loro	**saranno**	saranno	**stati,e**	**furono**	furono	**stati,e**

MODO CONGIUNTIVO

Presente		*Imperfetto*	*Passato*		*Trapassato*	
io	**sia**	**fossi**	sia	**stato,a**	fossi	**stato,a**
tu	**sia**	**fossi**	sia	**stato,a**	fossi	**stato,a**
lui,lei	**sia**	**fosse**	sia	**stato,a**	fosse	**stato,a**
noi	**siamo**	**fossimo**	siamo	**stati,e**	fossimo	**stati,e**
voi	**siate**	**foste**	siate	**stati,e**	foste	**stati,e**
loro	**siano**	**fossero**	siano	**stati,e**	fossero	**stati,e**

MODO CONDIZIONALE

Semplice		*Composto*	
io	**sarei**	sarei	**stato,a**
tu	**saresti**	saresti	**stato,a**
lui,lei	**sarebbe**	sarebbe	**stato,a**
noi	**saremmo**	saremmo	**stati,e**
voi	**sareste**	sareste	**stati,e**
loro	**sarebbero**	sarebbero	**stati,e**

MODO IMPERATIVO

Diretto	*Indiretto*
sii !	
	sia !
siamo !	
siate !	
	siano !

MODO GERUNDIO

Semplice	*Composto*
essendo	essendo **stato,...**

MODO INFINITO

Semplice	*Composto*
essere	essere **stato,...**

MODO PARTICIPIO

Presente	*Passato*
-	**stato,...**

USO DEI VERBI AUSILIARI

1. L'ausiliare «**essere**» si usa con:

a) i verbi intransitivi di moto che indicano un punto di partenza o di arrivo (andare, arrivare, entrare, partire, ritornare, scappare, tornare, uscire, ...)
Sono arrivata a Firenze tre settimane fa.
Quando *saremo tornati* dalla Sicilia, faremo una bella festa.
Daniela *è partita* da Parigi alle 7.00 ed è arrivata a Roma due ore dopo.

b) i verbi riflessivi
Ieri sera Piero *si è addormentato* molto tardi.
Dopo *essermi lavata*, ho preparato la colazione.
Purtroppo *ci siamo dimenticati* di telefonare a Gilda.

c) i verbi nella forma passiva
Il libro di Stefano *è stato tradotto* in molte lingue.
Penso che questo cantante non *sia conosciuto* nel vostro Paese.
«La Bohème» di Puccini *fu rappresentata* per la prima volta nel 1896.

d) i verbi impersonali (accadere, bastare, dispiacere, importare, piacere, sembrare, succedere, ...), ad eccezione di quelli che esprimono fenomeni atmosferici (piovere, nevicare, grandinare...) con i quali si possono usare tutti e due gli ausiliari.
Mi è dispiaciuto molto che tu non sia venuto a cena da noi.
L'ultima volta che ho visto Federica, *mi è sembrata* in forma.
Speravo che il regalo *ti sarebbe piaciuto.*

Verbi che si coniugano sempre con l'ausiliare «**essere**»

Accadere	Comparire	Essere	Rimanere	Sopravvivere
Andare	Costare	Giungere	Rincrescere	Sorgere
Apparire	Dimagrire	Intervenire	Ritornare	Sparire
Arrivare	Dipendere	Morire	Risorgere	Spiacere
Arrossire	Dispiacere	Nascere	Riuscire	Stare
Avvenire	Divenire	Occorrere	Sbocciare	Succedere
Bastare	Diventare	Parere	Scappare	Svenire
Cadere	Emergere	Partire	Scomparire	Tornare
Capitare	Entrare	Piacere	Scoppiare	Uscire
Cascare	Esistere	Restare	Sembrare	Venire

2. L'ausiliare **«avere»** si usa con:

a) i verbi transitivi
Ieri Sandra *ha comprato* un paio di occhiali da sole.
Non *avevano* mai *bevuto* la vodka prima di ieri sera.
Avrei letto con piacere un altro romanzo giallo.

b) alcuni verbi intransitivi (bussare, cenare, dormire, litigare, piangere, pranzare, reagire, resistere, ridere, russare, scioperare, sorridere, ...)
Spero che Luca *abbia dormito* bene stanotte.
Quando Emilio *ha raccontato* quella storia, tutti *hanno riso*.
Ieri sera *avrei cenato* volentieri con Claudia.

c) i verbi intransitivi di moto che esprimono l'azione, senza indicarne il punto di partenza o di arrivo (camminare, passeggiare, viaggiare, ...)
Stamattina *ho camminato* nel parco per due ore.
L'anno scorso Cesare e Nadia non *hanno viaggiato* affatto.
Quell'uomo *ha passeggiato* per tutta la mattina lungo il fiume.

Con alcuni verbi si possono usare tutti e due gli ausiliari, secondo l'uso (transitivo o intransitivo) che ne viene fatto (aumentare, bruciare, cambiare, cominciare, continuare, diminuire, finire, guarire, migliorare, peggiorare, salire, scendere, servire, suonare,...).

Paola *ha cambiato* casa la settimana scorsa.	(transitivo)
La scuola *è cambiata* molto negli ultimi anni.	(intransitivo)
Quel negozio *ha aumentato* molto i prezzi.	(transitivo)
Il prezzo del petrolio *è aumentato* molto.	(intransitivo)
Abbiamo cominciato un importante lavoro.	(transitivo)
Sbrigati, lo spettacolo *è già cominciato*!	(intransitivo)

I verbi modali (dovere, potere, volere) prendono l'ausiliare del verbo che segue. Se usati da soli, prendono l'ausiliare avere
Mia zia *ha dovuto prendere* il treno delle 5.00.
Siamo dovuti(e) tornare prima del previsto.
Ho voluto prenotare un posto anche per Enzo.
Non *sono voluti(e) uscire* con i loro genitori.
Non *ha potuto cambiare* gli assegni di viaggio.
Maria non *è potuta restare* a lungo con noi.

Non sono partito perché non *ho voluto / potuto.*

Verbi regolari

Modelli:

Parl-are

Cred-ere

Sent-ire

Cap-ire

PARLARE to speak - parler - sprechen - hablar

MODO INDICATIVO

Presente		*Imperfetto*	*Passato prossimo*		*Trapassato pross.*	
io	parl-o	parl-avo	ho	parl-ato	avevo	parl-ato
tu	parl-i	parl-avi	hai	parl-ato	avevi	parl-ato
lui,lei	parl-a	parl-ava	ha	parl-ato	aveva	parl-ato
noi	parl-iamo	parl-avamo	abbiamo	parl-ato	avevamo	parl-ato
voi	parl-ate	parl-avate	avete	parl-ato	avevate	parl-ato
loro	parl-ano	parl-avano	hanno	parl-ato	avevano	parl-ato

Futuro sempl.		*Futuro comp.*		*Passato remoto*	*Trapassato rem.*	
io	parl-erò	avrò	parl-ato	parl-ai	ebbi	parl-ato
tu	parl-erai	avrai	parl-ato	parl-asti	avesti	parl-ato
lui,lei	parl-erà	avrà	parl-ato	parl-ò	ebbe	parl-ato
noi	parl-eremo	avremo	parl-ato	parl-ammo	avemmo	parl-ato
voi	parl-erete	avrete	parl-ato	parl-aste	aveste	parl-ato
loro	parl-eranno	avranno	parl-ato	parl-arono	ebbero	parl-ato

MODO CONGIUNTIVO

Presente		*Imperfetto*	*Passato*		*Trapassato*	
io	parl-i	parl-assi	abbia	parl-ato	avessi	parl-ato
tu	parl-i	parl-assi	abbia	parl-ato	avessi	parl-ato
lui,lei	parl-i	parl-asse	abbia	parl-ato	avesse	parl-ato
noi	parl-iamo	parl-assimo	abbiamo	parl-ato	avessimo	parl-ato
voi	parl-iate	parl-aste	abbiate	parl-ato	aveste	parl-ato
loro	parl-ino	parl-assero	abbiano	parl-ato	avessero	parl-ato

MODO CONDIZIONALE / MODO IMPERATIVO

Semplice		*Composto*		*Diretto*	*Indiretto*
io	parl-erei	avrei	parl-ato		
tu	parl-eresti	avresti	parl-ato	parl-a !	
lui,lei	parl-erebbe	avrebbe	parl-ato		parl-i !
noi	parl-eremmo	avremmo	parl-ato	parl-iamo !	
voi	parl-ereste	avreste	parl-ato	parl-ate !	
loro	parl-erebbero	avrebbero	parl-ato		parl-ino !

MODO GERUNDIO / MODO INFINITO / MODO PARTICIPIO

MODO GERUNDIO *Semplice*	MODO GERUNDIO *Composto*	MODO INFINITO *Semplice*	MODO INFINITO *Composto*	MODO PARTICIPIO *Presente*	MODO PARTICIPIO *Passato*
parl-ando	avendo parl-ato	parl-are	avere parl-ato	parl-ante	parl-ato

CREDERE
to believe - croire - glauben - creer

MODO INDICATIVO

Presente		*Imperfetto*	*Passato prossimo*		*Trapassato pross.*	
io	cred-o	cred-evo	ho	cred-uto	avevo	cred-uto
tu	cred-i	cred-evi	hai	cred-uto	avevi	cred-uto
lui,lei	cred-e	cred-eva	ha	cred-uto	aveva	cred-uto
noi	cred-iamo	cred-evamo	abbiamo	cred-uto	avevamo	cred-uto
voi	cred-ete	cred-evate	avete	cred-uto	avevate	cred-uto
loro	cred-ono	cred-evano	hanno	cred-uto	avevano	cred-uto

Futuro sempl.		*Futuro comp.*		*Passato remoto*	*Trapassato rem.*	
io	cred-erò	avrò	cred-uto	cred-ei (-etti)	ebbi	cred-uto
tu	cred-erai	avrai	cred-uto	cred-esti	avesti	cred-uto
lui,lei	cred-erà	avrà	cred-uto	cred-è (-ette)	ebbe	cred-uto
noi	cred-eremo	avremo	cred-uto	cred-emmo	avemmo	cred-uto
voi	cred-erete	avrete	cred-uto	cred-este	aveste	cred-uto
loro	cred-eranno	avranno	cred-uto	cred-erono (-ettero)	ebbero	cred-uto

MODO CONGIUNTIVO

Presente		*Imperfetto*	*Passato*		*Trapassato*	
io	cred-a	cred-essi	abbia	cred-uto	avessi	cred-uto
tu	cred-a	cred-essi	abbia	cred-uto	avessi	cred-uto
lui,lei	cred-a	cred-esse	abbia	cred-uto	avesse	cred-uto
noi	cred-iamo	cred-essimo	abbiamo	cred-uto	avessimo	cred-uto
voi	cred-iate	cred-este	abbiate	cred-uto	aveste	cred-uto
loro	cred-ano	cred-essero	abbiano	cred-uto	avessero	cred-uto

MODO CONDIZIONALE / MODO IMPERATIVO

Semplice		*Composto*		*Diretto*	*Indiretto*
io	cred-erei	avrei	cred-uto		
tu	cred-eresti	avresti	cred-uto	cred-i !	
lui,lei	cred-erebbe	avrebbe	cred-uto		cred-a !
noi	cred-eremmo	avremmo	cred-uto	cred-iamo !	
voi	cred-ereste	avreste	cred-uto	cred-ete !	
loro	cred-erebbero	avrebbero	cred-uto		cred-ano !

MODO GERUNDIO

Semplice	*Composto*
cred-endo	avendo cred-uto

MODO INFINITO

Semplice	*Composto*
cred-ere	avere cred-uto

MODO PARTICIPIO

Presente	*Passato*
cred-ente	cred-uto

SENTIRE

to hear/to feel - entendre/sentir - hören/fühlen - oír/sentir

MODO INDICATIVO

	Presente	*Imperfetto*	*Passato prossimo*		*Trapassato pross.*	
io	sent-o	sent-ivo	ho	sent-ito	avevo	sent-ito
tu	sent-i	sent-ivi	hai	sent-ito	avevi	sent-ito
lui,lei	sent-e	sent-iva	ha	sent-ito	aveva	sent-ito
noi	sent-iamo	sent-ivamo	abbiamo	sent-ito	avevamo	sent-ito
voi	sent-ite	sent-ivate	avete	sent-ito	avevate	sent-ito
loro	sent-ono	sent-ivano	hanno	sent-ito	avevano	sent-ito

	Futuro sempl.	*Futuro comp.*		*Passato remoto*	*Trapassato rem.*	
io	sent-irò	avrò	sent-ito	sent-ii	ebbi	sent-ito
tu	sent-irai	avrai	sent-ito	sent-isti	avesti	sent-ito
lui,lei	sent-irà	avrà	sent-ito	sent-ì	ebbe	sent-ito
noi	sent-iremo	avremo	sent-ito	sent-immo	avemmo	sent-ito
voi	sent-irete	avrete	sent-ito	sent-iste	aveste	sent-ito
loro	sent-iranno	avranno	sent-ito	sent-irono	ebbero	sent-ito

MODO CONGIUNTIVO

	Presente	*Imperfetto*	*Passato*		*Trapassato*	
io	sent-a	sent-issi	abbia	sent-ito	avessi	sent-ito
tu	sent-a	sent-issi	abbia	sent-ito	avessi	sent-ito
lui,lei	sent-a	sent-isse	abbia	sent-ito	avesse	sent-ito
noi	sent-iamo	sent-issimo	abbiamo	sent-ito	avessimo	sent-ito
voi	sent-iate	sent-iste	abbiate	sent-ito	aveste	sent-ito
loro	sent-ano	sent-issero	abbiano	sent-ito	avessero	sent-ito

MODO CONDIZIONALE / MODO IMPERATIVO

	Semplice	*Composto*		*Diretto*	*Indiretto*
io	sent-irei	avrei	sent-ito		
tu	sent-iresti	avresti	sent-ito	sent-i !	
lui,lei	sent-irebbe	avrebbe	sent-ito		sent-a!
noi	sent-iremmo	avremmo	sent-ito	sent-iamo !	
voi	sent-ireste	avreste	sent-ito	sent-ite !	
loro	sent-irebbero	avrebbero	sent-ito		sent-ano !

MODO GERUNDIO / MODO INFINITO / MODO PARTICIPIO

GERUNDIO *Semplice*	GERUNDIO *Composto*	INFINITO *Semplice*	INFINITO *Composto*	PARTICIPIO *Presente*	PARTICIPIO *Passato*
sent-endo	avendo sent-ito	sent-ire	avere sent-ito	sent-ente	sent-ito

CAPIRE to understand - comprendre - verstehen - comprender

MODO INDICATIVO

Presente		*Imperfetto*	*Passato prossimo*		*Trapassato pross.*	
io	cap-isco	cap-ivo	ho	cap-ito	avevo	cap-ito
tu	cap-isci	cap-ivi	hai	cap-ito	avevi	cap-ito
lui,lei	cap-isce	cap-iva	ha	cap-ito	aveva	cap-ito
noi	cap-iamo	cap-ivamo	abbiamo	cap-ito	avevamo	cap-ito
voi	cap-ite	cap-ivate	avete	cap-ito	avevate	cap-ito
loro	cap-iscono	cap-ivano	hanno	cap-ito	avevano	cap-ito

Futuro sempl.		*Futuro comp.*		*Passato remoto*	*Trapassato rem.*	
io	cap-irò	avrò	cap-ito	cap-ii	ebbi	cap-ito
tu	cap-irai	avrai	cap-ito	cap-isti	avesti	cap-ito
lui,lei	cap-irà	avrà	cap-ito	cap-ì	ebbe	cap-ito
noi	cap-iremo	avremo	cap-ito	cap-immo	avemmo	cap-ito
voi	cap-irete	avrete	cap-ito	cap-iste	aveste	cap-ito
loro	cap-iranno	avranno	cap-ito	cap-irono	ebbero	cap-ito

MODO CONGIUNTIVO

Presente		*Imperfetto*	*Passato*		*Trapassato*	
io	cap-isca	cap-issi	abbia	cap-ito	avessi	cap-ito
tu	cap-isca	cap-issi	abbia	cap-ito	avessi	cap-ito
lui,lei	cap-isca	cap-isse	abbia	cap-ito	avesse	cap-ito
noi	cap-iamo	cap-issimo	abbiamo	cap-ito	avessimo	cap-ito
voi	cap-iate	cap-iste	abbiate	cap-ito	aveste	cap-ito
loro	cap-iscano	cap-issero	abbiano	cap-ito	avessero	cap-ito

MODO CONDIZIONALE / MODO IMPERATIVO

Semplice		*Composto*		*Diretto*	*Indiretto*
io	cap-irei	avrei	cap-ito		
tu	cap-iresti	avresti	cap-ito	cap-isci !	
lui,lei	cap-irebbe	avrebbe	cap-ito		cap-isca !
noi	cap-iremmo	avremmo	cap-ito	cap-iamo !	
voi	cap-ireste	avreste	cap-ito	cap-ite !	
loro	cap-irebbero	avrebbero	cap-ito		cap-iscano !

MODO GERUNDIO / MODO INFINITO / MODO PARTICIPIO

Semplice	*Composto*	*Semplice*	*Composto*	*Presente*	*Passato*
cap-endo	avendo cap-ito	cap-ire	avere cap-ito	cap-ente	cap-ito

Verbi in -iare

Modelli:

stud-iare
sp-iare

STUDIARE to study - étudier - studieren - estudiar

MODO INDICATIVO

Presente		*Imperfetto*	*Passato prossimo*		*Trapassato pross.*	
io	studi-o	studi-avo	ho	studi-ato	avevo	studi-ato
tu	**stud**-i	studi-avi	hai	studi-ato	avevi	studi-ato
lui,lei	studi-a	studi-ava	ha	studi-ato	aveva	studi-ato
noi	studi-**amo**	studi-avamo	abbiamo	studi-ato	avevamo	studi-ato
voi	studi-ate	studi-avate	avete	studi-ato	avevate	studi-ato
loro	studi-ano	studi-avano	hanno	studi-ato	avevano	studi-ato

Futuro sempl.		*Futuro comp.*		*Passato remoto*	*Trapassato rem.*	
io	studi-erò	avrò	studi-ato	studi-ai	ebbi	studi-ato
tu	studi-erai	avrai	studi-ato	studi-asti	avesti	studi-ato
lui,lei	studi-erà	avrà	studi-ato	studi-ò	ebbe	studi-ato
noi	studi-eremo	avremo	studi-ato	studi-ammo	avemmo	studi-ato
voi	studi-erete	avrete	studi-ato	studi-aste	aveste	studi-ato
loro	studi-eranno	avranno	studi-ato	studi-arono	ebbero	studi-ato

MODO CONGIUNTIVO

Presente		*Imperfetto*	*Passato*		*Trapassato*	
io	**stud**-i	studi-assi	abbia	studi-ato	avessi	studi-ato
tu	**stud**-i	studi-assi	abbia	studi-ato	avessi	studi-ato
lui,lei	**stud**-i	studi-asse	abbia	studi-ato	avesse	studi-ato
noi	**stud**-iamo	studi-assimo	abbiamo	studi-ato	avessimo	studi-ato
voi	**stud**-iate	studi-aste	abbiate	studi-ato	aveste	studi-ato
loro	**stud**-ino	studi-assero	abbiano	studi-ato	avessero	studi-ato

MODO CONDIZIONALE / MODO IMPERATIVO

Semplice		*Composto*		*Diretto*	*Indiretto*
io	studi-erei	avrei	studi-ato		
tu	studi-eresti	avresti	studi-ato	studi-a !	
lui,lei	studi-erebbe	avrebbe	studi-ato		**stud**-i !
noi	studi-eremmo	avremmo	studi-ato	studi-**amo** !	
voi	studi-ereste	avreste	studi-ato	studi-ate !	
loro	studi-erebbero	avrebbero	studi-ato		**stud**-ino !

MODO GERUNDIO / MODO INFINITO / MODO PARTICIPIO

MODO GERUNDIO *Semplice*	MODO GERUNDIO *Composto*	MODO INFINITO *Semplice*	MODO INFINITO *Composto*	MODO PARTICIPIO *Presente*	MODO PARTICIPIO *Passato*
studi-ando	avendo studi-ato	studi-are	avere studi-ato	studi-ante	studi-ato

SPIARE to spy - épier - spähen/spionieren - espiar

MODO INDICATIVO

Presente		*Imperfetto*	*Passato prossimo*		*Trapassato pross.*	
io	spí-o	spi-avo	ho	spi-ato	avevo	spi-ato
tu	spí-i	spi-avi	hai	spi-ato	avevi	spi-ato
lui,lei	spí-a	spi-ava	ha	spi-ato	aveva	spi-ato
noi	**sp**-iamo	spi-avamo	abbiamo	spi-ato	avevamo	spi-ato
voi	spi-ate	spi-avate	avete	spi-ato	avevate	spi-ato
loro	spí-ano	spi-avano	hanno	spi-ato	avevano	spi-ato

Futuro sempl.		*Futuro comp.*		*Passato remoto*	*Trapassato rem.*	
io	spi-erò	avrò	spi-ato	spi-ai	ebbi	spi-ato
tu	spi-erai	avrai	spi-ato	spi-asti	avesti	spi-ato
lui,lei	spi-erà	avrà	spi-ato	spi-ò	ebbe	spi-ato
noi	spi-eremo	avremo	spi-ato	spi-ammo	avemmo	spi-ato
voi	spi-erete	avrete	spi-ato	spi-aste	aveste	spi-ato
loro	spi-eranno	avranno	spi-ato	spi-arono	ebbero	spi-ato

MODO CONGIUNTIVO

Presente		*Imperfetto*	*Passato*		*Trapassato*	
io	spí-i	spi-assi	abbia	spi-ato	avessi	spi-ato
tu	spí-i	spi-assi	abbia	spi-ato	avessi	spi-ato
lui,lei	spí-i	spi-asse	abbia	spi-ato	avesse	spi-ato
noi	**sp**-iamo	spi-assimo	abbiamo	spi-ato	avessimo	spi-ato
voi	**sp**-iate	spi-aste	abbiate	spi-ato	aveste	spi-ato
loro	spí-ino	spi-assero	abbiano	spi-ato	avessero	spi-ato

MODO CONDIZIONALE / MODO IMPERATIVO

Semplice		*Composto*		*Diretto*	*Indiretto*
io	spi-erei	avrei	spi-ato		
tu	spi-erest i	avresti	spi-ato	spi-a !	
lui,lei	spi-erebbe	avrebbe	spi-ato		spí-i !
noi	spi-eremmo	avremmo	spi-ato	**sp**-iamo !	
voi	spi-ereste	avreste	spi-ato	spi-ate !	
loro	spi-erebbero	avrebbero	spi-ato		spí-ino !

MODO GERUNDIO / MODO INFINITO / MODO PARTICIPIO

GERUNDIO *Semplice*	GERUNDIO *Composto*	INFINITO *Semplice*	INFINITO *Composto*	PARTICIPIO *Presente*	PARTICIPIO *Passato*
spi-ando	avendo spi-ato	spi-are	avere spi-ato	spi-ante	spi-ato

Verbi in
-care
-gare
-ciare
-giare

Modelli:

Cer-care

Pa-gare

Comin-ciare

Man-giare

CERCARE
to look for - chercher - suchen - buscar

MODO INDICATIVO

	Presente	*Imperfetto*	*Passato prossimo*		*Trapassato pross.*	
io	cerco	cercavo	ho	cercato	avevo	cercato
tu	cerchi	cercavi	hai	cercato	avevi	cercato
lui,lei	cerca	cercava	ha	cercato	aveva	cercato
noi	cerchiamo	cercavamo	abbiamo	cercato	avevamo	cercato
voi	cercate	cercavate	avete	cercato	avevate	cercato
loro	cercano	cercavano	hanno	cercato	avevano	cercato

	Futuro sempl.	*Futuro comp.*		*Passato remoto*	*Trapassato rem.*	
io	cercherò	avrò	cercato	cercai	ebbi	cercato
tu	cercherai	avrai	cercato	cercasti	avesti	cercato
lui,lei	cercherà	avrà	cercato	cercò	ebbe	cercato
noi	cercheremo	avremo	cercato	cercammo	avemmo	cercato
voi	cercherete	avrete	cercato	cercaste	aveste	cercato
loro	cercheranno	avranno	cercato	cercarono	ebbero	cercato

MODO CONGIUNTIVO

	Presente	*Imperfetto*	*Passato*		*Trapassato*	
io	cerchi	cercassi	abbia	cercato	avessi	cercato
tu	cerchi	cercassi	abbia	cercato	avessi	cercato
lui,lei	cerchi	cercasse	abbia	cercato	avesse	cercato
noi	cerchiamo	cercassimo	abbiamo	cercato	avessimo	cercato
voi	cerchiate	cercaste	abbiate	cercato	aveste	cercato
loro	cerchino	cercassero	abbiano	cercato	avessero	cercato

MODO CONDIZIONALE / MODO IMPERATIVO

	Semplice	*Composto*		*Diretto*	*Indiretto*
io	cercherei	avrei	cercato		
tu	cercheresti	avresti	cercato	cerca !	
lui,lei	cercherebbe	avrebbe	cercato		cerchi !
noi	cercheremmo	avremmo	cercato	cerchiamo !	
voi	cerchereste	avreste	cercato	cercate !	
loro	cercherebbero	avrebbero	cercato		cerchino !

MODO GERUNDIO

Semplice	*Composto*
cercando	avendo cercato

MODO INFINITO

Semplice	*Composto*
cercare	avere cercato

MODO PARTICIPIO

Presente	*Passato*
cercante	cercato

PAGARE
to pay - payer - zahlen - pagar

MODO INDICATIVO

Presente		*Imperfetto*	*Passato prossimo*		*Trapassato pross.*	
io	pago	pagavo	ho	pagato	avevo	pagato
tu	paghi	pagavi	hai	pagato	avevi	pagato
lui,lei	paga	pagava	ha	pagato	aveva	pagato
noi	paghiamo	pagavamo	abbiamo	pagato	avevamo	pagato
voi	pagate	pagavate	avete	pagato	avevate	pagato
loro	pagano	pagavano	hanno	pagato	avevano	pagato

Futuro sempl.		*Futuro comp.*		*Passato remoto*	*Trapassato rem.*	
io	pagherò	avrò	pagato	pagai	ebbi	pagato
tu	pagherai	avrai	pagato	pagasti	avesti	pagato
lui,lei	pagherà	avrà	pagato	pagò	ebbe	pagato
noi	pagheremo	avremo	pagato	pagammo	avemmo	pagato
voi	pagherete	avrete	pagato	pagaste	aveste	pagato
loro	pagheranno	avranno	pagato	pagarono	ebbero	pagato

MODO CONGIUNTIVO

Presente		*Imperfetto*	*Passato*		*Trapassato*	
io	paghi	pagassi	abbia	pagato	avessi	pagato
tu	paghi	pagassi	abbia	pagato	avessi	pagato
lui,lei	paghi	pagasse	abbia	pagato	avesse	pagato
noi	paghiamo	pagassimo	abbiamo	pagato	avessimo	pagato
voi	paghiate	pagaste	abbiate	pagato	aveste	pagato
loro	paghino	pagassero	abbiano	pagato	avessero	pagato

MODO CONDIZIONALE / MODO IMPERATIVO

Semplice		*Composto*		*Diretto*	*Indiretto*
io	pagherei	avrei	pagato		
tu	pagheresti	avresti	pagato	paga !	
lui,lei	pagherebbe	avrebbe	pagato		paghi !
noi	pagheremmo	avremmo	pagato	paghiamo !	
voi	paghereste	avreste	pagato	pagate !	
loro	pagherebbero	avrebbero	pagato		paghino !

MODO GERUNDIO / MODO INFINITO / MODO PARTICIPIO

Semplice	*Composto*	*Semplice*	*Composto*	*Presente*	*Passato*
pagando	avendo pagato	pagare	avere pagato	pagante	pagato

COMINCIARE to begin/to start - commencer – anfangen - comenzar

MODO INDICATIVO

Presente		*Imperfetto*	*Passato prossimo*		*Trapassato pross.*	
io	comincio	cominciavo	ho	cominciato	avevo	cominciato
tu	**cominc**i	cominciavi	hai	cominciato	avevi	cominciato
lui,lei	comincia	cominciava	ha	cominciato	aveva	cominciato
noi	**cominc**iamo	cominciavamo	abbiamo	cominciato	avevamo	cominciato
voi	cominciate	cominciavate	avete	cominciato	avevate	cominciato
loro	cominciano	cominciavano	hanno	cominciato	avevano	cominciato

Futuro sempl.		*Futuro comp.*		*Passato remoto*	*Trapassato rem.*	
io	**cominc**erò	avrò	cominciato	cominciai	ebbi	cominciato
tu	**cominc**erai	avrai	cominciato	cominciasti	avesti	cominciato
lui,lei	**cominc**erà	avrà	cominciato	cominciò	ebbe	cominciato
noi	**cominc**eremo	avremo	cominciato	cominciammo	avemmo	cominciato
voi	**cominc**erete	avrete	cominciato	cominciaste	aveste	cominciato
loro	**cominc**eranno	avranno	cominciato	cominciarono	ebbero	cominciato

MODO CONGIUNTIVO

Presente		*Imperfetto*	*Passato*		*Trapassato*	
io	**cominc**i	cominciassi	abbia	cominciato	avessi	cominciato
tu	**cominc**i	cominciassi	abbia	cominciato	avessi	cominciato
lui,lei	**cominc**i	cominciasse	abbia	cominciato	avesse	cominciato
noi	**cominc**iamo	cominciassimo	abbiamo	cominciato	avessimo	cominciato
voi	**cominc**iate	cominciaste	abbiate	cominciato	aveste	cominciato
loro	**cominc**ino	cominciassero	abbiano	cominciato	avessero	cominciato

MODO CONDIZIONALE / MODO IMPERATIVO

Semplice		*Composto*		*Diretto*	*Indiretto*
io	**cominc**erei	avrei	cominciato		
tu	**cominc**eresti	avresti	cominciato	comincia !	
lui,lei	**cominc**erebbe	avrebbe	cominciato		**cominc**i !
noi	**cominc**eremmo	avremmo	cominciato	**cominc**iamo !	
voi	**cominc**ereste	avreste	cominciato	cominciate !	
loro	**cominc**erebbero	avrebbero	cominciato		**cominc**ino !

MODO GERUNDIO / MODO INFINITO / MODO PARTICIPIO

Semplice	*Composto*	*Semplice*	*Composto*	*Presente*	*Passato*
cominciando	avendo cominciato	cominciare	avere cominciato	cominciante	cominciato

MANGIARE
to eat - manger - essen - comer

MODO INDICATIVO

Presente		*Imperfetto*	*Passato prossimo*		*Trapassato pross.*	
io	mangio	mangiavo	ho	mangiato	avevo	mangiato
tu	**mang**i	mangiavi	hai	mangiato	avevi	mangiato
lui,lei	mangia	mangiava	ha	mangiato	aveva	mangiato
noi	**mang**iamo	mangiavamo	abbiamo	mangiato	avevamo	mangiato
voi	mangiate	mangiavate	avete	mangiato	avevate	mangiato
loro	mangiano	mangiavano	hanno	mangiato	avevano	mangiato

Futuro sempl.		*Futuro comp.*		*Passato remoto*	*Trapassato rem.*	
io	**mang**erò	avrò	mangiato	mangiai	ebbi	mangiato
tu	**mang**erai	avrai	mangiato	mangiasti	avesti	mangiato
lui,lei	**mang**erà	avrà	mangiato	mangiò	ebbe	mangiato
noi	**mang**eremo	avremo	mangiato	mangiammo	avemmo	mangiato
voi	**mang**erete	avrete	mangiato	mangiaste	aveste	mangiato
loro	**mang**eranno	avranno	mangiato	mangiarono	ebbero	mangiato

MODO CONGIUNTIVO

Presente		*Imperfetto*	*Passato*		*Trapassato*	
io	**mang**i	mangiassi	abbia	mangiato	avessi	mangiato
tu	**mang**i	mangiassi	abbia	mangiato	avessi	mangiato
lui,lei	**mang**i	mangiasse	abbia	mangiato	avesse	mangiato
noi	**mang**iamo	mangiassimo	abbiamo	mangiato	avessimo	mangiato
voi	**mang**iate	mangiaste	abbiate	mangiato	aveste	mangiato
loro	**mang**ino	mangiassero	abbiano	mangiato	avessero	mangiato

MODO CONDIZIONALE

Semplice		*Composto*	
io	**mang**erei	avrei	mangiato
tu	**mang**eresti	avresti	mangiato
lui,lei	**mang**erebbe	avrebbe	mangiato
noi	**mang**eremmo	avremmo	mangiato
voi	**mang**ereste	avreste	mangiato
loro	**mang**erebbero	avrebbero	mangiato

MODO IMPERATIVO

Diretto	*Indiretto*
mangia !	
	mangi !
mangiamo !	
mangiate !	
	mangino !

MODO GERUNDIO

Semplice	*Composto*
mangiando	avendo mangiato

MODO INFINITO

Semplice	*Composto*
mangiare	avere mangiato

MODO PARTICIPIO

Presente	*Passato*
mangiante	mangiato

Verbi irregolari

ACCENDERE

to light/to put on - allumer - anzünden/anmachen - encender

MODO INDICATIVO

	Presente	*Imperfetto*	*Passato prossimo*	*Trapassato pross.*
io	accendo	accendevo	ho **acceso**	avevo **acceso**
tu	accendi	accendevi	hai **acceso**	avevi **acceso**
lui,lei	accende	accendeva	ha **acceso**	aveva **acceso**
noi	accendiamo	accendevamo	abbiamo **acceso**	avevamo **acceso**
voi	accendete	accendevate	avete **acceso**	avevate **acceso**
loro	accendono	accendevano	hanno **acceso**	avevano **acceso**

	Futuro sempl.	*Futuro comp.*	*Passato remoto*	*Trapassato rem.*
io	accenderò	avrò **acceso**	**accesi**	ebbi **acceso**
tu	accenderai	avrai **acceso**	accendesti	avesti **acceso**
lui,lei	accenderà	avrà **acceso**	**accese**	ebbe **acceso**
noi	accenderemo	avremo **acceso**	accendemmo	avemmo **acceso**
voi	accenderete	avrete **acceso**	accendeste	aveste **acceso**
loro	accenderanno	avranno **acceso**	**accesero**	ebbero **acceso**

MODO CONGIUNTIVO

	Presente	*Imperfetto*	*Passato*	*Trapassato*
io	accenda	accendessi	abbia **acceso**	avessi **acceso**
tu	accenda	accendessi	abbia **acceso**	avessi **acceso**
lui,lei	accenda	accendesse	abbia **acceso**	avesse **acceso**
noi	accendiamo	accendessimo	abbiamo **acceso**	avessimo **acceso**
voi	accendiate	accendeste	abbiate **acceso**	aveste **acceso**
loro	accendano	accendessero	abbiano **acceso**	avessero **acceso**

MODO CONDIZIONALE / MODO IMPERATIVO

	Semplice	*Composto*	*Diretto*	*Indiretto*
io	accenderei	avrei **acceso**		
tu	accenderesti	avresti **acceso**	accendi !	
lui,lei	accenderebbe	avrebbe **acceso**		accenda !
noi	accenderemmo	avremmo **acceso**	accendiamo !	
voi	accendereste	avreste **acceso**	accendete !	
loro	accenderebbero	avrebbero **acceso**		accendano !

MODO GERUNDIO / MODO INFINITO / MODO PARTICIPIO

Semplice	*Composto*	*Semplice*	*Composto*	*Presente*	*Passato*
accendendo	avendo **acceso**	accendere	avere **acceso**	accendente	**acceso**

ACCORGERSI

to realize - s'apercevoir - bemerken/sehen - darse cuenta de

MODO INDICATIVO

	Presente	*Imperfetto*	*Passato prossimo*	*Trapassato pross.*
io mi	accorgo	accorgevo	sono **accorto,a**	ero **accorto,a**
tu ti	accorgi	accorgevi	sei **accorto,a**	eri **accorto,a**
lui,lei si	accorge	accorgeva	è **accorto,a**	era **accorto,a**
noi ci	accorgiamo	accorgevano	siamo **accorti,e**	eravamo **accorti,e**
voi vi	accorgete	accorgevate	siete **accorti,e**	eravate **accorti,e**
loro si	accorgono	accorgevano	sono **accorti,e**	erano **accorti,e**

	Futuro sempl.	*Futuro comp.*	*Passato remoto*	*Trapassato rem.*
io mi	accorgerò	sarò **accorto,a**	**accorsi**	fui **accorto,a**
tu ti	accorgerai	sarai **accorto,a**	accorgesti	fosti **accorto,a**
lui,lei si	accorgerà	sarà **accorto,a**	**accorse**	fu **accorto,a**
noi ci	accorgeremo	saremo **accorti,e**	accorgemmo	fummo **accorti,e**
voi vi	accorgerete	sarete **accorti,e**	accorgeste	foste **accorti,e**
loro si	accorgeranno	saranno **accorti,e**	**accorsero**	furono **accorti,e**

MODO CONGIUNTIVO

	Presente	*Imperfetto*	*Passato*	*Trapassato*
io mi	accorga	accorgessi	sia **accorto,a**	fossi **accorto,a**
tu ti	accorga	accorgessi	sia **accorto,a**	fossi **accorto,a**
lui,lei si	accorga	accorgesse	sia **accorto,a**	fosse **accorto,a**
noi ci	accorgiamo	accorgessimo	siamo **accorti,e**	fossimo **accorti,e**
voi vi	accorgiate	accorgeste	siate **accorti,e**	foste **accorti,e**
loro si	accorgano	accorgessero	siano **accorti,e**	fossero **accorti,e**

MODO CONDIZIONALE / MODO IMPERATIVO

	Semplice	*Composto*	*Diretto*	*Indiretto*
io mi	accorgerei	sarei **accorto,a**		
tu ti	accorgeresti	saresti **accorto,a**	accorgiti !	
lui,lei si	accorgerebbe	sarebbe **accorto,a**		si accorga !
noi ci	accorgeremmo	saremmo **accorti,e**	accorgiamoci !	
voi vi	accorgereste	sareste **accorti,e**	accorgetevi !	
loro si	accorgerebbero	sarebbero **accorti,e**		si accorgano !

MODO GERUNDIO / MODO INFINITO / MODO PARTICIPIO

Gerundio *Semplice*	Gerundio *Composto*	Infinito *Semplice*	Infinito *Composto*	Participio *Presente*	Participio *Passato*
accorgendosi	essendosi **accorto,...**	accorgersi	essersi **accorto,...**	-	**accortosi**

AFFIGGERE to post - afficher - anschlagen - fijar/pegar

MODO INDICATIVO

	Presente	Imperfetto	Passato prossimo	Trapassato pross.
io	affiggo	affiggevo	ho **affisso**	avevo **affisso**
tu	affiggi	affiggevi	hai **affisso**	avevi **affisso**
lui,lei	affigge	affiggeva	ha **affisso**	aveva **affisso**
noi	affiggiamo	affiggevamo	abbiamo **affisso**	avevamo **affisso**
voi	affiggete	affiggevate	avete **affisso**	avevate **affisso**
loro	affiggono	affiggevano	hanno **affisso**	avevano **affisso**

	Futuro sempl.	Futuro comp.	Passato remoto	Trapassato rem.
io	affiggerò	avrò **affisso**	**affissi**	ebbi **affisso**
tu	affiggerai	avrai **affisso**	affiggesti	avesti **affisso**
lui,lei	affiggerà	avrà **affisso**	**affisse**	ebbe **affisso**
noi	affiggeremo	avremo **affisso**	affiggemmo	avemmo **affisso**
voi	affiggerete	avrete **affisso**	affiggeste	aveste **affisso**
loro	affiggeranno	avranno **affisso**	**affissero**	ebbero **affisso**

MODO CONGIUNTIVO

	Presente	Imperfetto	Passato	Trapassato
io	affigga	affiggessi	abbia **affisso**	avessi **affisso**
tu	affigga	affiggessi	abbia **affisso**	avessi **affisso**
lui,lei	affigga	affiggesse	abbia **affisso**	avesse **affisso**
noi	affiggiamo	affiggessimo	abbiamo **affisso**	avessimo **affisso**
voi	affiggiate	affiggeste	abbiate **affisso**	aveste **affisso**
loro	affiggano	affiggessero	abbiano **affisso**	avessero **affisso**

MODO CONDIZIONALE

	Semplice	Composto
io	affiggerei	avrei **affisso**
tu	affiggeresti	avresti **affisso**
lui,lei	affiggerebbe	avrebbe **affisso**
noi	affiggeremmo	avremmo **affisso**
voi	affiggereste	avreste **affisso**
loro	affiggerebbero	avrebbero **affisso**

MODO IMPERATIVO

Diretto	Indiretto
affiggi !	
	affigga !
affiggiamo !	
affiggete !	
	affiggano !

MODO GERUNDIO

Semplice	Composto
affiggendo	avendo **affisso**

MODO INFINITO

Semplice	Composto
affiggere	avere **affisso**

MODO PARTICIPIO

Presente	Passato
affiggente	**affisso**

ANDARE to go - aller - gehen - ir

MODO INDICATIVO

Presente		*Imperfetto*	*Passato prossimo*		*Trapassato pross.*	
io	**vado**	andavo	sono	andato,a	ero	andato,a
tu	**vai**	andavi	sei	andato,a	eri	andato,a
lui,lei	**va**	andava	è	andato,a	era	andato,a
noi	andiamo	andavamo	siamo	andati,e	eravamo	andati,e
voi	andate	andavate	siete	andati,e	eravate	andati,e
loro	**vanno**	andavano	sono	andati,e	erano	andati,e

Futuro sempl.		*Futuro comp.*		*Passato remoto*	*Trapassato rem.*	
io	**andrò**	sarò	andato,a	andai	fui	andato,a
tu	**andrai**	sarai	andato,a	andasti	fosti	andato,a
lui,lei	**andrà**	sarà	andato,a	andò	fu	andato,a
noi	**andremo**	saremo	andati,e	andammo	fummo	andati,e
voi	**andrete**	sarete	andati,e	andaste	foste	andati,e
loro	**andranno**	saranno	andati,e	andarono	furono	andati,e

MODO CONGIUNTIVO

Presente		*Imperfetto*	*Passato*		*Trapassato*	
io	**vada**	andassi	sia	andato,a	fossi	andato,a
tu	**vada**	andassi	sia	andato,a	fossi	andato,a
lui,lei	**vada**	andasse	sia	andato,a	fosse	andato,a
noi	andiamo	andassimo	siamo	andati,e	fossimo	andati,e
voi	andiate	andaste	siate	andati,e	foste	andati,e
loro	**vadano**	andassero	siano	andati,e	fossero	andati,e

MODO CONDIZIONALE

Semplice		*Composto*	
io	**andrei**	sarei	andato,a
tu	**andresti**	saresti	andato,a
lui,lei	**andrebbe**	sarebbe	andato,a
noi	**andremmo**	saremmo	andati,e
voi	**andreste**	sareste	andati,e
loro	**andrebbero**	sarebbero	andati,e

MODO IMPERATIVO

Diretto	*Indiretto*
va' (vai) !	
	vada !
andiamo !	
andate !	
	vadano !

MODO GERUNDIO

Semplice	*Composto*
andando	essendo andato,...

MODO INFINITO

Semplice	*Composto*
andare	essere andato,...

MODO PARTICIPIO

Presente	*Passato*
andante	andato,...

APPENDERE

to hang up - suspendre - aufhängen - colgar/suspender

MODO INDICATIVO

	Presente	*Imperfetto*	*Passato prossimo*		*Trapassato pross.*	
io	appendo	appendevo	ho	**appeso**	avevo	**appeso**
tu	appendi	appendevi	hai	**appeso**	avevi	**appeso**
lui,lei	appende	appendeva	ha	**appeso**	aveva	**appeso**
noi	appendiamo	appendevamo	abbiamo	**appeso**	avevamo	**appeso**
voi	appendete	appendevate	avete	**appeso**	avevate	**appeso**
loro	appendono	appendevano	hanno	**appeso**	avevano	**appeso**

	Futuro sempl.	*Futuro comp.*		*Passato remoto*	*Trapassato rem.*	
io	appenderò	avrò	**appeso**	**appesi**	ebbi	**appeso**
tu	appenderai	avrai	**appeso**	appendesti	avesti	**appeso**
lui,lei	appenderà	avrà	**appeso**	**appese**	ebbe	**appeso**
noi	appenderemo	avremo	**appeso**	appendemmo	avemmo	**appeso**
voi	appenderete	avrete	**appeso**	appendeste	aveste	**appeso**
loro	appenderanno	avranno	**appeso**	**appesero**	ebbero	**appeso**

MODO CONGIUNTIVO

	Presente	*Imperfetto*	*Passato*		*Trapassato*	
io	appenda	appendessi	abbia	**appeso**	avessi	**appeso**
tu	appenda	appendessi	abbia	**appeso**	avessi	**appeso**
lui,lei	appenda	appendesse	abbia	**appeso**	avesse	**appeso**
noi	appendiamo	appendessimo	abbiamo	**appeso**	avessimo	**appeso**
voi	appendiate	appendeste	abbiate	**appeso**	aveste	**appeso**
loro	appendano	appendessero	abbiano	**appeso**	avessero	**appeso**

MODO CONDIZIONALE

	Semplice	*Composto*	
io	appenderei	avrei	**appeso**
tu	appenderesti	avresti	**appeso**
lui,lei	appenderebbe	avrebbe	**appeso**
noi	appenderemmo	avremmo	**appeso**
voi	appendereste	avreste	**appeso**
loro	appenderebbero	avrebbero	**appeso**

MODO IMPERATIVO

Diretto	*Indiretto*
appendi !	
	appenda !
appendiamo !	
appendete !	
	appendano !

MODO GERUNDIO

Semplice	*Composto*
appendendo	avendo **appeso**

MODO INFINITO

Semplice	*Composto*
appendere	avendo **appeso**

MODO PARTICIPIO

Presente	*Passato*
appendente	**appeso**

APRIRE to open - ouvrir - öffnen - abrir

MODO INDICATIVO

Presente		*Imperfetto*	*Passato prossimo*		*Trapassato pross.*	
io	apro	aprivo	ho	**aperto**	avevo	**aperto**
tu	apri	aprivi	hai	**aperto**	avevi	**aperto**
lui,lei	apre	apriva	ha	**aperto**	aveva	**aperto**
noi	apriamo	aprivamo	abbiamo	**aperto**	avevamo	**aperto**
voi	aprite	aprivate	avete	**aperto**	avevate	**aperto**
loro	aprono	aprivano	hanno	**aperto**	avevano	**aperto**

Futuro sempl.		*Futuro comp.*		*Passato remoto*	*Trapassato rem.*	
io	aprirò	avrò	**aperto**	aprii	ebbi	**aperto**
tu	aprirai	avrai	**aperto**	apristi	avesti	**aperto**
lui,lei	aprirà	avrà	**aperto**	aprì	ebbe	**aperto**
noi	apriremo	avremo	**aperto**	aprimmo	avemmo	**aperto**
voi	aprirete	avrete	**aperto**	apriste	aveste	**aperto**
loro	apriranno	avranno	**aperto**	aprirono	ebbero	**aperto**

MODO CONGIUNTIVO

Presente		*Imperfetto*	*Passato*		*Trapassato*	
io	apra	aprissi	abbia	**aperto**	avessi	**aperto**
tu	apra	aprissi	abbia	**aperto**	avessi	**aperto**
lui,lei	apra	aprisse	abbia	**aperto**	avesse	**aperto**
noi	apriamo	aprissimo	abbiamo	**aperto**	avessimo	**aperto**
voi	apriate	apriste	abbiate	**aperto**	aveste	**aperto**
loro	aprano	aprissero	abbiano	**aperto**	avessero	**aperto**

MODO CONDIZIONALE

Semplice		*Composto*	
io	aprirei	avrei	**aperto**
tu	apriresti	avresti	**aperto**
lui,lei	aprirebbe	avrebbe	**aperto**
noi	apriremmo	avremmo	**aperto**
voi	aprireste	avreste	**aperto**
loro	aprirebbero	avrebbero	**aperto**

MODO IMPERATIVO

Diretto	*Indiretto*
apri !	
	apra !
apriamo !	
aprite !	
	aprano !

MODO GERUNDIO

Semplice	*Composto*
aprendo	avendo **aperto**

MODO INFINITO

Semplice	*Composto*
aprire	avere **aperto**

MODO PARTICIPIO

Presente	*Passato*
aprente	**aperto**

ARDERE to burn - brûler - glühen - quemar/arder

MODO INDICATIVO

	Presente	*Imperfetto*	*Passato prossimo*	*Trapassato pross.*
io	ardo	ardevo	ho **arso**	avevo **arso**
tu	ardi	ardevi	hai **arso**	avevi **arso**
lui,lei	arde	ardeva	ha **arso**	aveva **arso**
noi	ardiamo	ardevamo	abbiamo **arso**	avevamo **arso**
voi	ardete	ardevate	avete **arso**	avevate **arso**
loro	ardono	ardevano	hanno **arso**	avevano **arso**

	Futuro sempl.	*Futuro comp.*	*Passato remoto*	*Trapassato rem.*
io	arderò	avrò **arso**	**arsi**	ebbi **arso**
tu	arderai	avrai **arso**	ardesti	avesti **arso**
lui,lei	arderà	avrà **arso**	**arse**	ebbe **arso**
noi	arderemo	avremo **arso**	ardemmo	avemmo **arso**
voi	arderete	avrete **arso**	ardeste	aveste **arso**
loro	arderanno	avranno **arso**	**arsero**	ebbero **arso**

MODO CONGIUNTIVO

	Presente	*Imperfetto*	*Passato*	*Trapassato*
io	arda	ardessi	abbia **arso**	avessi **arso**
tu	arda	ardessi	abbia **arso**	avessi **arso**
lui,lei	arda	ardesse	abbia **arso**	avesse **arso**
noi	ardiamo	ardessimo	abbiamo **arso**	avessimo **arso**
voi	ardiate	ardeste	abbiate **arso**	aveste **arso**
loro	ardano	ardessero	abbiano **arso**	avessero **arso**

MODO CONDIZIONALE

	Semplice	*Composto*
io	arderei	avrei **arso**
tu	arderesti	avresti **arso**
lui,lei	arderebbe	avrebbe **arso**
noi	arderemmo	avremmo **arso**
voi	ardereste	avreste **arso**
loro	arderebbero	avrebbero **arso**

MODO IMPERATIVO

Diretto	*Indiretto*
ardi !	
	arda !
ardiamo !	
ardete !	
	ardano !

MODO GERUNDIO

Semplice	*Composto*
ardendo	avendo **arso**

MODO INFINITO

Semplice	*Composto*
ardere	avere **arso**

MODO PARTICIPIO

Presente	*Passato*
ardente	**arso**

ASSISTERE

to assist - assister - pflegen/beiwohnen - asistir

MODO INDICATIVO

	Presente	*Imperfetto*	*Passato prossimo*	*Trapassato pross.*
io	assisto	assistevo	ho **assistito**	avevo **assistito**
tu	assisti	assistevi	hai **assistito**	avevi **assistito**
lui,lei	assiste	assisteva	ha **assistito**	aveva **assistito**
noi	assistiamo	assistevamo	abbiamo **assistito**	avevamo **assistito**
voi	assistite	assistevate	avete **assistito**	avevate **assistito**
loro	assistono	assistevano	hanno **assistito**	avevano **assistito**

	Futuro sempl.	*Futuro comp.*	*Passato remoto*	*Trapassato rem.*
io	assisterò	avrò **assistito**	assistei (-etti)	ebbi **assistito**
tu	assisterai	avrai **assistito**	assistesti	avesti **assistito**
lui,lei	assisterà	avrà **assistito**	assisté (-ette)	ebbe **assistito**
noi	assisteremo	avremo **assistito**	assistemmo	avemmo **assistito**
voi	assisterete	avrete **assistito**	assisteste	aveste **assistito**
loro	assisteranno	avranno **assistito**	assisterono (-ettero)	ebbero **assistito**

MODO CONGIUNTIVO

	Presente	*Imperfetto*	*Passato*	*Trapassato*
io	assista	assistessi	abbia **assistito**	avessi **assistito**
tu	assista	assistessi	abbia **assistito**	avessi **assistito**
lui,lei	assista	assistesse	abbia **assistito**	avesse **assistito**
noi	assistiamo	assistessimo	abbiamo **assistito**	avessimo **assistito**
voi	assistiate	assisteste	abbiate **assistito**	aveste **assistito**
loro	assistano	assistessero	abbiano **assistito**	avessero **assistito**

MODO CONDIZIONALE

	Semplice	*Composto*
io	assisterei	avrei **assistito**
tu	assisteresti	avresti **assistito**
lui,lei	assisterebbe	avrebbe **assistito**
noi	assisteremmo	avremmo **assistito**
voi	assistereste	avreste **assistito**
loro	assisterebbero	avrebbero **assistito**

MODO IMPERATIVO

Diretto	*Indiretto*
assisti !	
	assista !
assistiamo !	
assistete !	
	assistano !

MODO GERUNDIO

Semplice	*Composto*
assistendo	avendo **assistito**

MODO INFINITO

Semplice	*Composto*
assistere	avere **assistito**

MODO PARTICIPIO

Presente	*Passato*
assistente	**assistito**

ASSUMERE

to engage/to assume - engager/assumer - einstellen/annehmen - asumir

MODO INDICATIVO

	Presente	Imperfetto	Passato prossimo	Trapassato pross.
io	assumo	assumevo	ho **assunto**	avevo **assunto**
tu	assumi	assumevi	hai **assunto**	avevi **assunto**
lui,lei	assume	assumeva	ha **assunto**	aveva **assunto**
noi	assumiamo	assumevamo	abbiamo **assunto**	avevamo **assunto**
voi	assumete	assumevate	avete **assunto**	avevate **assunto**
loro	assumono	assumevano	hanno **assunto**	avevano **assunto**

	Futuro sempl.	Futuro comp.	Passato remoto	Trapassato rem.
io	assumerò	avrò **assunto**	**assunsi**	ebbi **assunto**
tu	assumerai	avrai **assunto**	assumesti	avesti **assunto**
lui,lei	assumerà	avrà **assunto**	**assunse**	ebbe **assunto**
noi	assumeremo	avremo **assunto**	assumemmo	avemmo **assunto**
voi	assumerete	avrete **assunto**	assumeste	aveste **assunto**
loro	assumeranno	avranno **assunto**	**assunsero**	ebbero **assunto**

MODO CONGIUNTIVO

	Presente	Imperfetto	Passato	Trapassato
io	assuma	assumessi	abbia **assunto**	avessi **assunto**
tu	assuma	assumessi	abbia **assunto**	avessi **assunto**
lui,lei	assuma	assumesse	abbia **assunto**	avesse **assunto**
noi	assumiamo	assumessimo	abbiamo **assunto**	avessimo **assunto**
voi	assumiate	assumeste	abbiate **assunto**	aveste **assunto**
loro	assumano	assumessero	abbiano **assunto**	avessero **assunto**

MODO CONDIZIONALE / MODO IMPERATIVO

	Semplice	Composto	Diretto	Indiretto
io	assumerei	avrei **assunto**		
tu	assumeresti	avresti **assunto**	assumi !	
lui,lei	assumerebbe	avrebbe **assunto**		assuma !
noi	assumeremmo	avremmo **assunto**	assumiamo !	
voi	assumereste	avreste **assunto**	assumete !	
loro	assumerebbero	avrebbero **assunto**		assumano !

MODO GERUNDIO

Semplice	Composto
assumendo	avendo **assunto**

MODO INFINITO

Semplice	Composto
assumere	avere **assunto**

MODO PARTICIPIO

Presente	Passato
assumente	**assunto**

BERE

to drink - boire - trinken - beber

MODO INDICATIVO

Presente		*Imperfetto*	*Passato prossimo*		*Trapassato pross.*	
io	**bevo**	**bevevo**	ho	**bevuto**	avevo	**bevuto**
tu	**bevi**	**bevevi**	hai	**bevuto**	avevi	**bevuto**
lui,lei	**beve**	**beveva**	ha	**bevuto**	aveva	**bevuto**
noi	**beviamo**	**bevevamo**	abbiamo	**bevuto**	avevamo	**bevuto**
voi	**bevete**	**bevevate**	avete	**bevuto**	avevate	**bevuto**
loro	**bevono**	**bevevano**	hanno	**bevuto**	avevano	**bevuto**

Futuro sempl.		*Futuro comp.*		*Passato remoto*	*Trapassato rem.*	
io	**berrò**	avrò	**bevuto**	**bevvi**	ebbi	**bevuto**
tu	**berrai**	avrai	**bevuto**	**bevesti**	avesti	**bevuto**
lui,lei	**berrà**	avrà	**bevuto**	**bevve**	ebbe	**bevuto**
noi	**berremo**	avremo	**bevuto**	**bevemmo**	avemmo	**bevuto**
voi	**berrete**	avrete	**bevuto**	**beveste**	aveste	**bevuto**
loro	**berranno**	avranno	**bevuto**	**bevvero**	ebbero	**bevuto**

MODO CONGIUNTIVO

Presente		*Imperfetto*	*Passato*		*Trapassato*	
io	**beva**	**bevessi**	abbia	**bevuto**	avessi	**bevuto**
tu	**beva**	**bevessi**	abbia	**bevuto**	avessi	**bevuto**
lui,lei	**beva**	**bevesse**	abbia	**bevuto**	avesse	**bevuto**
noi	**beviamo**	**bevessimo**	abbiamo	**bevuto**	avessimo	**bevuto**
voi	**beviate**	**beveste**	abbiate	**bevuto**	aveste	**bevuto**
loro	**bevano**	**bevessero**	abbiano	**bevuto**	avessero	**bevuto**

MODO CONDIZIONALE

Semplice		*Composto*	
io	**berrei**	avrei	**bevuto**
tu	**berresti**	avresti	**bevuto**
lui,lei	**berrebbe**	avrebbe	**bevuto**
noi	**berremmo**	avremmo	**bevuto**
voi	**berreste**	avreste	**bevuto**
loro	**berrebbero**	avrebbero	**bevuto**

MODO IMPERATIVO

Diretto	*Indiretto*
bevi !	
	beva !
beviamo !	
bevete !	
	bevano !

MODO GERUNDIO

Semplice	*Composto*
bevendo	avendo **bevuto**

MODO INFINITO

Semplice	*Composto*
bere	avere **bevuto**

MODO PARTICIPIO

Presente	*Passato*
bevente	**bevuto**

CADERE to fall - tomber - fallen - caer

MODO INDICATIVO

Presente		*Imperfetto*	*Passato prossimo*		*Trapassato pross.*	
io	cado	cadevo	sono	caduto,a	ero	caduto,a
tu	cadi	cadevi	sei	caduto,a	eri	caduto,a
lui,lei	cade	cadeva	è	caduto,a	era	caduto,a
noi	cadiamo	cadevamo	siamo	caduti,e	eravamo	caduti,e
voi	cadete	cadevate	siete	caduti,e	eravate	caduti,e
loro	cadono	cadevano	sono	caduti,e	erano	caduti,e

Futuro sempl.		*Futuro comp.*		*Passato remoto*	*Trapassato rem.*	
io	**cadrò**	sarò	caduto,a	**caddi**	fui	caduto,a
tu	**cadrai**	sarai	caduto,a	cadesti	fosti	caduto,a
lui,lei	**cadrà**	sarà	caduto,a	**cadde**	fu	caduto,a
noi	**cadremo**	saremo	caduti,e	cademmo	fummo	caduti,e
voi	**cadrete**	sarete	caduti,e	cadeste	foste	caduti,e
loro	**cadranno**	saranno	caduti,e	**caddero**	furono	caduti,e

MODO CONGIUNTIVO

Presente		*Imperfetto*	*Passato*		*Trapassato*	
io	cada	cadessi	sia	caduto,a	fossi	caduto,a
tu	cada	cadessi	sia	caduto,a	fossi	caduto,a
lui,lei	cada	cadesse	sia	caduto,a	fosse	caduto,a
noi	cadiamo	cadessimo	siamo	caduti,e	fossimo	caduti,e
voi	cadiate	cadeste	siate	caduti,e	foste	caduti,e
loro	cadano	cadessero	siano	caduti,e	fossero	caduti,e

MODO CONDIZIONALE

Semplice		*Composto*	
io	**cadrei**	sarei	caduto,a
tu	**cadresti**	saresti	caduto,a
lui,lei	**cadrebbe**	sarebbe	caduto,a
noi	**cadremmo**	saremmo	caduti,e
voi	**cadreste**	sareste	caduti,e
loro	**cadrebbero**	sarebbero	caduti,e

MODO IMPERATIVO

Diretto	*Indiretto*
cadi !	
	cada !
cadiamo !	
cadete !	
	cadano !

MODO GERUNDIO

Semplice	*Composto*
cadendo	essendo **caduto,...**

MODO INFINITO

Semplice	*Composto*
cadere	essere **caduto,...**

MODO PARTICIPIO

Presente	*Passato*
cadente	**caduto,...**

CHIEDERE

to ask - demander - fragen/bitten - pedir/preguntar

MODO INDICATIVO

	Presente	*Imperfetto*	*Passato prossimo*	*Trapassato pross.*
io	chiedo	chiedevo	ho **chiesto**	avevo **chiesto**
tu	chiedi	chiedevi	hai **chiesto**	avevi **chiesto**
lui,lei	chiede	chiedeva	ha **chiesto**	aveva **chiesto**
noi	chiediamo	chiedevamo	abbiamo **chiesto**	avevamo **chiesto**
voi	chiedete	chiedevate	avete **chiesto**	avevate **chiesto**
loro	chiedono	chiedevano	hanno **chiesto**	avevano **chiesto**

	Futuro sempl.	*Futuro comp.*	*Passato remoto*	*Trapassato rem.*
io	chiederò	avrò **chiesto**	**chiesi**	ebbi **chiesto**
tu	chiederai	avrai **chiesto**	chiedesti	avesti **chiesto**
lui,lei	chiederà	avrà **chiesto**	**chiese**	ebbe **chiesto**
noi	chiederemo	avremo **chiesto**	chiedemmo	avemmo **chiesto**
voi	chiederete	avrete **chiesto**	chiedeste	aveste **chiesto**
loro	chiederanno	avranno **chiesto**	**chiesero**	ebbero **chiesto**

MODO CONGIUNTIVO

	Presente	*Imperfetto*	*Passato*	*Trapassato*
io	chieda	chiedessi	abbia **chiesto**	avessi **chiesto**
tu	chieda	chiedessi	abbia **chiesto**	avessi **chiesto**
lui,lei	chieda	chiedesse	abbia **chiesto**	avesse **chiesto**
noi	chiediamo	chiedessimo	abbiamo **chiesto**	avessimo **chiesto**
voi	chiediate	chiedeste	abbiate **chiesto**	aveste **chiesto**
loro	chiedano	chiedessero	abbiano **chiesto**	avessero **chiesto**

MODO CONDIZIONALE

	Semplice	*Composto*
io	chiederei	avrei **chiesto**
tu	chiederesti	avresti **chiesto**
lui,lei	chiederebbe	avrebbe **chiesto**
noi	chiederemmo	avremmo **chiesto**
voi	chiedereste	avreste **chiesto**
loro	chiederebbero	avrebbero **chiesto**

MODO IMPERATIVO

Diretto	*Indiretto*
chiedi !	
	chieda !
chiediamo !	
chiedete !	
	chiedano !

MODO GERUNDIO

Semplice	*Composto*
chiedendo	avendo **chiesto**

MODO INFINITO

Semplice	*Composto*
chiedere	avere **chiesto**

MODO PARTICIPIO

Presente	*Passato*
chiedente	**chiesto**

CHIUDERE to close - fermer - schließen - cerrar

MODO INDICATIVO

Presente		*Imperfetto*	*Passato prossimo*		*Trapassato pross.*	
io	chiudo	chiudevo	ho	**chiuso**	avevo	**chiuso**
tu	chiudi	chiudevi	hai	**chiuso**	avevi	**chiuso**
lui,lei	chiude	chiudeva	ha	**chiuso**	aveva	**chiuso**
noi	chiudiamo	chiudevamo	abbiamo	**chiuso**	avevamo	**chiuso**
voi	chiudete	chiudevate	avete	**chiuso**	avevate	**chiuso**
loro	chiudono	chiudevano	hanno	**chiuso**	avevano	**chiuso**

Futuro sempl.		*Futuro comp.*		*Passato remoto*	*Trapassato rem.*	
io	chiuderò	avrò	**chiuso**	**chiusi**	ebbi	**chiuso**
tu	chiuderai	avrai	**chiuso**	chiudesti	avesti	**chiuso**
lui,lei	chiuderà	avrà	**chiuso**	**chiuse**	ebbe	**chiuso**
noi	chiuderemo	avremo	**chiuso**	chiudemmo	avemmo	**chiuso**
voi	chiuderete	avrete	**chiuso**	chiudeste	aveste	**chiuso**
loro	chiuderanno	avranno	**chiuso**	**chiusero**	ebbero	**chiuso**

MODO CONGIUNTIVO

Presente		*Imperfetto*	*Passato*		*Trapassato*	
io	chiuda	chiudessi	abbia	**chiuso**	avessi	**chiuso**
tu	chiuda	chiudessi	abbia	**chiuso**	avessi	**chiuso**
lui,lei	chiuda	chiudesse	abbia	**chiuso**	avesse	**chiuso**
noi	chiudiamo	chiudessimo	abbiamo	**chiuso**	avessimo	**chiuso**
voi	chiudiate	chiudeste	abbiate	**chiuso**	aveste	**chiuso**
loro	chiudano	chiudessero	abbiano	**chiuso**	avessero	**chiuso**

MODO CONDIZIONALE

Semplice		*Composto*	
io	chiuderei	avrei	**chiuso**
tu	chiuderesti	avresti	**chiuso**
lui,lei	chiuderebbe	avrebbe	**chiuso**
noi	chiuderemmo	avremmo	**chiuso**
voi	chiudereste	avreste	**chiuso**
loro	chiuderebbero	avrebbero	**chiuso**

MODO IMPERATIVO

Diretto	*Indiretto*
chiudi !	
	chiuda !
chiudiamo !	
chiudete !	
	chiudano !

MODO GERUNDIO

Semplice	*Composto*
chiudendo	avendo **chiuso**

MODO INFINITO

Semplice	*Composto*
chiudere	avere **chiuso**

MODO PARTICIPIO

Presente	*Passato*
chiudente	**chiuso**

COGLIERE to pick/to pluck - cueillir/saisir - pflücken/ergreifen - coger/tomar

MODO INDICATIVO

Presente		*Imperfetto*	*Passato prossimo*		*Trapassato pross.*	
io	**colgo**	coglievo	ho	**colto**	avevo	**colto**
tu	**cogli**	coglievi	hai	**colto**	avevi	**colto**
lui,lei	coglie	coglieva	ha	**colto**	aveva	**colto**
noi	**cogliamo**	coglievamo	abbiamo	**colto**	avevamo	**colto**
voi	cogliete	coglievate	avete	**colto**	avevate	**colto**
loro	**colgono**	coglievano	hanno	**colto**	avevano	**colto**

Futuro sempl.		*Futuro comp.*		*Passato remoto*	*Trapassato rem.*	
io	coglierò	avrò	**colto**	**colsi**	ebbi	**colto**
tu	coglierai	avrai	**colto**	cogliesti	avesti	**colto**
lui,lei	coglierà	avrà	**colto**	**colse**	ebbe	**colto**
noi	coglieremo	avremo	**colto**	cogliemmo	avemmo	**colto**
voi	coglierete	avrete	**colto**	coglieste	aveste	**colto**
loro	coglieranno	avranno	**colto**	**colsero**	ebbero	**colto**

MODO CONGIUNTIVO

Presente		*Imperfetto*	*Passato*		*Trapassato*	
io	**colga**	cogliessi	abbia	**colto**	avessi	**colto**
tu	**colga**	cogliessi	abbia	**colto**	avessi	**colto**
lui,lei	**colga**	cogliesse	abbia	**colto**	avesse	**colto**
noi	**cogliamo**	cogliessimo	abbiamo	**colto**	avessimo	**colto**
voi	**cogliate**	coglieste	abbiate	**colto**	aveste	**colto**
loro	**colgano**	cogliessero	abbiano	**colto**	avessero	**colto**

MODO CONDIZIONALE

Semplice		*Composto*	
io	coglierei	avrei	**colto**
tu	coglieresti	avresti	**colto**
lui,lei	coglierebbe	avrebbe	**colto**
noi	coglieremmo	avremmo	**colto**
voi	cogliereste	avreste	**colto**
loro	coglierebbero	avrebbero	**colto**

MODO IMPERATIVO

Diretto	*Indiretto*
cogli !	
	colga !
cogliamo !	
cogliete !	
	colgano !

MODO GERUNDIO

Semplice	*Composto*
cogliendo	avendo **colto**

MODO INFINITO

Semplice	*Composto*
cogliere	avere **colto**

MODO PARTICIPIO

Presente	*Passato*
cogliente	**colto**

COMPARIRE

to appear - paraître - erscheinen - comparecer

MODO INDICATIVO

	Presente	*Imperfetto*		*Passato prossimo*		*Trapassato pross.*
io	**compaio**	comparivo	sono	**comparso,a**	ero	**comparso,a**
tu	compari	comparivi	sei	**comparso,a**	eri	**comparso,a**
lui,lei	compare	compariva	è	**comparso,a**	era	**comparso,a**
noi	compariamo	comparivamo	siamo	**comparsi,e**	eravamo	**comparsi,e**
voi	comparite	comparivate	siete	**comparsi,e**	eravate	**comparsi,e**
loro	**compaiono**	comparivano	sono	**comparsi,e**	erano	**comparsi,e**

	Futuro sempl.	*Futuro comp.*		*Passato remoto*	*Trapassato rem.*	
io	comparirò	sarò	**comparso,a**	comparii(**-arsi -arvi**)	fui	**comparso,a**
tu	comparirai	sarai	**comparso,a**	comparisti	fosti	**comparso,a**
lui,lei	comparirà	sarà	**comparso,a**	comparì(**-arse -arve**)	fu	**comparso,a**
noi	compariremo	saremo	**comparsi,e**	comparimmo	fummo	**comparsi,e**
voi	comparirete	sarete	**comparsi,e**	compariste	foste	**comparsi,e**
loro	compariranno	saranno	**comparsi,e**	comparirono(**-arsero -arvero**)	furono	**comparsi,e**

MODO CONGIUNTIVO

	Presente	*Imperfetto*	*Passato*		*Trapassato*	
io	**compaia**	comparissi	sia	**comparso,a**	fossi	**comparso,a**
tu	**compaia**	comparissi	sia	**comparso,a**	fossi	**comparso,a**
lui,lei	**compaia**	comparisse	sia	**comparso,a**	fosse	**comparso,a**
noi	compariamo	comparissimo	siamo	**comparsi,e**	fossimo	**comparsi,e**
voi	compariate	compariste	siate	**comparsi,e**	foste	**comparsi,e**
loro	**compaiano**	comparissero	siano	**comparsi,e**	fossero	**comparsi,e**

MODO CONDIZIONALE

	Semplice	*Composto*	
io	comparirei	sarei	**comparsa,a**
tu	compariresti	saresti	**comparso,a**
lui,lei	comparirebbe	sarebbe	**comparso,a**
noi	compariremmo	saremmo	**comparsi,e**
voi	comparireste	sareste	**comparsi,e**
loro	comparirebbero	sarebbero	**comparsi,e**

MODO IMPERATIVO

Diretto	*Indiretto*
compari !	
	compaia !
compariamo !	
comparite !	
	compaiano !

MODO GERUNDIO

Semplice	*Composto*
comparendo	essendo **comparso,...**

MODO INFINITO

Semplice	*Composto*
comparire	essere **comparso,...**

MODO PARTICIPIO

Presente	*Passato*
comparente	**comparso,...**

Nota: *questo verbo al Presente Indicativo e Congiuntivo e all'Imperativo si può coniugare anche come «Capire».*

COMPIERE to carry out - accomplir - vollbringen - completar/cumplir

MODO INDICATIVO

Presente		*Imperfetto*	*Passato prossimo*		*Trapassato pross.*	
io	compio	**compivo**	ho	compiuto	avevo	compiuto
tu	**compi**	**compivi**	hai	compiuto	avevi	compiuto
lui,lei	compie	**compiva**	ha	compiuto	aveva	compiuto
noi	**compiamo**	**compivamo**	abbiamo	compiuto	avevamo	compiuto
voi	**compite**	**compivate**	avete	compiuto	avevate	compiuto
loro	compiono	**compivano**	hanno	compiuto	avevano	compiuto

Futuro sempl.		*Futuro comp.*		*Passato remoto*	*Trapassato rem.*	
io	**compirò**	avrò	compiuto	**compii**	ebbi	compiuto
tu	**compirai**	avrai	compiuto	**compisti**	avesti	compiuto
lui,lei	**compirà**	avrà	compiuto	**compì**	ebbe	compiuto
noi	**compiremo**	avremo	compiuto	**compimmo**	avemmo	compiuto
voi	**compirete**	avrete	compiuto	**compiste**	aveste	compiuto
loro	**compiranno**	avranno	compiuto	**compirono**	ebbero	compiuto

MODO CONGIUNTIVO

Presente		*Imperfetto*	*Passato*		*Trapassato*	
io	compia	**compissi**	abbia	compiuto	avessi	compiuto
tu	compia	**compissi**	abbia	compiuto	avessi	compiuto
lui,lei	compia	**compisse**	abbia	compiuto	avesse	compiuto
noi	**compiamo**	**compissimo**	abbiamo	compiuto	avessimo	compiuto
voi	**compiate**	**compiste**	abbiate	compiuto	aveste	compiuto
loro	compiano	**compissero**	abbiano	compiuto	avessero	compiuto

MODO CONDIZIONALE / MODO IMPERATIVO

Semplice		*Composto*		*Diretto*	*Indiretto*
io	**compirei**	avrei	compiuto		
tu	**compiresti**	avresti	compiuto	**compi** !	
lui,lei	**compirebbe**	avrebbe	compiuto		compia !
noi	**compiremmo**	avremmo	compiuto	**compiamo** !	
voi	**compireste**	avreste	compiuto	**compite** !	
loro	**compirebbero**	avrebbero	compiuto		compiano !

MODO GERUNDIO / MODO INFINITO / MODO PARTICIPIO

GERUNDIO *Semplice*	GERUNDIO *Composto*	INFINITO *Semplice*	INFINITO *Composto*	PARTICIPIO *Presente*	PARTICIPIO *Passato*
compiendo	avendo **compiuto**	compiere	avere **compiuto**	compiente	**compiuto**

CONCEDERE to grant/to allow - accorder - gewähren - conceder

MODO INDICATIVO

	Presente	*Imperfetto*	*Passato prossimo*		*Trapassato pross.*	
io	concedo	concedevo	ho	**concesso**	avevo	**concesso**
tu	concedi	concedevi	hai	**concesso**	avevi	**concesso**
lui,lei	concede	concedeva	ha	**concesso**	aveva	**concesso**
noi	concediamo	concedevamo	abbiamo	**concesso**	avevamo	**concesso**
voi	concedete	concedevate	avete	**concesso**	avevate	**concesso**
loro	concedono	concedevano	hanno	**concesso**	avevano	**concesso**

	Futuro sempl.	*Futuro comp.*		*Passato remoto*	*Trapassato rem.*	
io	concederò	avrò	**concesso**	**concessi**	ebbi	**concesso**
tu	concederai	avrai	**concesso**	concedesti	avesti	**concesso**
lui,lei	concederà	avrà	**concesso**	**concesse**	ebbe	**concesso**
noi	concederemo	avremo	**concesso**	concedemmo	avemmo	**concesso**
voi	concederete	avrete	**concesso**	concedeste	aveste	**concesso**
loro	concederanno	avranno	**concesso**	**concessero**	ebbero	**concesso**

MODO CONGIUNTIVO

	Presente	*Imperfetto*	*Passato*		*Trapassato*	
io	conceda	concedessi	abbia	**concesso**	avessi	**concesso**
tu	conceda	concedessi	abbia	**concesso**	avessi	**concesso**
lui,lei	conceda	concedesse	abbia	**concesso**	avesse	**concesso**
noi	concediamo	concedessimo	abbiamo	**concesso**	avessimo	**concesso**
voi	concediate	concedeste	abbiate	**concesso**	aveste	**concesso**
loro	concedano	concedessero	abbiano	**concesso**	avessero	**concesso**

MODO CONDIZIONALE / MODO IMPERATIVO

	Semplice	*Composto*		*Diretto*	*Indiretto*
io	concederei	avrei	**concesso**		
tu	concederesti	avresti	**concesso**	concedi !	
lui,lei	concederebbe	avrebbe	**concesso**		conceda !
noi	concederemmo	avremmo	**concesso**	concediamo !	
voi	concedereste	avreste	**concesso**	concedete!	
loro	concederebbero	avrebbero	**concesso**		concedano !

MODO GERUNDIO / MODO INFINITO / MODO PARTICIPIO

Semplice	*Composto*	*Semplice*	*Composto*	*Presente*	*Passato*
concedendo	avendo **concesso**	concedere	avere **concesso**	concedente	**concesso**

CONCLUDERE to conclude - conclure - abschliessen - concluir

MODO INDICATIVO

	Presente	*Imperfetto*	*Passato prossimo*		*Trapassato pross.*	
io	concludo	concludevo	ho	**concluso**	avevo	**concluso**
tu	concludi	concludevi	hai	**concluso**	avevi	**concluso**
lui,lei	conclude	concludeva	ha	**concluso**	aveva	**concluso**
noi	concludiamo	concludevamo	abbiamo	**concluso**	avevamo	**concluso**
voi	concludete	concludevate	avete	**concluso**	avevate	**concluso**
loro	concludono	concludevano	hanno	**concluso**	avevano	**concluso**

	Futuro sempl.	*Futuro comp.*		*Passato remoto*	*Trapassato rem.*	
io	concluderò	avrò	**concluso**	**conclusi**	ebbi	**concluso**
tu	concluderai	avrai	**concluso**	concludesti	avesti	**concluso**
lui,lei	concluderà	avrà	**concluso**	**concluse**	ebbe	**concluso**
noi	concluderemo	avremo	**concluso**	concludemmo	avemmo	**concluso**
voi	concluderete	avrete	**concluso**	concludeste	aveste	**concluso**
loro	concluderanno	avranno	**concluso**	**conclusero**	ebbero	**concluso**

MODO CONGIUNTIVO

	Presente	*Imperfetto*	*Passato*		*Trapassato*	
io	concluda	concludessi	abbia	**concluso**	avessi	**concluso**
tu	concluda	concludessi	abbia	**concluso**	avessi	**concluso**
lui,lei	concluda	concludesse	abbia	**concluso**	avesse	**concluso**
noi	concludiamo	concludessimo	abbiamo	**concluso**	avessimo	**concluso**
voi	concludiate	concludeste	abbiate	**concluso**	aveste	**concluso**
loro	concludano	concludessero	abbiano	**concluso**	avessero	**concluso**

MODO CONDIZIONALE / MODO IMPERATIVO

	Semplice	*Composto*		*Diretto*	*Indiretto*
io	concluderei	avrei	**concluso**		
tu	concluderesti	avresti	**concluso**	concludi !	
lui,lei	concluderebbe	avrebbe	**concluso**		concluda !
noi	concluderemmo	avremmo	**concluso**	concludiamo !	
voi	concludereste	avreste	**concluso**	concludete !	
loro	concluderebbero	avrebbero	**concluso**		concludano !

MODO GERUNDIO / MODO INFINITO / MODO PARTICIPIO

Gerundio *Semplice*	Gerundio *Composto*	Infinito *Semplice*	Infinito *Composto*	Participio *Presente*	Participio *Passato*
concludendo	avendo **concluso**	concludere	avere **concluso**	concludente	**concluso**

CONDURRE to lead - conduire - führen - conducir

MODO INDICATIVO

	Presente	*Imperfetto*	*Passato prossimo*		*Trapassato pross.*	
io	**conduco**	**conducevo**	ho	**condotto**	avevo	**condotto**
tu	**conduci**	**conducevi**	hai	**condotto**	avevi	**condotto**
lui,lei	**conduce**	**conduceva**	ha	**condotto**	aveva	**condotto**
noi	**conduciamo**	**conducevamo**	abbiamo	**condotto**	avevamo	**condotto**
voi	**conducete**	**conducevate**	avete	**condotto**	avevate	**condotto**
loro	**conducono**	**conducevano**	hanno	**condotto**	avevano	**condotto**

	Futuro sempl.	*Futuro comp.*		*Passato remoto*	*Trapassato rem.*	
io	**condurrò**	avrò	**condotto**	**condussi**	ebbi	**condotto**
tu	**condurrai**	avrai	**condotto**	**conducesti**	avesti	**condotto**
lui,lei	**condurrà**	avrà	**condotto**	**condusse**	ebbe	**condotto**
noi	**condurremo**	avremo	**condotto**	**conducemmo**	avemmo	**condotto**
voi	**condurrete**	avrete	**condotto**	**conduceste**	aveste	**condotto**
loro	**condurranno**	avranno	**condotto**	**condussero**	ebbero	**condotto**

MODO CONGIUNTIVO

	Presente	*Imperfetto*	*Passato*		*Trapassato*	
io	**conduca**	**conducessi**	abbia	**condotto**	avessi	**condotto**
tu	**conduca**	**conducessi**	abbia	**condotto**	avessi	**condotto**
lui,lei	**conduca**	**conducesse**	abbia	**condotto**	avesse	**condotto**
noi	**conduciamo**	**conducessimo**	abbiamo	**condotto**	avessimo	**condotto**
voi	**conduciate**	**conduceste**	abbiate	**condotto**	aveste	**condotto**
loro	**conducano**	**conducessero**	abbiano	**condotto**	avessero	**condotto**

MODO CONDIZIONALE / MODO IMPERATIVO

	Semplice	*Composto*		*Diretto*	*Indiretto*
io	**condurrei**	avrei	**condotto**		
tu	**condurresti**	avresti	**condotto**	**conduci** !	
lui,lei	**condurrebbe**	avrebbe	**condotto**		**conduca** !
noi	**condurremmo**	avremmo	**condotto**	**conduciamo** !	
voi	**condurreste**	avreste	**condotto**	**conducete** !	
loro	**condurrebbero**	avrebbero	**condotto**		**conducano** !

MODO GERUNDIO / MODO INFINITO / MODO PARTICIPIO

MODO GERUNDIO		MODO INFINITO		MODO PARTICIPIO	
Semplice	*Composto*	*Semplice*	*Composto*	*Presente*	*Passato*
conducendo	avendo **condotto**	condurre	avere **condotto**	**conducente**	**condotto**

CONOSCERE to know - connaître - kennen - conocer

MODO INDICATIVO

Presente		*Imperfetto*	*Passato prossimo*		*Trapassato pross.*	
io	conosco	conoscevo	ho	**conosciuto**	avevo	**conosciuto**
tu	conosci	conoscevi	hai	**conosciuto**	avevi	**conosciuto**
lui,lei	conosce	conosceva	ha	**conosciuto**	aveva	**conosciuto**
noi	conosciamo	conoscevamo	abbiamo	**conosciuto**	avevamo	**conosciuto**
voi	conoscete	conoscevate	avete	**conosciuto**	avevate	**conosciuto**
loro	conoscono	conoscevano	hanno	**conosciuto**	avevano	**conosciuto**

Futuro sempl.		*Futuro comp.*		*Passato remoto*	*Trapassato rem.*	
io	conoscerò	avrò	**conosciuto**	**conobbi**	ebbi	**conosciuto**
tu	conoscerai	avrai	**conosciuto**	conoscesti	avesti	**conosciuto**
lui,lei	conoscerà	avrà	**conosciuto**	**conobbe**	ebbe	**conosciuto**
noi	conosceremo	avremo	**conosciuto**	conoscemmo	avemmo	**conosciuto**
voi	conoscerete	avrete	**conosciuto**	conosceste	aveste	**conosciuto**
loro	conosceranno	avranno	**conosciuto**	**conobbero**	ebbero	**conosciuto**

MODO CONGIUNTIVO

Presente		*Imperfetto*	*Passato*		*Trapassato*	
io	conosca	conoscessi	abbia	**conosciuto**	avessi	**conosciuto**
tu	conosca	conoscessi	abbia	**conosciuto**	avessi	**conosciuto**
lui,lei	conosca	conoscesse	abbia	**conosciuto**	avesse	**conosciuto**
noi	conosciamo	conoscessimo	abbiamo	**conosciuto**	avessimo	**conosciuto**
voi	conosciate	conosceste	abbiate	**conosciuto**	aveste	**conosciuto**
loro	conoscano	conoscessero	abbiano	**conosciuto**	avessero	**conosciuto**

MODO CONDIZIONALE / MODO IMPERATIVO

Semplice		*Composto*		*Diretto*	*Indiretto*
io	conoscerei	avrei	**conosciuto**		
tu	conosceresti	avresti	**conosciuto**	conosci !	
lui,lei	conoscerebbe	avrebbe	**conosciuto**		conosca !
noi	conosceremmo	avremmo	**conosciuto**	conosciamo !	
voi	conoscereste	avreste	**conosciuto**	conoscete !	
loro	conoscerebbero	avrebbero	**conosciuto**		conoscano !

MODO GERUNDIO / MODO INFINITO / MODO PARTICIPIO

Gerundio *Semplice*	Gerundio *Composto*	Infinito *Semplice*	Infinito *Composto*	Participio *Presente*	Participio *Passato*
conoscendo	avendo **conosciuto**	conoscere	avere **conosciuto**	conoscente	**conosciuto**

COPRIRE to cover - couvrir - decken - cubrir

MODO INDICATIVO

	Presente	*Imperfetto*	*Passato prossimo*		*Trapassato pross.*	
io	copro	coprivo	ho	**coperto**	avevo	**coperto**
tu	copri	coprivi	hai	**coperto**	avevi	**coperto**
lui,lei	copre	copriva	ha	**coperto**	aveva	**coperto**
noi	copriamo	coprivamo	abbiamo	**coperto**	avevamo	**coperto**
voi	coprite	coprivate	avete	**coperto**	avevate	**coperto**
loro	coprono	coprivano	hanno	**coperto**	avevano	**coperto**

	Futuro sempl.	*Futuro comp.*		*Passato remoto*	*Trapassato rem.*	
io	coprirò	avrò	**coperto**	coprii	ebbi	**coperto**
tu	coprirai	avrai	**coperto**	copristi	avesti	**coperto**
lui,lei	coprirà	avrà	**coperto**	coprì	ebbe	**coperto**
noi	copriremo	avremo	**coperto**	coprimmo	avemmo	**coperto**
voi	coprirete	avrete	**coperto**	copriste	aveste	**coperto**
loro	copriranno	avranno	**coperto**	coprirono	ebbero	**coperto**

MODO CONGIUNTIVO

	Presente	*Imperfetto*	*Passato*		*Trapassato*	
io	copra	coprissi	abbia	**coperto**	avessi	**coperto**
tu	copra	coprissi	abbia	**coperto**	avessi	**coperto**
lui,lei	copra	coprisse	abbia	**coperto**	avesse	**coperto**
noi	copriamo	coprissimo	abbiamo	**coperto**	avessimo	**coperto**
voi	copriate	copriste	abbiate	**coperto**	aveste	**coperto**
loro	coprano	coprissero	abbiano	**coperto**	avessero	**coperto**

MODO CONDIZIONALE / MODO IMPERATIVO

	Semplice	*Composto*		*Diretto*	*Indiretto*
io	coprirei	avrei	**coperto**		
tu	copriresti	avresti	**coperto**	copri !	
lui,lei	coprirebbe	avrebbe	**coperto**		copra !
noi	copriremmo	avremmo	**coperto**	copriamo !	
voi	coprireste	avreste	**coperto**	coprite !	
loro	coprirebbero	avrebbero	**coperto**		coprano !

MODO GERUNDIO / MODO INFINITO / MODO PARTICIPIO

Gerundio *Semplice*	Gerundio *Composto*	Infinito *Semplice*	Infinito *Composto*	Participio *Presente*	Participio *Passato*
coprendo	avendo **coperto**	coprire	avere **coperto**	coprente	**coperto**

CORREGGERE to correct - corriger - korrigieren - corregir

MODO INDICATIVO

	Presente	*Imperfetto*	*Passato prossimo*		*Trapassato pross.*	
io	correggo	correggevo	ho	**corretto**	avevo	**corretto**
tu	correggi	correggevi	hai	**corretto**	avevi	**corretto**
lui,lei	corregge	correggeva	ha	**corretto**	aveva	**corretto**
noi	correggiamo	correggevamo	abbiamo	**corretto**	avevamo	**corretto**
voi	correggete	correggevate	avete	**corretto**	avevate	**corretto**
loro	correggono	correggevano	hanno	**corretto**	avevano	**corretto**

	Futuro sempl.	*Futuro comp.*		*Passato remoto*	*Trapassato rem.*	
io	correggerò	avrò	**corretto**	**corressi**	ebbi	**corretto**
tu	correggerai	avrai	**corretto**	correggesti	avesti	**corretto**
lui,lei	correggerà	avrà	**corretto**	**corresse**	ebbe	**corretto**
noi	correggeremo	avremo	**corretto**	correggemmo	avemmo	**corretto**
voi	correggerete	avrete	**corretto**	correggeste	aveste	**corretto**
loro	correggeranno	avranno	**corretto**	**corressero**	ebbero	**corretto**

MODO CONGIUNTIVO

	Presente	*Imperfetto*	*Passato*		*Trapassato*	
io	corregga	correggessi	abbia	**corretto**	avessi	**corretto**
tu	corregga	correggessi	abbia	**corretto**	avessi	**corretto**
lui,lei	corregga	correggesse	abbia	**corretto**	avesse	**corretto**
noi	correggiamo	correggessimo	abbiamo	**corretto**	avessimo	**corretto**
voi	correggiate	correggeste	abbiate	**corretto**	aveste	**corretto**
loro	correggano	correggessero	abbiano	**corretto**	avessero	**corretto**

MODO CONDIZIONALE / MODO IMPERATIVO

	Semplice	*Composto*		*Diretto*	*Indiretto*
io	correggerei	avrei	**corretto**		
tu	correggeresti	avresti	**corretto**	correggi !	
lui,lei	correggerebbe	avrebbe	**corretto**		corregga !
noi	correggeremmo	avremmo	**corretto**	correggiamo !	
voi	correggereste	avreste	**corretto**	correggete !	
loro	correggerebbero	avrebbero	**corretto**		correggano !

MODO GERUNDIO

Semplice	*Composto*
correggendo	avendo **corretto**

MODO INFINITO

Semplice	*Composto*
correggere	avere **corretto**

MODO PARTICIPIO

Presente	*Passato*
correggente	**corretto**

CORRERE to run - courir - laufen - correr

MODO INDICATIVO

Presente		*Imperfetto*	*Passato prossimo*		*Trapassato pross.*	
io	corro	correvo	ho	**corso**	avevo	**corso**
tu	corri	correvi	hai	**corso**	avevi	**corso**
lui,lei	corre	correva	ha	**corso**	aveva	**corso**
noi	corriamo	correvamo	abbiamo	**corso**	avevamo	**corso**
voi	correte	correvate	avete	**corso**	avevate	**corso**
loro	corrono	correvano	hanno	**corso**	avevano	**corso**

Futuro sempl.		*Futuro comp.*		*Passato remoto*	*Trapassato rem.*	
io	correrò	avrò	**corso**	**corsi**	ebbi	**corso**
tu	correrai	avrai	**corso**	corresti	avesti	**corso**
lui,lei	correrà	avrà	**corso**	**corse**	ebbe	**corso**
noi	correremo	avremo	**corso**	corremmo	avemmo	**corso**
voi	correrete	avrete	**corso**	correste	aveste	**corso**
loro	correranno	avranno	**corso**	**corsero**	ebbero	**corso**

MODO CONGIUNTIVO

Presente		*Imperfetto*	*Passato*		*Trapassato*	
io	corra	corressi	abbia	**corso**	avessi	**corso**
tu	corra	corressi	abbia	**corso**	avessi	**corso**
lui,lei	corra	corresse	abbia	**corso**	avesse	**corso**
noi	corriamo	corressimo	abbiamo	**corso**	avessimo	**corso**
voi	corriate	correste	abbiate	**corso**	aveste	**corso**
loro	corrano	corressero	abbiano	**corso**	avessero	**corso**

MODO CONDIZIONALE

Semplice		*Composto*	
io	correrei	avrei	**corso**
tu	correresti	avresti	**corso**
lui,lei	correrebbe	avrebbe	**corso**
noi	correremmo	avremmo	**corso**
voi	correreste	avreste	**corso**
loro	correrebbero	avrebbero	**corso**

MODO IMPERATIVO

Diretto	*Indiretto*
corri !	
	corra !
corriamo !	
correte !	
	corrano !

MODO GERUNDIO

Semplice	*Composto*
correndo	avendo **corso**

MODO INFINITO

Semplice	*Composto*
correre	avere **corso**

MODO PARTICIPIO

Presente	*Passato*
corrente	**corso**

Nota : *si usa l'ausiliare «essere» quando viene espresso il punto di partenza o di arrivo del movimento. Es. Sono corso(a) a casa.*

CRESCERE to grow - croître - wachsen - crecer

MODO INDICATIVO

Presente		*Imperfetto*	*Passato prossimo*		*Trapassato pross.*	
io	cresco	crescevo	sono	**cresciuto,a**	ero	**cresciuto,a**
tu	cresci	crescevi	sei	**cresciuto,a**	eri	**cresciuto,a**
lui,lei	cresce	cresceva	è	**cresciuto,a**	era	**cresciuto,a**
noi	cresciamo	crescevamo	siamo	**cresciuti,e**	eravamo	**cresciuti,e**
voi	crescete	crescevate	siete	**cresciuti,e**	eravate	**cresciuti,e**
loro	crescono	crescevano	sono	**cresciuti,e**	erano	**cresciuti,e**

Futuro sempl.		*Futuro comp.*		*Passato remoto*	*Trapassato rem.*	
io	crescerò	sarò	**cresciuto,a**	**crebbi**	fui	**cresciuto,a**
tu	crescerai	sarai	**cresciuto,a**	crescesti	fosti	**cresciuto,a**
lui,lei	crescerà	sarà	**cresciuto,a**	**crebbe**	fu	**cresciuto,a**
noi	cresceremo	saremo	**cresciuti,e**	crescemmo	fummo	**cresciuti,e**
voi	crescerete	sarete	**cresciuti,e**	cresceste	foste	**cresciuti,e**
loro	cresceranno	saranno	**cresciuti,e**	**crebbero**	furono	**cresciuti,e**

MODO CONGIUNTIVO

Presente		*Imperfetto*	*Passato*		*Trapassato*	
io	cresca	crescessi	sia	**cresciuto,a**	fossi	**cresciuto,a**
tu	cresca	crescessi	sia	**cresciuto,a**	fossi	**cresciuto,a**
lui,lei	cresca	crescesse	sia	**cresciuto,a**	fosse	**cresciuto,a**
noi	cresciamo	crescessimo	siamo	**cresciuti,e**	fossimo	**cresciuti,e**
voi	cresciate	cresceste	siate	**cresciuti,e**	foste	**cresciuti,e**
loro	crescano	crescessero	siano	**cresciuti,e**	fossero	**cresciuti,e**

MODO CONDIZIONALE / MODO IMPERATIVO

Semplice		*Composto*		*Diretto*	*Indiretto*
io	crescerei	sarei	**cresciuto,a**		
tu	cresceresti	saresti	**cresciuto,a**	cresci !	
lui,lei	crescerebbe	sarebbe	**cresciuto,a**		cresca !
noi	cresceremmo	saremmo	**cresciuti,e**	cresciamo !	
voi	crescereste	sareste	**cresciuti,e**	crescete !	
loro	crescerebbero	sarebbero	**cresciuti,e**		crescano !

MODO GERUNDIO / MODO INFINITO / MODO PARTICIPIO

Semplice	*Composto*	*Semplice*	*Composto*	*Presente*	*Passato*
crescendo	essendo **cresciuto,...**	crescere	essere **cresciuto,...**	crescente	**cresciuto,...**

CUCIRE to sew - coudre - nähen - coser

MODO INDICATIVO

	Presente	*Imperfetto*	*Passato prossimo*		*Trapassato pross.*	
io	**cucio**	cucivo	ho	cucito	avevo	cucito
tu	cuci	cucivi	hai	cucito	avevi	cucito
lui,lei	cuce	cuciva	ha	cucito	aveva	cucito
noi	cuciamo	cucivamo	abbiamo	cucito	avevamo	cucito
voi	cucite	cucivate	avete	cucito	avevate	cucito
loro	**cuciono**	cucivano	hanno	cucito	avevano	cucito

	Futuro sempl.	*Futuro comp.*		*Passato remoto*	*Trapassato rem.*	
io	cucirò	avrò	cucito	cucii	ebbi	cucito
tu	cucirai	avrai	cucito	cucisti	avesti	cucito
lui,lei	cucirà	avrà	cucito	cucì	ebbe	cucito
noi	cuciremo	avremo	cucito	cucimmo	avemmo	cucito
voi	cucirete	avrete	cucito	cuciste	aveste	cucito
loro	cuciranno	avranno	cucito	cucirono	ebbero	cucito

MODO CONGIUNTIVO

	Presente	*Imperfetto*	*Passato*		*Trapassato*	
io	**cucia**	cucissi	abbia	cucito	avessi	cucito
tu	**cucia**	cucissi	abbia	cucito	avessi	cucito
lui,lei	**cucia**	cucisse	abbia	cucito	avesse	cucito
noi	cuciamo	cucissimo	abbiamo	cucito	avessimo	cucito
voi	cuciate	cuciste	abbiate	cucito	aveste	cucito
loro	**cuciano**	cucissero	abbiano	cucito	avessero	cucito

MODO CONDIZIONALE / MODO IMPERATIVO

	Semplice	*Composto*		*Diretto*	*Indiretto*
io	cucirei	avrei	cucito		
tu	cuciresti	avresti	cucito	cuci !	
lui,lei	cucirebbe	avrebbe	cucito		**cucia** !
noi	cuciremmo	avremmo	cucito	cuciamo !	
voi	cucireste	avreste	cucito	cucite !	
loro	cucirebbero	avrebbero	cucito		**cuciano** !

MODO GERUNDIO / MODO INFINITO / MODO PARTICIPIO

MODO GERUNDIO		MODO INFINITO		MODO PARTICIPIO	
Semplice	*Composto*	*Semplice*	*Composto*	*Presente*	*Passato*
cucendo	avendo cucito	cucire	avere cucito	cucente	cucito

CUOCERE to cook - cuire - kochen - cocer

MODO INDICATIVO

Presente		*Imperfetto*		*Passato prossimo*		*Trapassato pross.*	
io	**cuocio**	**cocevo**		ho	**cotto**	avevo	**cotto**
tu	cuoci	**cocevi**		hai	**cotto**	avevi	**cotto**
lui,lei	cuoce	**coceva**		ha	**cotto**	aveva	**cotto**
noi	**cociamo**	**cocevamo**		abbiamo	**cotto**	avevamo	**cotto**
voi	**cocete**	**cocevate**		avete	**cotto**	avevate	**cotto**
loro	**cuociono**	**cocevano**		hanno	**cotto**	avevano	**cotto**

Futuro sempl.		*Futuro comp.*		*Passato remoto*	*Trapassato rem.*	
io	**cocerò**	avrò	**cotto**	**cossi**	ebbi	**cotto**
tu	**cocerai**	avrai	**cotto**	**cocesti**	avesti	**cotto**
lui,lei	**cocerà**	avrà	**cotto**	**cosse**	ebbe	**cotto**
noi	**coceremo**	avremo	**cotto**	**cocemmo**	avemmo	**cotto**
voi	**cocerete**	avrete	**cotto**	**coceste**	aveste	**cotto**
loro	**coceranno**	avranno	**cotto**	**cossero**	ebbero	**cotto**

MODO CONGIUNTIVO

Presente		*Imperfetto*	*Passato*		*Trapassato*	
io	**cuocia**	**cocessi**	abbia	**cotto**	avessi	**cotto**
tu	**cuocia**	**cocessi**	abbia	**cotto**	avessi	**cotto**
lui,lei	**cuocia**	**cocesse**	abbia	**cotto**	avesse	**cotto**
noi	**cociamo**	**cocessimo**	abbiamo	**cotto**	avessimo	**cotto**
voi	**cociate**	**coceste**	abbiate	**cotto**	aveste	**cotto**
loro	**cuociano**	**cocessero**	abbiano	**cotto**	avessero	**cotto**

MODO CONDIZIONALE

Semplice		*Composto*	
io	**cocerei**	avrei	**cotto**
tu	**coceresti**	avresti	**cotto**
lui,lei	**cocerebbe**	avrebbe	**cotto**
noi	**coceremmo**	avremmo	**cotto**
voi	**cocereste**	avreste	**cotto**
loro	**cocerebbero**	avrebbero	**cotto**

MODO IMPERATIVO

Diretto	*Indiretto*
cuoci !	
	cuocia !
cociamo !	
cocete !	
	cuociano !

MODO GERUNDIO

Semplice	*Composto*
cocendo	avendo **cotto**

MODO INFINITO

Semplice	*Composto*
cuocere	avere **cotto**

MODO PARTICIPIO

Presente	*Passato*
cocente	**cotto**

DARE to give - donner - geben - dar

MODO INDICATIVO

	Presente	*Imperfetto*	*Passato prossimo*		*Trapassato pross.*	
io	do	davo	ho	dato	avevo	dato
tu	**dai**	davi	hai	dato	avevi	dato
lui,lei	**dà**	dava	ha	dato	aveva	dato
noi	diamo	davamo	abbiamo	dato	avevamo	dato
voi	date	davate	avete	dato	avevate	dato
loro	**danno**	davano	hanno	dato	avevano	dato

	Futuro sempl.	*Futuro comp.*		*Passato remoto*	*Trapassato rem.*	
io	**darò**	avrò	dato	**diedi (detti)**	ebbi	dato
tu	**darai**	avrai	dato	**desti**	avesti	dato
lui,lei	**darà**	avrà	dato	**diede (dette)**	ebbe	dato
noi	**daremo**	avremo	dato	**demmo**	avemmo	dato
voi	**darete**	avrete	dato	**deste**	aveste	dato
loro	**daranno**	avranno	dato	**diedero (dettero)**	ebbero	dato

MODO CONGIUNTIVO

	Presente	*Imperfetto*	*Passato*		*Trapassato*	
io	**dia**	**dessi**	abbia	dato	avessi	dato
tu	**dia**	**dessi**	abbia	dato	avessi	dato
lui,lei	**dia**	**desse**	abbia	dato	avesse	dato
noi	diamo	**dessimo**	abbiamo	dato	avessimo	dato
voi	diate	**deste**	abbiate	dato	aveste	dato
loro	**diano**	**dessero**	abbiano	dato	avessero	dato

MODO CONDIZIONALE / MODO IMPERATIVO

	Semplice	*Composto*		*Diretto*	*Indiretto*
io	**darei**	avrei	dato		
tu	**daresti**	avresti	dato	**da' (dai)** !	
lui,lei	**darebbe**	avrebbe	dato		**dia** !
noi	**daremmo**	avremmo	dato	diamo !	
voi	**dareste**	avreste	dato	date !	
loro	**darebbero**	avrebbero	dato		**diano** !

MODO GERUNDIO

Semplice	*Composto*
dando	avendo dato

MODO INFINITO

Semplice	*Composto*
dare	avere dato

MODO PARTICIPIO

Presente	*Passato*
dante	dato

DECIDERE
to decide - décider - entscheiden - decidir

MODO INDICATIVO

	Presente	*Imperfetto*	*Passato prossimo*	*Trapassato pross.*
io	decido	decidevo	ho **deciso**	avevo **deciso**
tu	decidi	decidevi	hai **deciso**	avevi **deciso**
lui,lei	decide	decideva	ha **deciso**	aveva **deciso**
noi	decidiamo	decidevamo	abbiamo **deciso**	avevamo **deciso**
voi	decidete	decidevate	avete **deciso**	avevate **deciso**
loro	decidono	decidevano	hanno **deciso**	avevano **deciso**

	Futuro sempl.	*Futuro comp.*	*Passato remoto*	*Trapassato rem.*
io	deciderò	avrò **deciso**	**decisi**	ebbi **deciso**
tu	deciderai	avrai **deciso**	decidesti	avesti **deciso**
lui,lei	deciderà	avrà **deciso**	**decise**	ebbe **deciso**
noi	decideremo	avremo **deciso**	decidemmo	avemmo **deciso**
voi	deciderete	avrete **deciso**	decideste	aveste **deciso**
loro	decideranno	avranno **deciso**	**decisero**	ebbero **deciso**

MODO CONGIUNTIVO

	Presente	*Imperfetto*	*Passato*	*Trapassato*
io	decida	decidessi	abbia **deciso**	avessi **deciso**
tu	decida	decidessi	abbia **deciso**	avessi **deciso**
lui,lei	decida	decidesse	abbia **deciso**	avesse **deciso**
noi	decidiamo	decidessimo	abbiamo **deciso**	avessimo **deciso**
voi	decidiate	decideste	abbiate **deciso**	aveste **deciso**
loro	decidano	decidessero	abbiano **deciso**	avessero **deciso**

MODO CONDIZIONALE

	Semplice	*Composto*
io	deciderei	avrei **deciso**
tu	decideresti	avresti **deciso**
lui,lei	deciderebbe	avrebbe **deciso**
noi	decideremmo	avremmo **deciso**
voi	decidereste	avreste **deciso**
loro	deciderebbero	avrebbero **deciso**

MODO IMPERATIVO

Diretto	*Indiretto*
decidi !	
	decida !
decidiamo !	
decidete !	
	decidano !

MODO GERUNDIO

Semplice	*Composto*
decidendo	avendo **deciso**

MODO INFINITO

Semplice	*Composto*
decidere	avere **deciso**

MODO PARTICIPIO

Presente	*Passato*
decidente	**deciso**

DELUDERE

to disappoint - décevoir - enttäuschen - desilusionar

MODO INDICATIVO

	Presente	*Imperfetto*	*Passato prossimo*	*Trapassato pross.*
io	deludo	deludevo	ho **deluso**	avevo **deluso**
tu	deludi	deludevi	hai **deluso**	avevi **deluso**
lui,lei	delude	deludeva	ha **deluso**	aveva **deluso**
noi	deludiamo	deludevamo	abbiamo **deluso**	avevamo **deluso**
voi	deludete	deludevate	avete **deluso**	avevate **deluso**
loro	deludono	deludevano	hanno **deluso**	avevano **deluso**

	Futuro sempl.	*Futuro comp.*	*Passato remoto*	*Trapassato rem.*
io	deluderò	avrò **deluso**	**delusi**	ebbi **deluso**
tu	deluderai	avrai **deluso**	deludesti	avesti **deluso**
lui,lei	deluderà	avrà **deluso**	**deluse**	ebbe **deluso**
noi	deluderemo	avremo **deluso**	deludemmo	avemmo **deluso**
voi	deluderete	avrete **deluso**	deludeste	aveste **deluso**
loro	deluderanno	avranno **deluso**	**delusero**	ebbero **deluso**

MODO CONGIUNTIVO

	Presente	*Imperfetto*	*Passato*	*Trapassato*
io	deluda	deludessi	abbia **deluso**	avessi **deluso**
tu	deluda	deludessi	abbia **deluso**	avessi **deluso**
lui,lei	deluda	deludesse	abbia **deluso**	avesse **deluso**
noi	deludiamo	deludessimo	abbiamo **deluso**	avessimo **deluso**
voi	deludiate	deludeste	abbiate **deluso**	aveste **deluso**
loro	deludano	deludessero	abbiano **deluso**	avessero **deluso**

MODO CONDIZIONALE

	Semplice	*Composto*
io	deluderei	avrei **deluso**
tu	delideresti	avresti **deluso**
lui,lei	deluderebbe	avrebbe **deluso**
noi	deluderemmo	avremmo **deluso**
voi	deludereste	avreste **deluso**
loro	deluderebbero	avrebbero **deluso**

MODO IMPERATIVO

Diretto	*Indiretto*
deludi !	
	deluda !
deludiamo !	
deludete !	
	deludano !

MODO GERUNDIO

Semplice	*Composto*
deludendo	avendo **deluso**

MODO INFINITO

Semplice	*Composto*
deludere	avere **deluso**

MODO PARTICIPIO

Presente	*Passato*
deludente	**deluso**

DIFENDERE
to defend - défendre - verteidigen - defender

MODO INDICATIVO

Presente		*Imperfetto*	*Passato prossimo*		*Trapassato pross.*	
io	difendo	difendevo	ho	**difeso**	avevo	**difeso**
tu	difendi	difendevi	hai	**difeso**	avevi	**difeso**
lui,lei	difende	difendeva	ha	**difeso**	aveva	**difeso**
noi	difendiamo	difendevamo	abbiamo	**difeso**	avevamo	**difeso**
voi	difendete	difendevate	avete	**difeso**	avevate	**difeso**
loro	difendono	difendevano	hanno	**difeso**	avevano	**difeso**

Futuro sempl.		*Futuro comp.*		*Passato remoto*	*Trapassato rem.*	
io	difenderò	avrò	**difeso**	**difesi**	ebbi	**difeso**
tu	difenderai	avrai	**difeso**	difendesti	avesti	**difeso**
lui,lei	difenderà	avrà	**difeso**	**difese**	ebbe	**difeso**
noi	difenderemo	avremo	**difeso**	difendemmo	avemmo	**difeso**
voi	difenderete	avrete	**difeso**	difendeste	aveste	**difeso**
loro	difenderanno	avranno	**difeso**	**difesero**	ebbero	**difeso**

MODO CONGIUNTIVO

Presente		*Imperfetto*	*Passato*		*Trapassato*	
io	difenda	difendessi	abbia	**difeso**	avessi	**difeso**
tu	difenda	difendessi	abbia	**difeso**	avessi	**difeso**
lui,lei	difenda	difendesse	abbia	**difeso**	avesse	**difeso**
noi	difendiamo	difendessimo	abbiamo	**difeso**	avessimo	**difeso**
voi	difendiate	difendeste	abbiate	**difeso**	aveste	**difeso**
loro	difendano	difendessero	abbiano	**difeso**	avessero	**difeso**

MODO CONDIZIONALE

Semplice		*Composto*	
io	difenderei	avrei	**difeso**
tu	difenderesti	avresti	**difeso**
lui,lei	difenderebbe	avrebbe	**difeso**
noi	difenderemmo	avremmo	**difeso**
voi	difendereste	avreste	**difeso**
loro	difenderebbero	avrebbero	**difeso**

MODO IMPERATIVO

Diretto	*Indiretto*
difendi !	
	difenda !
difendiamo !	
difendete !	
	difendano !

MODO GERUNDIO

Semplice	*Composto*
difendendo	avendo **difeso**

MODO INFINITO

Semplice	*Composto*
difendere	avere **difeso**

MODO PARTICIPIO

Presente	*Passato*
difendente	**difeso**

DIPENDERE to depend - dépendre - abhängen - depender

MODO INDICATIVO

	Presente	*Imperfetto*	*Passato prossimo*	*Trapassato pross.*
io	dipendo	dipendevo	sono **dipeso,a**	ero **dipeso,a**
tu	dipendi	dipendevi	sei **dipeso,a**	eri **dipeso,a**
lui,lei	dipende	dipendeva	è **dipeso,a**	era **dipeso,a**
noi	dipendiamo	dipendevamo	siamo **dipesi,e**	eravamo **dipesi,e**
voi	dipendete	dipendevate	siete **dipesi,e**	eravate **dipesi,e**
loro	dipendono	dipendevano	sono **dipesi,e**	erano **dipesi,e**

	Futuro sempl.	*Futuro comp.*	*Passato remoto*	*Trapassato rem.*
io	dipenderò	sarò **dipeso,a**	**dipesi**	fui **dipeso,a**
tu	dipenderai	sarai **dipeso,a**	dipendesti	fosti **dipeso,a**
lui,lei	dipenderà	sarà **dipeso,a**	**dipese**	fu **dipeso,a**
noi	dipenderemo	saremo **dipesi,e**	dipendemmo	fummo **dipesi,e**
voi	dipenderete	sarete **dipesi,e**	dipendeste	foste **dipesi,e**
loro	dipenderanno	saranno **dipesi,e**	**dipesero**	furono **dipesi,e**

MODO CONGIUNTIVO

	Presente	*Imperfetto*	*Passato*	*Trapassato*
io	dipenda	dipendessi	sia **dipeso,a**	fossi **dipeso,a**
tu	dipenda	dipendessi	sia **dipeso,a**	fossi **dipeso,a**
lui,lei	dipenda	dipendesse	sia **dipeso,a**	fosse **dipeso,a**
noi	dipendiamo	dipendessimo	siamo **dipesi,e**	fossimo **dipesi,e**
voi	dipendiate	dipendeste	siate **dipesi,e**	foste **dipesi,e**
loro	dipendano	dipendessero	siano **dipesi,e**	fossero **dipesi,e**

MODO CONDIZIONALE

	Semplice	*Composto*
io	dipenderei	sarei **dipeso,a**
tu	dipenderesti	saresti **dipeso,a**
lui,lei	dipenderebbe	sarebbe **dipeso,a**
noi	dipenderemmo	saremmo **dipesi,e**
voi	dipendereste	sareste **dipesi,e**
loro	dipenderebbero	sarebbero **dipesi,e**

MODO IMPERATIVO

Diretto	*Indiretto*
dipendi !	
	dipenda !
dipendiamo !	
dipendete !	
	dipendano !

MODO GERUNDIO

Semplice	*Composto*
dipendendo	essendo **dipeso,...**

MODO INFINITO

Semplice	*Composto*
dipendere	essere **dipeso,...**

MODO PARTICIPIO

Presente	*Passato*
dipendente	**dipeso,...**

DIPINGERE to paint - peindre - malen - pintar

MODO INDICATIVO

	Presente	*Imperfetto*	*Passato prossimo*		*Trapassato pross.*	
io	dipingo	dipingevo	ho	**dipinto**	avevo	**dipinto**
tu	dipingi	dipingevi	hai	**dipinto**	avevi	**dipinto**
lui,lei	dipinge	dipingeva	ha	**dipinto**	aveva	**dipinto**
noi	dipingiamo	dipingevamo	abbiamo	**dipinto**	avevamo	**dipinto**
voi	dipingete	dipingevate	avete	**dipinto**	avevate	**dipinto**
loro	dipingono	dipingevano	hanno	**dipinto**	avevano	**dipinto**

	Futuro sempl.	*Futuro comp.*		*Passato remoto*	*Trapassato rem.*	
io	dipingerò	avrò	**dipinto**	**dipinsi**	ebbi	**dipinto**
tu	dipingerai	avrai	**dipinto**	dipingesti	avesti	**dipinto**
lui,lei	dipingerà	avrà	**dipinto**	**dipinse**	ebbe	**dipinto**
noi	dipingeremo	avremo	**dipinto**	dipingemmo	avemmo	**dipinto**
voi	dipingerete	avrete	**dipinto**	dipingeste	aveste	**dipinto**
loro	dipingeranno	avranno	**dipinto**	**dipinsero**	ebbero	**dipinto**

MODO CONGIUNTIVO

	Presente	*Imperfetto*	*Passato*		*Trapassato*	
io	dipinga	dipingessi	abbia	**dipinto**	avessi	**dipinto**
tu	dipinga	dipingessi	abbia	**dipinto**	avessi	**dipinto**
lui,lei	dipinga	dipingesse	abbia	**dipinto**	avesse	**dipinto**
noi	dipingiamo	dipingessimo	abbiamo	**dipinto**	avessimo	**dipinto**
voi	dipingiate	dipingeste	abbiate	**dipinto**	aveste	**dipinto**
loro	dipingano	dipingessero	abbiano	**dipinto**	avessero	**dipinto**

MODO CONDIZIONALE / MODO IMPERATIVO

	Semplice	*Composto*		*Diretto*	*Indiretto*
io	dipingerei	avrei	**dipinto**		
tu	dipingeresti	avresti	**dipinto**	dipingi !	
lui,lei	dipingerebbe	avrebbe	**dipinto**		dipinga !
noi	dipingeremmo	avremmo	**dipinto**	dipingiamo !	
voi	dipingereste	avreste	**dipinto**	dipingete !	
loro	dipingerebbero	avrebbero	**dipinto**		dipingano !

MODO GERUNDIO / MODO INFINITO / MODO PARTICIPIO

Gerundio *Semplice*	Gerundio *Composto*	Infinito *Semplice*	Infinito *Composto*	Participio *Presente*	Participio *Passato*
dipingendo	avendo **dipinto**	dipingere	avere **dipinto**	dipingente	**dipinto**

DIRE to say - dire - sagen - decir

MODO INDICATIVO

	Presente	*Imperfetto*	*Passato prossimo*	*Trapassato pross.*
io	**dico**	**dicevo**	ho **detto**	avevo **detto**
tu	**dici**	**dicevi**	hai **detto**	avevi **detto**
lui,lei	**dice**	**diceva**	ha **detto**	aveva **detto**
noi	**diciamo**	**dicevamo**	abbiamo **detto**	avevamo **detto**
voi	dite	**dicevate**	avete **detto**	avevate **detto**
loro	**dicono**	**dicevano**	hanno **detto**	avevano **detto**

	Futuro sempl.	*Futuro comp.*	*Passato remoto*	*Trapassato rem.*
io	dirò	avrò **detto**	**dissi**	ebbi **detto**
tu	dirai	avrai **detto**	**dicesti**	avesti **detto**
lui,lei	dirà	avrà **detto**	**disse**	ebbe **detto**
noi	diremo	avremo **detto**	**dicemmo**	avemmo **detto**
voi	direte	avrete **detto**	**diceste**	aveste **detto**
loro	diranno	avranno **detto**	**dissero**	ebbero **detto**

MODO CONGIUNTIVO

	Presente	*Imperfetto*	*Passato*	*Trapassato*
io	**dica**	**dicessi**	abbia **detto**	avessi **detto**
tu	**dica**	**dicessi**	abbia **detto**	avessi **detto**
lui,lei	**dica**	**dicesse**	abbia **detto**	avesse **detto**
noi	**diciamo**	**dicessimo**	abbiamo **detto**	avessimo **detto**
voi	**diciate**	**diceste**	abbiate **detto**	aveste **detto**
loro	**dicano**	**dicessero**	abbiano **detto**	avessero **detto**

MODO CONDIZIONALE / MODO IMPERATIVO

	Semplice	*Composto*	*Diretto*	*Indiretto*
io	direi	avrei **detto**		
tu	diresti	avresti **detto**	**di'** !	
lui,lei	direbbe	avrebbe **detto**		**dica** !
noi	diremmo	avremmo **detto**	**diciamo** !	
voi	direste	avreste **detto**	dite !	
loro	direbbero	avrebbero **detto**		**dicano** !

MODO GERUNDIO

Semplice	*Composto*
dicendo	avendo **detto**

MODO INFINITO

Semplice	*Composto*
dire	avere **detto**

MODO PARTICIPIO

Presente	*Passato*
dicente	**detto**

DIRIGERE

to direct/to conduct - diriger - leiten/dirigieren - dirigir

MODO INDICATIVO

Presente		*Imperfetto*	*Passato prossimo*		*Trapassato pross.*	
io	dirigo	dirigevo	ho	**diretto**	avevo	**diretto**
tu	dirigi	dirigevi	hai	**diretto**	avevi	**diretto**
lui,lei	dirige	dirigeva	ha	**diretto**	aveva	**diretto**
noi	dirigiamo	dirigevamo	abbiamo	**diretto**	avevamo	**diretto**
voi	dirigete	dirigevate	avete	**diretto**	avevate	**diretto**
loro	dirigono	dirigevano	hanno	**diretto**	avevano	**diretto**

Futuro sempl.		*Futuro comp.*		*Passato remoto*	*Trapassato rem.*	
io	dirigerò	avrò	**diretto**	**diressi**	ebbi	**diretto**
tu	dirigerai	avrai	**diretto**	dirigesti	avesti	**diretto**
lui,lei	dirigerà	avrà	**diretto**	**diresse**	ebbe	**diretto**
noi	dirigeremo	avremo	**diretto**	dirigemmo	avemmo	**diretto**
voi	dirigerete	avrete	**diretto**	dirigeste	aveste	**diretto**
loro	dirigeranno	avranno	**diretto**	**diressero**	ebbero	**diretto**

MODO CONGIUNTIVO

Presente		*Imperfetto*	*Passato*		*Trapassato*	
io	diriga	dirigessi	abbia	**diretto**	avessi	**diretto**
tu	diriga	dirigessi	abbia	**diretto**	avessi	**diretto**
lui,lei	diriga	dirigesse	abbia	**diretto**	avesse	**diretto**
noi	dirigiamo	dirigessimo	abbiamo	**diretto**	avessimo	**diretto**
voi	dirigiate	dirigeste	abbiate	**diretto**	aveste	**diretto**
loro	dirigano	dirigessero	abbiano	**diretto**	avessero	**diretto**

MODO CONDIZIONALE

Semplice		*Composto*	
io	dirigerei	avrei	**diretto**
tu	dirigeresti	avresti	**diretto**
lui,lei	dirigerebbe	avrebbe	**diretto**
noi	dirigeremmo	avremmo	**diretto**
voi	dirigereste	avreste	**diretto**
loro	dirigerebbero	avrebbero	**diretto**

MODO IMPERATIVO

Diretto	*Indiretto*
dirigi !	
	diriga !
dirigiamo !	
dirigete !	
	dirigano !

MODO GERUNDIO

Semplice	*Composto*
dirigendo	avendo **diretto**

MODO INFINITO

Semplice	*Composto*
dirigere	avere **diretto**

MODO PARTICIPIO

Presente	*Passato*
dirigente	**diretto**

DISCUTERE

to discuss - discuter - diskutieren - discutir

MODO INDICATIVO

	Presente	*Imperfetto*	*Passato prossimo*	*Trapassato pross.*
io	discuto	discutevo	ho **discusso**	avevo **discusso**
tu	discuti	discutevi	hai **discusso**	avevi **discusso**
lui,lei	discute	discuteva	ha **discusso**	aveva **discusso**
noi	discutiamo	discutevamo	abbiamo **discusso**	avevamo **discusso**
voi	discutete	discutevate	avete **discusso**	avevate **discusso**
loro	discutono	discutevano	hanno **discusso**	avevano **discusso**

	Futuro sempl.	*Futuro comp.*	*Passato remoto*	*Trapassato rem.*
io	discuterò	avrò **discusso**	**discussi**	ebbi **discusso**
tu	discuterai	avrai **discusso**	discutesti	avesti **discusso**
lui,lei	discuterà	avrà **discusso**	**discusse**	ebbe **discusso**
noi	discuteremo	avremo **discusso**	discutemmo	avemmo **discusso**
voi	discuterete	avrete **discusso**	discuteste	aveste **discusso**
loro	discuteranno	avranno **discusso**	**discussero**	ebbero **discusso**

MODO CONGIUNTIVO

	Presente	*Imperfetto*	*Passato*	*Trapassato*
io	discuta	discutessi	abbia **discusso**	avessi **discusso**
tu	discuta	discutessi	abbia **discusso**	avessi **discusso**
lui,lei	discuta	discutesse	abbia **discusso**	avesse **discusso**
noi	discutiamo	discutessimo	abbiamo **discusso**	avessimo **discusso**
voi	discutiate	discuteste	abbiate **discusso**	aveste **discusso**
loro	discutano	discutessero	abbiano **discusso**	avessero **discusso**

MODO CONDIZIONALE

	Semplice	*Composto*
io	discuterei	avrei **discusso**
tu	discuteresti	avresti **discusso**
lui,lei	discuterebbe	avrebbe **discusso**
noi	discuteremmo	avremmo **discusso**
voi	discutereste	avreste **discusso**
loro	discuterebbero	avrebbero **discusso**

MODO IMPERATIVO

Diretto	*Indiretto*
discuti !	
	discuta !
discutiamo !	
discutete !	
	discutano !

MODO GERUNDIO

Semplice	*Composto*
discutendo	avendo **discusso**

MODO INFINITO

Semplice	*Composto*
discutere	avere **discusso**

MODO PARTICIPIO

Presente	*Passato*
discutente	**discusso**

DISTINGUERE
to distinguish - distinguer - unterscheiden - distinguir

MODO INDICATIVO

Presente		*Imperfetto*	*Passato prossimo*		*Trapassato pross.*	
io	distinguo	distinguevo	ho	**distinto**	avevo	**distinto**
tu	distingui	distinguevi	hai	**distinto**	avevi	**distinto**
lui,lei	distingue	distingueva	ha	**distinto**	aveva	**distinto**
noi	distinguiamo	distinguevamo	abbiamo	**distinto**	avevamo	**distinto**
voi	distinguete	distinguevate	avete	**distinto**	avevate	**distinto**
loro	distinguono	distinguevano	hanno	**distinto**	avevano	**distinto**

Futuro sempl.		*Futuro comp.*		*Passato remoto*	*Trapassato rem.*	
io	distinguerò	avrò	**distinto**	**distinsi**	ebbi	**distinto**
tu	distinguerai	avrai	**distinto**	distinguesti	avesti	**distinto**
lui,lei	distinguerà	avrà	**distinto**	**distinse**	ebbe	**distinto**
noi	distingueremo	avremo	**distinto**	distinguemmo	avemmo	**distinto**
voi	distinguerete	avrete	**distinto**	distingueste	aveste	**distinto**
loro	distingueranno	avranno	**distinto**	**distinsero**	ebbero	**distinto**

MODO CONGIUNTIVO

Presente		*Imperfetto*	*Passato*		*Trapassato*	
io	distingua	distinguessi	abbia	**distinto**	avessi	**distinto**
tu	distingua	distinguessi	abbia	**distinto**	avessi	**distinto**
lui,lei	distingua	distinguesse	abbia	**distinto**	avesse	**distinto**
noi	distinguiamo	distinguessimo	abbiamo	**distinto**	avessimo	**distinto**
voi	distinguiate	distingueste	abbiate	**distinto**	aveste	**distinto**
loro	distinguano	distinguessero	abbiano	**distinto**	avessero	**distinto**

MODO CONDIZIONALE / MODO IMPERATIVO

Semplice		*Composto*		*Diretto*	*Indiretto*
io	distinguerei	avrei	**distinto**		
tu	distingueresti	avresti	**distinto**	distingui !	
lui,lei	distinguerebbe	avrebbe	**distinto**		distingua !
noi	distingueremmo	avremmo	**distinto**	distinguiamo !	
voi	distinguereste	avreste	**distinto**	distinguete !	
loro	distinguerebbero	avrebbero	**distinto**		distinguano !

MODO GERUNDIO / MODO INFINITO / MODO PARTICIPIO

Semplice	*Composto*	*Semplice*	*Composto*	*Presente*	*Passato*
distinguendo	avendo **distinto**	distinguere	avere **distinto**	distinguente	**distinto**

DISTRUGGERE to destroy - détruire - zerstören - destruir

MODO INDICATIVO

	Presente	*Imperfetto*	*Passato prossimo*		*Trapassato pross.*	
io	distruggo	distruggevo	ho	**distrutto**	avevo	**distrutto**
tu	distruggi	distruggevi	hai	**distrutto**	avevi	**distrutto**
lui,lei	distrugge	distruggeva	ha	**distrutto**	aveva	**distrutto**
noi	distruggiamo	distruggevamo	abbiamo	**distrutto**	avevamo	**distrutto**
voi	distruggete	distruggevate	avete	**distrutto**	avevate	**distrutto**
loro	distruggono	distruggevano	hanno	**distrutto**	avevano	**distrutto**

	Futuro sempl.	*Futuro comp.*		*Passato remoto*	*Trapassato rem.*	
io	distruggerò	avrò	**distrutto**	**distrussi**	ebbi	**distrutto**
tu	distruggerai	avrai	**distrutto**	distruggesti	avesti	**distrutto**
lui,lei	distruggerà	avrà	**distrutto**	**distrusse**	ebbe	**distrutto**
noi	distruggeremo	avremo	**distrutto**	distruggemmo	avemmo	**distrutto**
voi	distruggerete	avrete	**distrutto**	distruggeste	aveste	**distrutto**
loro	distruggeranno	avranno	**distrutto**	**distrussero**	ebbero	**distrutto**

MODO CONGIUNTIVO

	Presente	*Imperfetto*	*Passato*		*Trapassato*	
io	distrugga	distruggessi	abbia	**distrutto**	avessi	**distrutto**
tu	distrugga	distruggessi	abbia	**distrutto**	avessi	**distrutto**
lui,lei	distrugga	distruggesse	abbia	**distrutto**	avesse	**distrutto**
noi	distruggiamo	distruggessimo	abbiamo	**distrutto**	avessimo	**distrutto**
voi	distruggiate	distruggeste	abbiate	**distrutto**	aveste	**distrutto**
loro	distruggano	distruggessero	abbiano	**distrutto**	avessero	**distrutto**

MODO CONDIZIONALE

	Semplice	*Composto*	
io	distruggerei	avrei	**distrutto**
tu	distruggeresti	avresti	**distrutto**
lui,lei	distruggerebbe	avrebbe	**distrutto**
noi	distruggeremmo	avremmo	**distrutto**
voi	distruggereste	avreste	**distrutto**
loro	distruggerebbero	avrebbero	**distrutto**

MODO IMPERATIVO

Diretto	*Indiretto*
distruggi !	
	distrugga !
distruggiamo !	
distruggete !	
	distruggano !

MODO GERUNDIO

Semplice	*Composto*
distruggendo	avendo **distrutto**

MODO INFINITO

Semplice	*Composto*
distruggere	avere **distrutto**

MODO PARTICIPIO

Presente	*Passato*
distruggente	**distrutto**

DIVIDERE

to divide - diviser/partager - teilen - dividir

MODO INDICATIVO

Presente		*Imperfetto*	*Passato prossimo*		*Trapassato pross.*	
io	divido	dividevo	ho	**diviso**	avevo	**diviso**
tu	dividi	dividevi	hai	**diviso**	avevi	**diviso**
lui,lei	divide	divideva	ha	**diviso**	aveva	**diviso**
noi	dividiamo	dividevamo	abbiamo	**diviso**	avevamo	**diviso**
voi	dividete	dividevate	avete	**diviso**	avevate	**diviso**
loro	dividono	dividevano	hanno	**diviso**	avevano	**diviso**

Futuro sempl.		*Futuro comp.*		*Passato remoto*	*Trapassato rem.*	
io	dividerò	avrò	**diviso**	**divisi**	ebbi	**diviso**
tu	dividerai	avrai	**diviso**	dividesti	avesti	**diviso**
lui,lei	dividerà	avrà	**diviso**	**divise**	ebbe	**diviso**
noi	divideremo	avremo	**diviso**	dividemmo	avemmo	**diviso**
voi	dividerete	avrete	**diviso**	divideste	aveste	**diviso**
loro	divideranno	avranno	**diviso**	**divisero**	ebbero	**diviso**

MODO CONGIUNTIVO

Presente		*Imperfetto*	*Passato*		*Trapassato*	
io	divida	dividessi	abbia	**diviso**	avessi	**diviso**
tu	divida	dividessi	abbia	**diviso**	avessi	**diviso**
lui,lei	divida	dividesse	abbia	**diviso**	avesse	**diviso**
noi	dividiamo	dividessimo	abbiamo	**diviso**	avessimo	**diviso**
voi	dividiate	divideste	abbiate	**diviso**	aveste	**diviso**
loro	dividano	dividessero	abbiano	**diviso**	avessero	**diviso**

MODO CONDIZIONALE

Semplice		*Composto*	
io	dividerei	avrei	**diviso**
tu	divideresti	avresti	**diviso**
lui,lei	dividerebbe	avrebbe	**diviso**
noi	divideremmo	avremmo	**diviso**
voi	dividereste	avreste	**diviso**
loro	dividerebbero	avrebbero	**diviso**

MODO IMPERATIVO

Diretto	*Indiretto*
dividi !	
	divida !
dividiamo !	
dividete !	
	dividano !

MODO GERUNDIO

Semplice	*Composto*
dividendo	avendo **diviso**

MODO INFINITO

Semplice	*Composto*
dividere	avere **diviso**

MODO PARTICIPIO

Presente	*Passato*
dividente	**diviso**

DOLERSI

to be sorry/to regret - être désolé/regretter - betrübt sein - dolerse

MODO INDICATIVO

	Presente	Imperfetto	Passato prossimo		Trapassato pross.	
io mi	**dolgo**	dolevo	sono	doluto,a	ero	doluto,a
tu ti	**duoli**	dolevi	sei	doluto,a	eri	doluto,a
lui,lei si	**duole**	doleva	è	doluto,a	era	doluto,a
noi ci	doliamo	dolevamo	siamo	doluti,e	eravamo	doluti,e
voi vi	dolete	dolevate	siete	doluti,e	eravate	doluti,e
loro si	**dolgono**	dolevano	sono	doluti,e	erano	doluti,e

	Futuro sempl.	Futuro comp.		Passato remoto	Trapassato rem.	
io mi	**dorrò**	sarò	doluto,a	**dolsi**	fui	doluto,a
tu ti	**dorrai**	sarai	doluto,a	dolesti	fosti	doluto,a
lui,lei si	**dorrà**	sarà	doluto,a	**dolse**	fu	doluto,a
noi ci	**dorremo**	saremo	doluti,e	dolemmo	fummo	doluti,e
voi vi	**dorrete**	sarete	doluti,e	doleste	foste	doluti,e
loro si	**dorranno**	saranno	doluti,e	**dolsero**	furono	doluti,e

MODO CONGIUNTIVO

	Presente	Imperfetto	Passato		Trapassato	
io mi	**dolga**	dolessi	sia	doluto,a	fossi	doluto,a
tu ti	**dolga**	dolessi	sia	doluto,a	fossi	doluto,a
lui,lei si	**dolga**	dolesse	sia	doluto,a	fosse	doluto,a
noi ci	doliamo	dolessimo	siamo	doluti,e	fossimo	doluti,e
voi vi	doliate	doleste	siate	doluti,e	foste	doluti,e
loro si	**dolgano**	dolessero	siano	doluti,e	fossero	doluti,e

MODO CONDIZIONALE

	Semplice	Composto	
io mi	**dorrei**	sarei	doluto,a
tu ti	**dorresti**	saresti	doluto,a
lui,lei si	**dorrebbe**	sarebbe	doluto,a
noi ci	**dorremmo**	saremmo	doluti,e
voi vi	**dorreste**	sareste	doluti,e
loro si	**dorrebbero**	sarebbero	doluti,e

MODO IMPERATIVO

Diretto	Indiretto
duoliti !	
	si **dolga** !
doliamoci !	
doletevi !	
	si **dolgano** !

MODO GERUNDIO

Semplice	Composto
dolendosi	essendosi doluto,...

MODO INFINITO

Semplice	Composto
dolersi	essersi doluto,...

MODO PARTICIPIO

Presente	Passato
dolentesi	dolutosi

Nota: *con questo verbo l'uso dei tempi composti è molto raro.*

DOVERE

must/to have to - devoir - müssen/sollen - deber/haber de

MODO INDICATIVO

	Presente	*Imperfetto*	*Passato prossimo*	*Trapassato pross.*
io	**devo**	dovevo	ho dovuto	avevo dovuto
tu	**devi**	dovevi	hai dovuto	avevi dovuto
lui,lei	**deve**	doveva	ha dovuto	aveva dovuto
noi	**dobbiamo**	dovevamo	abbiamo dovuto	avevamo dovuto
voi	dovete	dovevate	avete dovuto	avevate dovuto
loro	**devono**	dovevano	hanno dovuto	avevano dovuto

	Futuro sempl.	*Futuro comp.*	*Passato remoto*	*Trapassato rem.*
io	**dovrò**	avrò dovuto	dovei (-etti)	ebbi dovuto
tu	**dovrai**	avrai dovuto	dovesti	avesti dovuto
lui,lei	**dovrà**	avrà dovuto	dové (-ette)	ebbe dovuto
noi	**dovremo**	avremo dovuto	dovemmo	avemmo dovuto
voi	**dovrete**	avrete dovuto	doveste	aveste dovuto
loro	**dovranno**	avranno dovuto	doverono (-ettero)	ebbero dovuto

MODO CONGIUNTIVO

	Presente	*Imperfetto*	*Passato*	*Trapassato*
io	**debba (deva)**	dovessi	abbia dovuto	avessi dovuto
tu	**debba (deva)**	dovessi	abbia dovuto	avessi dovuto
lui,lei	**debba (deva)**	dovesse	abbia dovuto	avesse dovuto
noi	**dobbiamo**	dovessimo	abbiamo dovuto	avessimo dovuto
voi	**dobbiate**	doveste	abbiate dovuto	aveste dovuto
loro	**debbano (devano)**	dovessero	abbiano dovuto	avessero dovuto

MODO CONDIZIONALE

	Semplice	*Composto*
io	**dovrei**	avrei dovuto
tu	**dovresti**	avresti dovuto
lui,lei	**dovrebbe**	avrebbe dovuto
noi	**dovremmo**	avremmo dovuto
voi	**dovreste**	avreste dovuto
loro	**dovrebbero**	avrebbero dovuto

MODO IMPERATIVO

Diretto	*Indiretto*
_	
	_
_	
_	
	_

MODO GERUNDIO

Semplice	*Composto*
dovendo	avendo dovuto

MODO INFINITO

Semplice	*Composto*
dovere	avere dovuto

MODO PARTICIPIO

Presente	*Passato*
-	dovuto

ECCELLERE to excel - exceller - hervorragen - sobresalir

MODO INDICATIVO

Presente		*Imperfetto*	*Passato prossimo*		*Trapassato pross.*	
io	eccello	eccellevo	ho	**eccelso**	avevo	**eccelso**
tu	eccelli	eccellevi	hai	**eccelso**	avevi	**eccelso**
lui,lei	eccelle	eccelleva	ha	**eccelso**	aveva	**eccelso**
noi	eccelliamo	eccellevamo	abbiamo	**eccelso**	avevamo	**eccelso**
voi	eccellete	eccellevate	avete	**eccelso**	avevate	**eccelso**
loro	eccellono	eccellevano	hanno	**eccelso**	avevano	**eccelso**

Futuro sempl.		*Futuro comp.*		*Passato remoto*	*Trapassato rem.*	
io	eccellerò	avrò	**eccelso**	**eccelsi**	ebbi	**eccelso**
tu	eccellerai	avrai	**eccelso**	eccellesti	avesti	**eccelso**
lui,lei	eccellerà	avrà	**eccelso**	**eccelse**	ebbe	**eccelso**
noi	eccelleremo	avremo	**eccelso**	eccellemmo	avemmo	**eccelso**
voi	eccellerete	avrete	**eccelso**	eccelleste	aveste	**eccelso**
loro	eccelleranno	avranno	**eccelso**	**eccelsero**	ebbero	**eccelso**

MODO CONGIUNTIVO

Presente		*Imperfetto*	*Passato*		*Trapassato*	
io	eccella	eccellessi	abbia	**eccelso**	avessi	**eccelso**
tu	eccella	eccellessi	abbia	**eccelso**	avessi	**eccelso**
lui,lei	eccella	eccellesse	abbia	**eccelso**	avesse	**eccelso**
noi	eccelliamo	eccellessimo	abbiamo	**eccelso**	avessimo	**eccelso**
voi	eccelliate	eccelleste	abbiate	**eccelso**	aveste	**eccelso**
loro	eccellano	eccellessero	abbiano	**eccelso**	avessero	**eccelso**

MODO CONDIZIONALE / MODO IMPERATIVO

Semplice		*Composto*		*Diretto*	*Indiretto*
io	eccellerei	avrei	**eccelso**		
tu	eccelleresti	avresti	**eccelso**	eccelli !	
lui,lei	eccellerebbe	avrebbe	**eccelso**		eccella !
noi	eccelleremmo	avremmo	**eccelso**	eccelliamo !	
voi	eccellereste	avreste	**eccelso**	eccellete !	
loro	eccellerebbero	avrebbero	**eccelso**		eccellano !

MODO GERUNDIO / MODO INFINITO / MODO PARTICIPIO

Semplice	*Composto*	*Semplice*	*Composto*	*Presente*	*Passato*
eccellendo	avendo **eccelso**	eccellere	avere **eccelso**	eccellente	**eccelso**

Nota: *con questo verbo è possibile usare anche l'ausiliare «essere».*

EMERGERE

to emerge - émerger - auftauchen - emerger

MODO INDICATIVO

	Presente	*Imperfetto*	*Passato prossimo*		*Trapassato pross.*	
io	emergo	emergevo	sono	**emerso,a**	ero	**emerso,a**
tu	emergi	emergevi	sei	**emerso,a**	eri	**emerso,a**
lui,lei	emerge	emergeva	è	**emerso,a**	era	**emerso,a**
noi	emergiamo	emergevamo	siamo	**emersi,e**	eravamo	**emersi,e**
voi	emergete	emergevate	siete	**emersi,e**	eravate	**emersi,e**
loro	emergono	emergevano	sono	**emersi,e**	erano	**emersi,e**

	Futuro sempl.	*Futuro comp.*		*Passato remoto*	*Trapassato rem.*	
io	emergerò	sarò	**emerso,a**	**emersi**	fui	**emerso,a**
tu	emergerai	sarai	**emerso,a**	emergesti	fosti	**emerso,a**
lui,lei	emergerà	sarà	**emerso,a**	**emerse**	fu	**emerso,a**
noi	emergeremo	saremo	**emersi,e**	emergemmo	fummo	**emersi,e**
voi	emergerete	sarete	**emersi,e**	emergeste	foste	**emersi,e**
loro	emergeranno	saranno	**emersi,e**	**emersero**	furono	**emersi,e**

MODO CONGIUNTIVO

	Presente	*Imperfetto*	*Passato*		*Trapassato*	
io	emerga	emergessi	sia	**emerso,a**	fossi	**emerso,a**
tu	emerga	emergessi	sia	**emerso,a**	fossi	**emerso,a**
lui,lei	emerga	emergesse	sia	**emerso,a**	fosse	**emerso,a**
noi	emergiamo	emergessimo	siamo	**emersi,e**	fossimo	**emersi,e**
voi	emergiate	emergeste	siate	**emersi,e**	foste	**emersi,e**
loro	emergano	emergessero	siano	**emersi,e**	fossero	**emersi,e**

MODO CONDIZIONALE / MODO IMPERATIVO

	Semplice	*Composto*		*Diretto*	*Indiretto*
io	emergerei	sarei	**emerso,a**		
tu	emergeresti	saresti	**emerso,a**	emergi !	
lui,lei	emergerebbe	sarebbe	**emerso,a**		emerga !
noi	emergeremmo	saremmo	**emersi,e**	emergiamo !	
voi	emergereste	sareste	**emersi,e**	emergete !	
loro	emergerebbero	sarebbero	**emersi,e**		emergano !

MODO GERUNDIO / MODO INFINITO / MODO PARTICIPIO

Semplice	*Composto*	*Semplice*	*Composto*	*Presente*	*Passato*
emergendo	essendo **emerso,...**	emergere	essere **emerso,...**	emergente	**emerso,...**

ESCLUDERE

to exclude - exclure - ausschließen - excluir

MODO INDICATIVO

	Presente	*Imperfetto*	*Passato prossimo*	*Trapassato pross.*
io	escludo	escludevo	ho **escluso**	avevo **escluso**
tu	escludi	escludevi	hai **escluso**	avevi **escluso**
lui,lei	esclude	escludeva	ha **escluso**	aveva **escluso**
noi	escludiamo	escludevamo	abbiamo **escluso**	avevamo **escluso**
voi	escludete	escludevate	avete **escluso**	avevate **escluso**
loro	escludono	escludevano	hanno **escluso**	avevano **escluso**

	Futuro sempl.	*Futuro comp.*	*Passato remoto*	*Trapassato rem.*
io	escluderò	avrò **escluso**	**esclusi**	ebbi **escluso**
tu	escluderai	avrai **escluso**	escludesti	avesti **escluso**
lui,lei	escluderà	avrà **escluso**	**escluse**	ebbe **escluso**
noi	escluderemo	avremo **escluso**	escludemmo	avemmo **escluso**
voi	escluderete	avrete **escluso**	escludeste	aveste **escluso**
loro	escluderanno	avranno **escluso**	**esclusero**	ebbero **escluso**

MODO CONGIUNTIVO

	Presente	*Imperfetto*	*Passato*	*Trapassato*
io	escluda	escludessi	abbia **escluso**	avessi **escluso**
tu	escluda	escludessi	abbia **escluso**	avessi **escluso**
lui,lei	escluda	escludesse	abbia **escluso**	avesse **escluso**
noi	escludiamo	escludessimo	abbiamo **escluso**	avessimo **escluso**
voi	escludiate	escludeste	abbiate **escluso**	aveste **escluso**
loro	escludano	escludessero	abbiano **escluso**	avessero **escluso**

MODO CONDIZIONALE

	Semplice	*Composto*
io	escluderei	avrei **escluso**
tu	escluderesti	avresti **escluso**
lui,lei	escluderebbe	avrebbe **escluso**
noi	escluderemmo	avremmo **escluso**
voi	escludereste	avreste **escluso**
loro	escluderebbero	avrebbero **escluso**

MODO IMPERATIVO

Diretto	*Indiretto*
escludi !	
	escluda !
escludiamo !	
escludete !	
	escludano !

MODO GERUNDIO

Semplice	*Composto*
escludendo	avendo **escluso**

MODO INFINITO

Semplice	*Composto*
escludere	avere **escluso**

MODO PARTICIPIO

Presente	*Passato*
escludente	**escluso**

ESISTERE to exist - exister - existieren - existir

MODO INDICATIVO

	Presente	*Imperfetto*	*Passato prossimo*		*Trapassato pross.*	
io	esisto	esistevo	sono	**esistito,a**	ero	**esistito,a**
tu	esisti	esistevi	sei	**esistito,a**	eri	**esistito,a**
lui,lei	esiste	esisteva	è	**esistito,a**	era	**esistito,a**
noi	esistiamo	esistevamo	siamo	**esistiti,e**	eravamo	**esistiti,e**
voi	esistete	esistevate	siete	**esistiti,e**	eravate	**esistiti,e**
loro	esistono	esistevano	sono	**esistiti,e**	erano	**esistiti,e**

	Futuro sempl.	*Futuro comp.*		*Passato remoto*	*Trapassato rem.*	
io	esisterò	sarò	**esistito,a**	esistei (-etti)	fui	**esistito,a**
tu	esisterai	sarai	**esistito,a**	esistesti	fosti	**esistito,a**
lui,lei	esisterà	sarà	**esistito,a**	esisté (-ette)	fu	**esistito,a**
noi	esisteremo	saremo	**esistiti,e**	esistemmo	fummo	**esistiti,e**
voi	esisterete	sarete	**esistiti,e**	esisteste	foste	**esistiti,e**
loro	esisteranno	saranno	**esistiti,e**	esisterono (-ettero)	furono	**esistiti,e**

MODO CONGIUNTIVO

	Presente	*Imperfetto*	*Passato*		*Trapassato*	
io	esista	esistessi	sia	**esistito,a**	fossi	**esistito,a**
tu	esista	esistessi	sia	**esistito,a**	fossi	**esistito,a**
lui,lei	esista	esistesse	sia	**esistito,a**	fosse	**esistito,a**
noi	esistiamo	esistessimo	siamo	**esistiti,e**	fossimo	**esistiti,e**
voi	esistiate	esisteste	siate	**esistiti,e**	foste	**esistiti,e**
loro	esistano	esistessero	siano	**esistiti,e**	fossero	**esistiti,e**

MODO CONDIZIONALE / MODO IMPERATIVO

	Semplice	*Composto*		*Diretto*	*Indiretto*
io	esisterei	sarei	**esistito,a**		
tu	esisteresti	saresti	**esistito,a**	esisti !	
lui,lei	esisterebbe	sarebbe	**esistito,a**		esista !
noi	esisteremmo	saremmo	**esistiti,e**	esistiamo !	
voi	esistereste	sareste	**esistiti,e**	esistete !	
loro	esisterebbero	sarebbero	**esistiti,e**		esistano !

MODO GERUNDIO / MODO INFINITO / MODO PARTICIPIO

MODO GERUNDIO *Semplice*	*Composto*	MODO INFINITO *Semplice*	*Composto*	MODO PARTICIPIO *Presente*	*Passato*
esistendo	essendo **esistito,...**	esistere	essere **esistito,...**	esistente	**esistito,...**

ESPELLERE
to expel - expulser - des Landes verweisen - expeler

MODO INDICATIVO

Presente		*Imperfetto*	*Passato prossimo*		*Trapassato pross.*	
io	espello	espellevo	ho	**espulso**	avevo	**espulso**
tu	espelli	espellevi	hai	**espulso**	avevi	**espulso**
lui,lei	espelle	espelleva	ha	**espulso**	aveva	**espulso**
noi	espelliamo	espellevamo	abbiamo	**espulso**	avevamo	**espulso**
voi	espellete	espellevate	avete	**espulso**	avevate	**espulso**
loro	espellono	espellevano	hanno	**espulso**	avevano	**espulso**

Futuro sempl.		*Futuro comp.*		*Passato remoto*	*Trapassato rem.*	
io	espellerò	avrò	**espulso**	**espulsi**	ebbi	**espulso**
tu	espellarai	avrai	**espulso**	espellesti	avesti	**espulso**
lui,lei	espellerà	avrà	**espulso**	**espulse**	ebbe	**espulso**
noi	espelleremo	avremo	**espulso**	espellemmo	avemmo	**espulso**
voi	espellerete	avrete	**espulso**	espelleste	aveste	**espulso**
loro	espelleranno	avranno	**espulso**	**espulsero**	ebbero	**espulso**

MODO CONGIUNTIVO

Presente		*Imperfetto*	*Passato*		*Trapassato*	
io	espella	espellessi	abbia	**espulso**	avessi	**espulso**
tu	espella	espellessi	abbia	**espulso**	avessi	**espulso**
lui,lei	espella	espellesse	abbia	**espulso**	avesse	**espulso**
noi	espelliamo	espellessimo	abbiamo	**espulso**	avessimo	**espulso**
voi	espelliate	espelleste	abbiate	**espulso**	aveste	**espulso**
loro	espellano	espellessero	abbiano	**espulso**	avessero	**espulso**

MODO CONDIZIONALE

Semplice		*Composto*	
io	espellerei	avrei	**espulso**
tu	espelleresti	avresti	**espulso**
lui,lei	espellerebbe	avrebbe	**espulso**
noi	espelleremmo	avremmo	**espulso**
voi	espellereste	avreste	**espulso**
loro	espellerebbero	avrebbero	**espulso**

MODO IMPERATIVO

Diretto	*Indiretto*
espelli !	
	espella !
espelliamo !	
espellete !	
	espellano !

MODO GERUNDIO

Semplice	*Composto*
espellendo	avendo **espulso**

MODO INFINITO

Semplice	*Composto*
espellere	avere **espulso**

MODO PARTICIPIO

Presente	*Passato*
espellente	**espulso**

ESPLODERE

to explode - exploser - explodieren - estallar/explotar

MODO INDICATIVO

Presente		*Imperfetto*	*Passato prossimo*		*Trapassato pross.*	
io	esplodo	esplodevo	ho	**esploso**	avevo	**esploso**
tu	esplodi	esplodevi	hai	**esploso**	avevi	**esploso**
lui,lei	esplode	esplodeva	ha	**esploso**	aveva	**esploso**
noi	esplodiamo	esplodevamo	abbiamo	**esploso**	avevamo	**esploso**
voi	esplodete	esplodevate	avete	**esploso**	avevate	**esploso**
loro	esplodono	esplodevano	hanno	**esploso**	avevano	**esploso**

Futuro sempl.		*Futuro comp.*		*Passato remoto*	*Trapassato rem.*	
io	esploderò	avrò	**esploso**	**esplosi**	ebbi	**esploso**
tu	esploderai	avrai	**esploso**	esplodesti	avesti	**esploso**
lui,lei	esploderà	avrà	**esploso**	**esplose**	ebbe	**esploso**
noi	esploderemo	avremo	**esploso**	esplodemmo	avemmo	**esploso**
voi	esploderete	avrete	**esploso**	esplodeste	aveste	**esploso**
loro	esploderanno	avranno	**esploso**	**esplosero**	ebbero	**esploso**

MODO CONGIUNTIVO

Presente		*Imperfetto*	*Passato*		*Trapassato*	
io	esploda	esplodessi	abbia	**esploso**	avessi	**esploso**
tu	esploda	esplodessi	abbia	**esploso**	avessi	**esploso**
lui,lei	esploda	esplodesse	abbia	**esploso**	avesse	**esploso**
noi	esplodiamo	esplodessimo	abbiamo	**esploso**	avessimo	**esploso**
voi	esplodiate	esplodeste	abbiate	**esploso**	aveste	**esploso**
loro	esplodano	esplodessero	abbiano	**esploso**	avessero	**esploso**

MODO CONDIZIONALE / MODO IMPERATIVO

Semplice		*Composto*		*Diretto*	*Indiretto*
io	esploderei	avrei	**esploso**		
tu	esploderesti	avresti	**esploso**	esplodi !	
lui,lei	esploderebbe	avrebbe	**esploso**		esploda !
noi	esploderemmo	avremmo	**esploso**	esplodiamo !	
voi	esplodereste	avreste	**esploso**	esplodete !	
loro	esploderebbero	avrebbero	**esploso**		esplodano !

MODO GERUNDIO

Semplice	*Composto*
esplodendo	avendo **esploso**

MODO INFINITO

Semplice	*Composto*
esplodere	avere **esploso**

MODO PARTICIPIO

Presente	*Passato*
esplodente	**esploso**

ESPRIMERE

to express - exprimer - ausdrücken - expresar

MODO INDICATIVO

	Presente	*Imperfetto*	*Passato prossimo*	*Trapassato pross.*
io	esprimo	esprimevo	ho **espresso**	avevo **espresso**
tu	esprimi	esprimevi	hai **espresso**	avevi **espresso**
lui,lei	esprime	esprimeva	ha **espresso**	aveva **espresso**
noi	esprimiamo	esprimevamo	abbiamo **espresso**	avevamo **espresso**
voi	esprimete	esprimevate	avete **espresso**	avevate **espresso**
loro	esprimono	esprimevano	hanno **espresso**	avevano **espresso**

	Futuro sempl.	*Futuro comp.*	*Passato remoto*	*Trapassato rem.*
io	esprimerò	avrò **espresso**	**espressi**	ebbi **espresso**
tu	esprimerai	avrai **espresso**	esprimesti	avesti **espresso**
lui,lei	esprimerà	avrà **espresso**	**espresse**	ebbe **espresso**
noi	esprimeremo	avremo **espresso**	esprimemmo	avemmo **espresso**
voi	esprimerete	avrete **espresso**	esprimeste	aveste **espresso**
loro	esprimeranno	avranno **espresso**	**espressero**	ebbero **espresso**

MODO CONGIUNTIVO

	Presente	*Imperfetto*	*Passato*	*Trapassato*
io	esprima	esprimessi	abbia **espresso**	avessi **espresso**
tu	esprima	esprimessi	abbia **espresso**	avessi **espresso**
lui,lei	esprima	esprimesse	abbia **espresso**	avesse **espresso**
noi	esprimiamo	esprimessimo	abbiamo **espresso**	avessimo **espresso**
voi	esprimiate	esprimeste	abbiate **espresso**	aveste **espresso**
loro	esprimano	esprimessero	abbiano **espresso**	avessero **espresso**

MODO CONDIZIONALE

	Semplice	*Composto*
io	esprimerei	avrei **espresso**
tu	esprimeresti	avresti **espresso**
lui,lei	esprimerebbe	avrebbe **espresso**
noi	esprimeremmo	avremmo **espresso**
voi	esprimereste	avreste **espresso**
loro	esprimerebbero	avrebbero **espresso**

MODO IMPERATIVO

Diretto	*Indiretto*
esprimi !	
	esprima !
esprimiamo !	
esprimete !	
	esprimano !

MODO GERUNDIO

Semplice	*Composto*
esprimendo	avendo **espresso**

MODO INFINITO

Semplice	*Composto*
esprimere	avere **espresso**

MODO PARTICIPIO

Presente	*Passato*
esprimente	**espresso**

FARE to do/to make - faire - machen - hacer

MODO INDICATIVO

Presente		*Imperfetto*	*Passato prossimo*		*Trapassato pross.*	
io	**faccio**	**facevo**	ho	**fatto**	avevo	**fatto**
tu	**fai**	**facevi**	hai	**fatto**	avevi	**fatto**
lui,lei	fa	**faceva**	ha	**fatto**	aveva	**fatto**
noi	**facciamo**	**facevamo**	abbiamo	**fatto**	avevamo	**fatto**
voi	fate	**facevate**	avete	**fatto**	avevate	**fatto**
loro	**fanno**	**facevano**	hanno	**fatto**	avevano	**fatto**

Futuro sempl.		*Futuro comp.*		*Passato remoto*	*Trapassato rem.*	
io	**farò**	avrò	**fatto**	**feci**	ebbi	**fatto**
tu	**farai**	avrai	**fatto**	**facesti**	avesti	**fatto**
lui,lei	**farà**	avrà	**fatto**	**fece**	ebbe	**fatto**
noi	**faremo**	avremo	**fatto**	**facemmo**	avemmo	**fatto**
voi	**farete**	avrete	**fatto**	**faceste**	aveste	**fatto**
loro	**faranno**	avranno	**fatto**	**fecero**	ebbero	**fatto**

MODO CONGIUNTIVO

Presente		*Imperfetto*	*Passato*		*Trapassato*	
io	**faccia**	**facessi**	abbia	**fatto**	avessi	**fatto**
tu	**faccia**	**facessi**	abbia	**fatto**	avessi	**fatto**
lui,lei	**faccia**	**facesse**	abbia	**fatto**	avesse	**fatto**
noi	**facciamo**	**facessimo**	abbiamo	**fatto**	avessimo	**fatto**
voi	**facciate**	**faceste**	abbiate	**fatto**	aveste	**fatto**
loro	**facciano**	**facessero**	abbiano	**fatto**	avessero	**fatto**

MODO CONDIZIONALE

Semplice		*Composto*	
io	**farei**	avrei	**fatto**
tu	**faresti**	avresti	**fatto**
lui,lei	**farebbe**	avrebbe	**fatto**
noi	**faremmo**	avremmo	**fatto**
voi	**fareste**	avreste	**fatto**
loro	**farebbero**	avrebbero	**fatto**

MODO IMPERATIVO

Diretto	*Indiretto*
fa' (fai)!	
	faccia !
facciamo !	
fate !	
	facciano !

MODO GERUNDIO

Semplice	*Composto*
facendo	avendo **fatto**

MODO INFINITO

Semplice	*Composto*
fare	avere **fatto**

MODO PARTICIPIO

Presente	*Passato*
facente	**fatto**

FINGERE to pretend - feindre - vortäuschen - fingir

MODO INDICATIVO

Presente		*Imperfetto*	*Passato prossimo*		*Trapassato pross.*	
io	fingo	fingevo	ho	**finto**	avevo	**finto**
tu	fingi	fingevi	hai	**finto**	avevi	**finto**
lui,lei	finge	fingeva	ha	**finto**	aveva	**finto**
noi	fingiamo	fingevamo	abbiamo	**finto**	avevamo	**finto**
voi	fingete	fingevate	avete	**finto**	avevate	**finto**
loro	fingono	fingevano	hanno	**finto**	avevano	**finto**

Futuro sempl.		*Futuro comp.*		*Passato remoto*	*Trapassato rem.*	
io	fingerò	avrò	**finto**	**finsi**	ebbi	**finto**
tu	fingerai	avrai	**finto**	fingesti	avesti	**finto**
lui,lei	fingerà	avrà	**finto**	**finse**	ebbe	**finto**
noi	fingeremo	avremo	**finto**	fingemmo	avemmo	**finto**
voi	fingerete	avrete	**finto**	fingeste	aveste	**finto**
loro	fingeranno	avranno	**finto**	**finsero**	ebbero	**finto**

MODO CONGIUNTIVO

Presente		*Imperfetto*	*Passato*		*Trapassato*	
io	finga	fingessi	abbia	**finto**	avessi	**finto**
tu	finga	fingessi	abbia	**finto**	avessi	**finto**
lui,lei	finga	fingesse	abbia	**finto**	avesse	**finto**
noi	fingiamo	fingessimo	abbiamo	**finto**	avessimo	**finto**
voi	fingiate	fingeste	abbiate	**finto**	aveste	**finto**
loro	fingano	fingessero	abbiano	**finto**	avessero	**finto**

MODO CONDIZIONALE

Semplice		*Composto*	
io	fingerei	avrei	**finto**
tu	fingeresti	avresti	**finto**
lui,lei	fingerebbe	avrebbe	**finto**
noi	fingeremmo	avremmo	**finto**
voi	fingereste	avreste	**finto**
loro	fingerebbero	avrebbero	**finto**

MODO IMPERATIVO

Diretto	*Indiretto*
fingi !	
	finga !
fingiamo !	
fingete !	
	fingano !

MODO GERUNDIO

Semplice	*Composto*
fingendo	avendo **finto**

MODO INFINITO

Semplice	*Composto*
fingere	avere **finto**

MODO PARTICIPIO

Presente	*Passato*
fingente	**finto**

FONDERE
to melt - fondre - schmelzen - fundir/derretir

MODO INDICATIVO

	Presente	*Imperfetto*	*Passato prossimo*		*Trapassato pross.*	
io	fondo	fondevo	ho	**fuso**	avevo	**fuso**
tu	fondi	fondevi	hai	**fuso**	avevi	**fuso**
lui,lei	fonde	fondeva	ha	**fuso**	aveva	**fuso**
noi	fondiamo	fondevamo	abbiamo	**fuso**	avevamo	**fuso**
voi	fondete	fondevate	avete	**fuso**	avevate	**fuso**
loro	fondono	fondevano	hanno	**fuso**	avevano	**fuso**

	Futuro sempl.	*Futuro comp.*		*Passato remoto*	*Trapassato rem.*	
io	fonderò	avrò	**fuso**	**fusi**	ebbi	**fuso**
tu	fonderai	avrai	**fuso**	fondesti	avesti	**fuso**
lui,lei	fonderà	avrà	**fuso**	**fuse**	ebbe	**fuso**
noi	fonderemo	avremo	**fuso**	fondemmo	avemmo	**fuso**
voi	fonderete	avrete	**fuso**	fondeste	aveste	**fuso**
loro	fonderanno	avranno	**fuso**	**fusero**	ebbero	**fuso**

MODO CONGIUNTIVO

	Presente	*Imperfetto*	*Passato*		*Trapassato*	
io	fonda	fondessi	abbia	**fuso**	avessi	**fuso**
tu	fonda	fondessi	abbia	**fuso**	avessi	**fuso**
lui,lei	fonda	fondesse	abbia	**fuso**	avesse	**fuso**
noi	fondiamo	fondessimo	abbiamo	**fuso**	avessimo	**fuso**
voi	fondiate	fondeste	abbiate	**fuso**	aveste	**fuso**
loro	fondano	fondessero	abbiano	**fuso**	avessero	**fuso**

MODO CONDIZIONALE

	Semplice	*Composto*	
io	fonderei	avrei	**fuso**
tu	fonderesti	avresti	**fuso**
lui,lei	fonderebbe	avrebbe	**fuso**
noi	fonderemmo	avremmo	**fuso**
voi	fondereste	avreste	**fuso**
loro	fonderebbero	avrebbero	**fuso**

MODO IMPERATIVO

Diretto	*Indiretto*
fondi !	
	fonda !
fondiamo !	
fondete !	
	fondano !

MODO GERUNDIO

Semplice	*Composto*
fondendo	avendo **fuso**

MODO INFINITO

Semplice	*Composto*
fondere	avere **fuso**

MODO PARTICIPIO

Presente	*Passato*
fondente	**fuso**

FRIGGERE to fry - frire - braten - freír

MODO INDICATIVO

	Presente	*Imperfetto*	*Passato prossimo*	*Trapassato pross.*
io	friggo	friggevo	ho **fritto**	avevo **fritto**
tu	friggi	friggevi	hai **fritto**	avevi **fritto**
lui,lei	frigge	friggeva	ha **fritto**	aveva **fritto**
noi	friggiamo	friggevamo	abbiamo **fritto**	avevamo **fritto**
voi	friggete	friggevate	avete **fritto**	avevate **fritto**
loro	friggono	friggevano	hanno **fritto**	avevano **fritto**

	Futuro sempl.	*Futuro comp.*	*Passato remoto*	*Trapassato rem.*
io	friggerò	avrò **fritto**	**frissi**	ebbi **fritto**
tu	friggerai	avrai **fritto**	friggesti	avesti **fritto**
lui,lei	friggerà	avrà **fritto**	**frisse**	ebbe **fritto**
noi	friggeremo	avremo **fritto**	friggemmo	avemmo **fritto**
voi	friggerete	avrete **fritto**	friggeste	aveste **fritto**
loro	friggeranno	avranno **fritto**	**frissero**	ebbero **fritto**

MODO CONGIUNTIVO

	Presente	*Imperfetto*	*Passato*	*Trapassato*
io	frigga	friggessi	abbia **fritto**	avessi **fritto**
tu	frigga	friggessi	abbia **fritto**	avessi **fritto**
lui,lei	frigga	friggesse	abbia **fritto**	avesse **fritto**
noi	friggiamo	friggessimo	abbiamo **fritto**	avessimo **fritto**
voi	friggiate	friggeste	abbiate **fritto**	aveste **fritto**
loro	friggano	friggessero	abbiano **fritto**	avessero **fritto**

MODO CONDIZIONALE

	Semplice	*Composto*
io	friggerei	avrei **fritto**
tu	friggeresti	avresti **fritto**
lui,lei	friggerebbe	avrebbe **fritto**
noi	friggeremmo	avremmo **fritto**
voi	friggereste	avreste **fritto**
loro	friggerebbero	avrebbero **fritto**

MODO IMPERATIVO

Diretto	*Indiretto*
friggi !	
	frigga !
friggiamo !	
friggete !	
	friggano !

MODO GERUNDIO

Semplice	*Composto*
friggendo	avendo **fritto**

MODO INFINITO

Semplice	*Composto*
friggere	avere **fritto**

MODO PARTICIPIO

Presente	*Passato*
friggente	**fritto**

GIUNGERE

to arrive/to reach - joindre - erreichen - llegar/arribar

MODO INDICATIVO

Presente		*Imperfetto*	*Passato prossimo*		*Trapassato pross.*	
io	giungo	giungevo	sono	**giunto,a**	ero	**giunto,a**
tu	giungi	giungevi	sei	**giunto,a**	eri	**giunto,a**
lui,lei	giunge	giungeva	è	**giunto,a**	era	**giunto,a**
noi	giungiamo	giungevamo	siamo	**giunti,e**	eravamo	**giunti,e**
voi	giungete	giungevate	siete	**giunti,e**	eravate	**giunti,e**
loro	giungono	giungevano	sono	**giunti,e**	erano	**giunti,e**

Futuro sempl.		*Futuro comp.*		*Passato remoto*	*Trapassato rem.*	
io	giungerò	sarò	**giunto,a**	**giunsi**	fui	**giunto,a**
tu	giungerai	sarai	**giunto,a**	giungesti	fosti	**giunto,a**
lui,lei	giungerà	sarà	**giunto,a**	**giunse**	fu	**giunto,a**
noi	giungeremo	saremo	**giunti,e**	giungemmo	fummo	**giunti,e**
voi	giungerete	sarete	**giunti,e**	giungeste	foste	**giunti,e**
loro	giungeranno	saranno	**giunti,e**	**giunsero**	furono	**giunti,e**

MODO CONGIUNTIVO

Presente		*Imperfetto*	*Passato*		*Trapassato*	
io	giunga	giungessi	sia	**giunto,a**	fossi	**giunto,a**
tu	giunga	giungessi	sia	**giunto,a**	fossi	**giunto,a**
lui,lei	giunga	giungesse	sia	**giunto,a**	fosse	**giunto,a**
noi	giungiamo	giungessimo	siamo	**giunti,e**	fossimo	**giunti,e**
voi	giungiate	giungeste	siate	**giunti,e**	foste	**giunti,e**
loro	giungano	giungessero	siano	**giunti,e**	fossero	**giunti,e**

MODO CONDIZIONALE / MODO IMPERATIVO

Semplice		*Composto*		*Diretto*	*Indiretto*
io	giungerei	sarei	**giunto,a**		
tu	giungeresti	saresti	**giunto,a**	giungi !	
lui,lei	giungerebbe	sarebbe	**giunto,a**		giunga !
noi	giungeremmo	saremmo	**giunti,e**	giungiamo !	
voi	giungereste	sareste	**giunti,e**	giungete !	
loro	giungerebbero	sarebbero	**giunti,e**		giungano !

MODO GERUNDIO / MODO INFINITO / MODO PARTICIPIO

Semplice	*Composto*	*Semplice*	*Composto*	*Presente*	*Passato*
giungendo	essendo **giunto**,...	giungere	essere **giunto**,...	giungente	**giunto**,...

GODERE to enjoy - jouir - genießen - gozar

MODO INDICATIVO

	Presente	*Imperfetto*	*Passato prossimo*		*Trapassato pross.*	
io	godo	godevo	ho	goduto	avevo	goduto
tu	godi	godevi	hai	goduto	avevi	goduto
lui,lei	gode	godeva	ha	goduto	aveva	goduto
noi	godiamo	godevamo	abbiamo	goduto	avevamo	goduto
voi	godete	godevate	avete	goduto	avevate	goduto
loro	godono	godevano	hanno	goduto	avevano	goduto

	Futuro sempl.	*Futuro comp.*		*Passato remoto*	*Trapassato rem.*	
io	**godrò**	avrò	goduto	godei (-etti)	ebbi	goduto
tu	**godrai**	avrai	goduto	godesti	avesti	goduto
lui,lei	**godrà**	avrà	goduto	godé (-ette)	ebbe	goduto
noi	**godremo**	avremo	goduto	godemmo	avemmo	goduto
voi	**godrete**	avrete	goduto	godeste	aveste	goduto
loro	**godranno**	avranno	goduto	goderono (-ettero)	ebbero	goduto

MODO CONGIUNTIVO

	Presente	*Imperfetto*	*Passato*		*Trapassato*	
io	goda	godessi	abbia	goduto	avessi	goduto
tu	goda	godessi	abbia	goduto	avessi	goduto
lui,lei	goda	godesse	abbia	goduto	avesse	goduto
noi	godiamo	godessimo	abbiamo	goduto	avessimo	goduto
voi	godiate	godeste	abbiate	goduto	aveste	goduto
loro	godano	godessero	abbiano	goduto	avessero	goduto

MODO CONDIZIONALE / MODO IMPERATIVO

	Semplice	*Composto*		*Diretto*	*Indiretto*
io	**godrei**	avrei	goduto		
tu	**godresti**	avresti	goduto	godi !	
lui,lei	**godrebbe**	avrebbe	goduto		goda !
noi	**godremmo**	avremmo	goduto	godiamo !	
voi	**godreste**	avreste	goduto	godete !	
loro	**godrebbero**	avrebbero	goduto		godano !

MODO GERUNDIO / MODO INFINITO / MODO PARTICIPIO

Semplice	*Composto*	*Semplice*	*Composto*	*Presente*	*Passato*
godendo	avendo goduto	godere	avere goduto	godente	goduto

ILLUDERE to deceive - tromper/abuser - betrügen - ilusionar/embaucar

MODO INDICATIVO

Presente		*Imperfetto*	*Passato prossimo*		*Trapassato pross.*	
io	illudo	illudevo	ho	**illuso**	avevo	**illuso**
tu	illudi	illudevi	hai	**illuso**	avevi	**illuso**
lui,lei	illude	illudeva	ha	**illuso**	aveva	**illuso**
noi	illudiamo	illudevamo	abbiamo	**illuso**	avevamo	**illuso**
voi	illudete	illudevate	avete	**illuso**	avevate	**illuso**
loro	illudono	illudevano	hanno	**illuso**	avevano	**illuso**

Futuro sempl.		*Futuro comp.*		*Passato remoto*	*Trapassato rem.*	
io	illuderò	avrò	**illuso**	**illusi**	ebbi	**illuso**
tu	illuderai	avrai	**illuso**	illudesti	avesti	**illuso**
lui,lei	illuderà	avrà	**illuso**	**illuse**	ebbe	**illuso**
noi	illuderemo	avremo	**illuso**	illudemmo	avemmo	**illuso**
voi	illuderete	avrete	**illuso**	illudeste	aveste	**illuso**
loro	illuderanno	avranno	**illuso**	**illusero**	ebbero	**illuso**

MODO CONGIUNTIVO

Presente		*Imperfetto*	*Passato*		*Trapassato*	
io	illuda	illudessi	abbia	**illuso**	avessi	**illuso**
tu	illuda	illudessi	abbia	**illuso**	avessi	**illuso**
lui,lei	illuda	illudesse	abbia	**illuso**	avesse	**illuso**
noi	illudiamo	illudessimo	abbiamo	**illuso**	avessimo	**illuso**
voi	illudiate	illudeste	abbiate	**illuso**	aveste	**illuso**
loro	illudano	illudessero	abbiano	**illuso**	avessero	**illuso**

MODO CONDIZIONALE

Semplice		*Composto*	
io	illuderei	avrei	**illuso**
tu	illuderesti	avresti	**illuso**
lui,lei	illuderebbe	avrebbe	**illuso**
noi	illuderemmo	avremmo	**illuso**
voi	illudereste	avreste	**illuso**
loro	illuderebbero	avrebbero	**illuso**

MODO IMPERATIVO

Diretto	*Indiretto*
illudi !	
	illuda !
illudiamo !	
illudete !	
	illudano !

MODO GERUNDIO

Semplice	*Composto*
illudendo	avendo **illuso**

MODO INFINITO

Semplice	*Composto*
illudere	avere **illuso**

MODO PARTICIPIO

Presente	*Passato*
illudente	**illuso**

IMMERGERE
to immerse/to dip - immerger - eintauchen - sumergir

MODO INDICATIVO

Presente		*Imperfetto*	*Passato prossimo*		*Trapassato pross.*	
io	immergo	immergevo	ho	**immerso**	avevo	**immerso**
tu	immergi	immergevi	hai	**immerso**	avevi	**immerso**
lui,lei	immerge	immergeva	ha	**immerso**	aveva	**immerso**
noi	immergiamo	immergevamo	abbiamo	**immerso**	avevamo	**immerso**
voi	immergete	immergevate	avete	**immerso**	avevate	**immerso**
loro	immergono	immergevano	hanno	**immerso**	avevano	**immerso**

Futuro sempl.		*Futuro comp.*		*Passato remoto*	*Trapassato rem.*	
io	immergerò	avrò	**immerso**	**immersi**	ebbi	**immerso**
tu	immergerai	avrai	**immerso**	immergesti	avesti	**immerso**
lui,lei	immergerà	avrà	**immerso**	**immerse**	ebbe	**immerso**
noi	immergeremo	avremo	**immerso**	immergemmo	avemmo	**immerso**
voi	immergerete	avrete	**immerso**	immergeste	aveste	**immerso**
loro	immergeranno	avranno	**immerso**	**immersero**	ebbero	**immerso**

MODO CONGIUNTIVO

Presente		*Imperfetto*	*Passato*		*Trapassato*	
io	immerga	immergessi	abbia	**immerso**	avessi	**immerso**
tu	immerga	immergessi	abbia	**immerso**	avessi	**immerso**
lui,lei	immerga	immergesse	abbia	**immerso**	avesse	**immerso**
noi	immergiamo	immergessimo	abbiamo	**immerso**	avessimo	**immerso**
voi	immergiate	immergeste	abbiate	**immerso**	aveste	**immerso**
loro	immergano	immergessero	abbiano	**immerso**	avessero	**immerso**

MODO CONDIZIONALE

Semplice		*Composto*	
io	immergerei	avrei	**immerso**
tu	immergeresti	avresti	**immerso**
lui,lei	immergerebbe	avrebbe	**immerso**
noi	immergeremmo	avremmo	**immerso**
voi	immergereste	avreste	**immerso**
loro	immergerebbero	avrebbero	**immerso**

MODO IMPERATIVO

Diretto	*Indiretto*
immergi !	
	immerga !
immergiamo !	
immergete !	
	immergano !

MODO GERUNDIO

Semplice	*Composto*
immergendo	avendo **immerso**

MODO INFINITO

Semplice	*Composto*
immergere	avere **immerso**

MODO PARTICIPIO

Presente	*Passato*
immergente	**immerso**

INCUTERE

to command/frighten - inspirer/en imposer - einflößen - inspirar/imponer

MODO INDICATIVO

Presente		*Imperfetto*	*Passato prossimo*		*Trapassato pross.*	
io	incuto	incutevo	ho	**incusso**	avevo	**incusso**
tu	incuti	incutevi	hai	**incusso**	avevi	**incusso**
lui,lei	incute	incuteva	ha	**incusso**	aveva	**incusso**
noi	incutiamo	incutevamo	abbiamo	**incusso**	avevamo	**incusso**
voi	incutete	incutevate	avete	**incusso**	avevate	**incusso**
loro	incutono	incutevano	hanno	**incusso**	avevano	**incusso**

Futuro sempl.		*Futuro comp.*		*Passato remoto*	*Trapassato rem.*	
io	incuterò	avrò	**incusso**	**incussi**	ebbi	**incusso**
tu	incuterai	avrai	**incusso**	incutesti	avesti	**incusso**
lui,lei	incuterà	avrà	**incusso**	**incusse**	ebbe	**incusso**
noi	incuteremo	avremo	**incusso**	incutemmo	avemmo	**incusso**
voi	incuterete	avrete	**incusso**	incuteste	aveste	**incusso**
loro	incuteranno	avranno	**incusso**	**incussero**	ebbero	**incusso**

MODO CONGIUNTIVO

Presente		*Imperfetto*	*Passato*		*Trapassato*	
io	incuta	incutessi	abbia	**incusso**	avessi	**incusso**
tu	incuta	incutessi	abbia	**incusso**	avessi	**incusso**
lui,lei	incuta	incutessi	abbia	**incusso**	avesse	**incusso**
noi	incutiamo	incutessimo	abbiamo	**incusso**	avessimo	**incusso**
voi	incutiate	incuteste	abbiate	**incusso**	aveste	**incusso**
loro	incutano	incutessero	abbiano	**incusso**	avessero	**incusso**

MODO CONDIZIONALE

Semplice		*Composto*	
io	incuterei	avrei	**incusso**
tu	incuteresti	avresti	**incusso**
lui,lei	incuterebbe	avrebbe	**incusso**
noi	incuteremmo	avremmo	**incusso**
voi	incutereste	avreste	**incusso**
loro	incuterebbero	avrebbero	**incusso**

MODO IMPERATIVO

Diretto	*Indiretto*
incuti !	
	incuta !
incutiamo !	
incutete !	
	incutano !

MODO GERUNDIO

Semplice	*Composto*
incutendo	avendo **incusso**

MODO INFINITO

Semplice	*Composto*
incutere	**incusso**

MODO PARTICIPIO

Presente	*Passato*
incutente	**incusso**

INSISTERE

to insist - insister - bestehen auf - insistir

MODO INDICATIVO

	Presente	*Imperfetto*	*Passato prossimo*	*Trapassato pross.*
io	insisto	insistevo	ho **insistito**	avevo **insistito**
tu	insisti	insistevi	hai **insistito**	avevi **insistito**
lui,lei	insiste	insisteva	ha **insistito**	aveva **insistito**
noi	insistiamo	insistevamo	abbiamo **insistito**	avevamo **insistito**
voi	insistete	insistevate	avete **insistito**	avevate **insistito**
loro	insistono	insistevano	hanno **insistito**	avevano **insistito**

	Futuro sempl.	*Futuro comp.*	*Passato remoto*	*Trapassato rem.*
io	insisterò	avrò **insistito**	insistei (-etti)	ebbi **insistito**
tu	insisterai	avrai **insistito**	insistesti	avesti **insistito**
lui,lei	insisterà	avrà **insistito**	insisté (-ette)	ebbe **insistito**
noi	insisteremo	avremo **insistito**	insistemmo	avemmo **insistito**
voi	insisterete	avrete **insistito**	insisteste	aveste **insistito**
loro	insisteranno	avranno **insistito**	insisterono -(ettero)	ebbero **insistito**

MODO CONGIUNTIVO

	Presente	*Imperfetto*	*Passato*	*Trapassato*
io	insista	insistessi	abbia **insistito**	avessi **insistito**
tu	insista	insistessi	abbia **insistito**	avessi **insistito**
lui,lei	insista	insistesse	abbia **insistito**	avesse **insistito**
noi	insistiamo	insistessimo	abbiamo **insistito**	avessimo **insistito**
voi	insistiate	insisteste	abbiate **insistito**	aveste **insistito**
loro	insistano	insistessero	abbiano **insistito**	avessero **insistito**

MODO CONDIZIONALE

	Semplice	*Composto*
io	insisterei	avrei **insistito**
tu	insisteresti	avresti **insistito**
lui,lei	insisterebbe	avrebbe **insistito**
noi	insisteremmo	avremmo **insistito**
voi	insistereste	avreste **insistito**
loro	insisterebbero	avrebbero **insistito**

MODO IMPERATIVO

Diretto	*Indiretto*
insisti !	
	insista !
insistiamo !	
insistete !	
	insistano !

MODO GERUNDIO

Semplice	*Composto*
insistendo	avendo **insistito**

MODO INFINITO

Semplice	*Composto*
insistere	avere **insistito**

MODO PARTICIPIO

Presente	*Passato*
insistente	**insistito**

INTRODURRE

to introduce - introduire - einführen - introducir

MODO INDICATIVO

	Presente	*Imperfetto*	*Passato prossimo*		*Trapassato pross.*	
io	**introduco**	**introducevo**	ho	**introdotto**	avevo	**introdotto**
tu	**introduci**	**introducevi**	hai	**introdotto**	avevi	**introdotto**
lui,lei	**introduce**	**introduceva**	ha	**introdotto**	aveva	**introdotto**
noi	**introduciamo**	**introducevamo**	abbiamo	**introdotto**	avevamo	**introdotto**
voi	**introducete**	**introducevate**	avete	**introdotto**	avevate	**introdotto**
loro	**introducono**	**introducevano**	hanno	**introdotto**	avevano	**introdotto**

	Futuro sempl.	*Futuro comp.*		*Passato remoto*	*Trapassato rem.*	
io	**introdurrò**	avrò	**introdotto**	**introdussi**	ebbi	**introdotto**
tu	**introdurrai**	avrai	**introdotto**	**introducesti**	avesti	**introdotto**
lui,lei	**introdurrà**	avrà	**introdotto**	**introdusse**	ebbe	**introdotto**
noi	**introdurremo**	avremo	**introdotto**	**introducemmo**	avemmo	**introdotto**
voi	**introdurrete**	avrete	**introdotto**	**introduceste**	aveste	**introdotto**
loro	**introdurranno**	avranno	**introdotto**	**introdussero**	ebbero	**introdotto**

MODO CONGIUNTIVO

	Presente	*Imperfetto*	*Passato*		*Trapassato*	
io	**introduca**	**introducessi**	abbia	**introdotto**	avessi	**introdotto**
tu	**introduca**	**introducessi**	abbia	**introdotto**	avessi	**introdotto**
lui,lei	**introduca**	**introducesse**	abbia	**introdotto**	avesse	**introdotto**
noi	**introduciamo**	**introducessimo**	abbiamo	**introdotto**	avessimo	**introdotto**
voi	**introduciate**	**introduceste**	abbiate	**introdotto**	aveste	**introdotto**
loro	**introducano**	**introducessero**	abbiano	**introdotto**	avessero	**introdotto**

MODO CONDIZIONALE

	Semplice	*Composto*	
io	**introdurrei**	avrei	**introdotto**
tu	**introdurresti**	avresti	**introdotto**
lui,lei	**introdurrebbe**	avrebbe	**introdotto**
noi	**introdurremmo**	avremmo	**introdotto**
voi	**introdurreste**	avreste	**introdotto**
loro	**introdurrebbero**	avrebbero	**introdotto**

MODO IMPERATIVO

Diretto	*Indiretto*
introduci !	
	introduca !
introduciamo !	
introducete !	
	introducano !

MODO GERUNDIO

Semplice	*Composto*
introducendo	avendo **introdotto**

MODO INFINITO

Semplice	*Composto*
introdurre	avere **introdotto**

MODO PARTICIPIO

Presente	*Passato*
introducente	**introdotto**

INVADERE to invade - envahir - eindringen - invadir

MODO INDICATIVO

Presente		*Imperfetto*	*Passato prossimo*		*Trapassato pross.*	
io	invado	invadevo	ho	**invaso**	avevo	**invaso**
tu	invadi	invadevi	hai	**invaso**	avevi	**invaso**
lui,lei	invade	invadeva	ha	**invaso**	aveva	**invaso**
noi	invadiamo	invadevamo	abbiamo	**invaso**	avevamo	**invaso**
voi	invadete	invadevate	avete	**invaso**	avevate	**invaso**
loro	invadono	invadevano	hanno	**invaso**	avevano	**invaso**

Futuro sempl.		*Futuro comp.*		*Passato remoto*	*Trapassato rem.*	
io	invaderò	avrò	**invaso**	**invasi**	ebbi	**invaso**
tu	invaderai	avrai	**invaso**	invadesti	avesti	**invaso**
lui,lei	invaderà	avrà	**invaso**	**invase**	ebbe	**invaso**
noi	invaderemo	avremo	**invaso**	invademmo	avemmo	**invaso**
voi	invaderete	avrete	**invaso**	invadeste	aveste	**invaso**
loro	invaderanno	avranno	**invaso**	**invasero**	ebbero	**invaso**

MODO CONGIUNTIVO

Presente		*Imperfetto*	*Passato*		*Trapassato*	
io	invada	invadessi	abbia	**invaso**	avessi	**invaso**
tu	invada	invadessi	abbia	**invaso**	avessi	**invaso**
lui,lei	invada	invadesse	abbia	**invaso**	avesse	**invaso**
noi	invadiamo	invadessimo	abbiamo	**invaso**	avessimo	**invaso**
voi	invadiate	invadeste	abbiate	**invaso**	aveste	**invaso**
loro	invadano	invadessero	abbiano	**invaso**	avessero	**invaso**

MODO CONDIZIONALE / MODO IMPERATIVO

Semplice		*Composto*		*Diretto*	*Indiretto*
io	invaderei	avrei	**invaso**		
tu	invaderesti	avresti	**invaso**	invadi !	
lui,lei	invaderebbe	avrebbe	**invaso**		invada !
noi	invaderemmo	avremmo	**invaso**	invadiamo !	
voi	invadereste	avreste	**invaso**	invadete !	
loro	invaderebbero	avrebbero	**invaso**		invadano !

MODO GERUNDIO

Semplice	*Composto*
invadendo	avendo **invaso**

MODO INFINITO

Semplice	*Composto*
invadere	avere **invaso**

MODO PARTICIPIO

Presente	*Passato*
invadente	**invaso**

LEGGERE to read - lire - lesen - leer

MODO INDICATIVO

Presente		*Imperfetto*	*Passato prossimo*		*Trapassato pross.*	
io	leggo	leggevo	ho	**letto**	avevo	**letto**
tu	leggi	leggevi	hai	**letto**	avevi	**letto**
lui,lei	legge	leggeva	ha	**letto**	aveva	**letto**
noi	leggiamo	leggevamo	abbiamo	**letto**	avevamo	**letto**
voi	leggete	leggevate	avete	**letto**	avevate	**letto**
loro	leggono	leggevano	hanno	**letto**	avevano	**letto**

Futuro sempl.		*Futuro comp.*		*Passato remoto*	*Trapassato rem.*	
io	leggerò	avrò	**letto**	**lessi**	ebbi	**letto**
tu	leggerai	avrai	**letto**	leggesti	avesti	**letto**
lui,lei	leggerà	avrà	**letto**	**lesse**	ebbe	**letto**
noi	leggeremo	avremo	**letto**	leggemmo	avemmo	**letto**
voi	leggerete	avrete	**letto**	leggeste	aveste	**letto**
loro	leggeranno	avranno	**letto**	**lessero**	ebbero	**letto**

MODO CONGIUNTIVO

Presente		*Imperfetto*	*Passato*		*Trapassato*	
io	legga	leggessi	abbia	**letto**	avessi	**letto**
tu	legga	leggessi	abbia	**letto**	avessi	**letto**
lui,lei	legga	leggesse	abbia	**letto**	avesse	**letto**
noi	leggiamo	leggessimo	abbiamo	**letto**	avessimo	**letto**
voi	leggiate	leggeste	abbiate	**letto**	aveste	**letto**
loro	leggano	leggessero	abbiano	**letto**	avessero	**letto**

MODO CONDIZIONALE / MODO IMPERATIVO

Semplice		*Composto*		*Diretto*	*Indiretto*
io	leggerei	avrei	**letto**		
tu	leggeresti	avresti	**letto**	leggi !	
lui,lei	leggerebbe	avrebbe	**letto**		legga !
noi	leggeremmo	avremmo	**letto**	leggiamo !	
voi	leggereste	avreste	**letto**	leggete !	
loro	leggerebbero	avrebbero	**letto**		leggano !

MODO GERUNDIO / MODO INFINITO / MODO PARTICIPIO

Semplice	*Composto*	*Semplice*	*Composto*	*Presente*	*Passato*
leggendo	avendo **letto**	leggere	avere **letto**	leggente	**letto**

METTERE to put - mettre - setzen - poner/colocar/meter

MODO INDICATIVO

Presente		*Imperfetto*	*Passato prossimo*		*Trapassato pross.*	
io	metto	mettevo	ho	**messo**	avevo	**messo**
tu	metti	mettevi	hai	**messo**	avevi	**messo**
lui,lei	mette	metteva	ha	**messo**	aveva	**messo**
noi	mettiamo	mettevamo	abbiamo	**messo**	avevamo	**messo**
voi	mettete	mettevate	avete	**messo**	avevate	**messo**
loro	mettono	mettevano	hanno	**messo**	avevano	**messo**

Futuro sempl.		*Futuro comp.*		*Passato remoto*	*Trapassato rem.*	
io	metterò	avrò	**messo**	**misi**	ebbi	**messo**
tu	metterai	avrai	**messo**	mettesti	avesti	**messo**
lui,lei	metterà	avrà	**messo**	**mise**	ebbe	**messo**
noi	metteremo	avremo	**messo**	mettemmo	avemmo	**messo**
voi	metterete	avrete	**messo**	metteste	aveste	**messo**
loro	metteranno	avranno	**messo**	**misero**	ebbero	**messo**

MODO CONGIUNTIVO

Presente		*Imperfetto*	*Passato*		*Trapassato*	
io	metta	mettessi	abbia	**messo**	avessi	**messo**
tu	metta	mettessi	abbia	**messo**	avessi	**messo**
lui,lei	metta	mettesse	abbia	**messo**	avesse	**messo**
noi	mettiamo	mettessimo	abbiamo	**messo**	avessimo	**messo**
voi	mettiate	metteste	abbiate	**messo**	aveste	**messo**
loro	mettano	mettessero	abbiano	**messo**	avessero	**messo**

MODO CONDIZIONALE / MODO IMPERATIVO

Semplice		*Composto*		*Diretto*	*Indiretto*
io	metterei	avrei	**messo**		
tu	metteresti	avresti	**messo**	metti !	
lui,lei	metterebbe	avrebbe	**messo**		metta !
noi	metteremmo	avremmo	**messo**	mettiamo !	
voi	mettereste	avreste	**messo**	mettete !	
loro	metterebbero	avrebbero	**messo**		mettano !

MODO GERUNDIO / MODO INFINITO / MODO PARTICIPIO

Semplice	*Composto*	*Semplice*	*Composto*	*Presente*	*Passato*
mettendo	avendo **messo**	mettere	avere **messo**	mettente	**messo**

MORDERE to bite - mordre - beißen - morder

MODO INDICATIVO

	Presente	Imperfetto	Passato prossimo		Trapassato pross.	
io	mordo	mordevo	ho	**morso**	avevo	**morso**
tu	mordi	mordevi	hai	**morso**	avevi	**morso**
lui,lei	morde	mordeva	ha	**morso**	aveva	**morso**
noi	mordiamo	mordevamo	abbiamo	**morso**	avevamo	**morso**
voi	mordete	mordevate	avete	**morso**	avevate	**morso**
loro	mordono	mordevano	hanno	**morso**	avevano	**morso**

	Futuro sempl.	Futuro comp.		Passato remoto	Trapassato rem.	
io	morderò	avrò	**morso**	**morsi**	ebbi	**morso**
tu	morderai	avrai	**morso**	mordesti	avesti	**morso**
lui,lei	morderà	avrà	**morso**	**morse**	ebbe	**morso**
noi	morderemo	avremo	**morso**	mordemmo	avemmo	**morso**
voi	morderete	avrete	**morso**	mordeste	aveste	**morso**
loro	morderanno	avranno	**morso**	**morsero**	ebbero	**morso**

MODO CONGIUNTIVO

	Presente	Imperfetto	Passato		Trapassato	
io	morda	mordessi	abbia	**morso**	avessi	**morso**
tu	morda	mordessi	abbia	**morso**	avessi	**morso**
lui,lei	morda	mordesse	abbia	**morso**	avesse	**morso**
noi	mordiamo	mordessimo	abbiamo	**morso**	avessimo	**morso**
voi	mordiate	mordeste	abbiate	**morso**	aveste	**morso**
loro	mordano	mordessero	abbiano	**morso**	avessero	**morso**

MODO CONDIZIONALE / MODO IMPERATIVO

	Semplice	Composto		Diretto	Indiretto
io	morderei	avrei	**morso**		
tu	morderesti	avresti	**morso**	mordi !	
lui,lei	morderebbe	avrebbe	**morso**		morda !
noi	morderemmo	avremmo	**morso**	mordiamo !	
voi	mordereste	avreste	**morso**	mordete !	
loro	morderebbero	avrebbero	**morso**		mordano !

MODO GERUNDIO / MODO INFINITO / MODO PARTICIPIO

Gerundio Semplice	Gerundio Composto	Infinito Semplice	Infinito Composto	Participio Presente	Participio Passato
mordendo	avendo **morso**	mordere	avere **morso**	mordente	**morso**

MORIRE to die - mourir - sterben - morir

MODO INDICATIVO

	Presente	*Imperfetto*	*Passato prossimo*		*Trapassato pross.*	
io	**muoio**	morivo	sono	**morto,a**	ero	**morto,a**
tu	**muori**	morivi	sei	**morto,a**	eri	**morto,a**
lui,lei	**muore**	moriva	è	**morto,a**	era	**morto,a**
noi	moriamo	morivamo	siamo	**morti,e**	eravamo	**morti,e**
voi	morite	morivate	siete	**morti,e**	eravate	**morti,e**
loro	**muoiono**	morivano	sono	**morti,e**	erano	**morti,e**

	Futuro sempl.	*Futuro comp.*		*Passato remoto*	*Trapassato rem.*	
io	morirò	sarò	**morto,a**	morii	fui	**morto,a**
tu	morirai	sarai	**morto,a**	moristi	fosti	**morto,a**
lui,lei	morirà	sarà	**morto,a**	morì	fu	**morto,a**
noi	moriremo	saremo	**morti,e**	morimmo	fummo	**morti,e**
voi	morirete	sarete	**morti,e**	moriste	foste	**morti,e**
loro	moriranno	saranno	**morti,e**	morirono	furono	**morti,e**

MODO CONGIUNTIVO

	Presente	*Imperfetto*	*Passato*		*Trapassato*	
io	**muoia**	morissi	sia	**morto,a**	fossi	**morto,a**
tu	**muoia**	morissi	sia	**morto,a**	fossi	**morto,a**
lui,lei	**muoia**	morisse	sia	**morto,a**	fosse	**morto,a**
noi	moriamo	morissimo	siamo	**morti,e**	fossimo	**morti,e**
voi	moriate	moriste	siate	**morti,e**	foste	**morti,e**
loro	**muoiano**	morissero	siano	**morti,e**	fossero	**morti,e**

MODO CONDIZIONALE / MODO IMPERATIVO

	Semplice	*Composto*		*Diretto*	*Indiretto*
io	morirei	sarei	**morto,a**		
tu	moriresti	saresti	**morto,a**	**muori** !	
lui,lei	morirebbe	sarebbe	**morto,a**		**muoia** !
noi	moriremmo	saremmo	**morti,e**	moriamo !	
voi	morireste	sareste	**morti,e**	morite !	
loro	morirebbero	sarebbero	**morti,e**		**muoiano** !

MODO GERUNDIO / MODO INFINITO / MODO PARTICIPIO

Gerundio *Semplice*	Gerundio *Composto*	Infinito *Semplice*	Infinito *Composto*	Participio *Presente*	Participio *Passato*
morendo	essendo **morto,...**	morire	essere **morto,...**	morente	**morto,...**

MUOVERE

to move - mouvoir - bewegen - mover

MODO INDICATIVO

	Presente	*Imperfetto*	*Passato prossimo*		*Trapassato pross.*	
io	muovo	**movevo**	ho	**mosso**	avevo	**mosso**
tu	muovi	**movevi**	hai	**mosso**	avevi	**mosso**
lui,lei	muove	**moveva**	ha	**mosso**	aveva	**mosso**
noi	muoviamo	**movevamo**	abbiamo	**mosso**	avevamo	**mosso**
voi	muovete	**movevate**	avete	**mosso**	avevate	**mosso**
loro	muovono	**movevano**	hanno	**mosso**	avevano	**mosso**

	Futuro sempl.	*Futuro comp.*		*Passato remoto*	*Trapassato rem.*	
io	**moverò**	avrò	**mosso**	**mossi**	ebbi	**mosso**
tu	**moverai**	avrai	**mosso**	**movesti**	avesti	**mosso**
lui,lei	**moverà**	avrà	**mosso**	**mosse**	ebbe	**mosso**
noi	**moveremo**	avremo	**mosso**	**movemmo**	avemmo	**mosso**
voi	**moverete**	avrete	**mosso**	**moveste**	aveste	**mosso**
loro	**moveranno**	avranno	**mosso**	**mossero**	ebbero	**mosso**

MODO CONGIUNTIVO

	Presente	*Imperfetto*	*Passato*		*Trapassato*	
io	muova	**movessi**	abbia	**mosso**	avessi	**mosso**
tu	muova	**movessi**	abbia	**mosso**	avessi	**mosso**
lui,lei	muova	**movesse**	abbia	**mosso**	avesse	**mosso**
noi	**moviamo**	**movessimo**	abbiamo	**mosso**	avessimo	**mosso**
voi	**moviate**	**moveste**	abbiate	**mosso**	aveste	**mosso**
loro	muovano	**movessero**	abbiano	**mosso**	avessero	**mosso**

MODO CONDIZIONALE

	Semplice	*Composto*	
io	**moverei**	avrei	**mosso**
tu	**moveresti**	avresti	**mosso**
lui,lei	**moverebbe**	avrebbe	**mosso**
noi	**moveremmo**	avremmo	**mosso**
voi	**movereste**	avreste	**mosso**
loro	**moverebbero**	avrebbero	**mosso**

MODO IMPERATIVO

Diretto	*Indiretto*
muovi !	
	muova !
moviamo !	
movete !	
	muovano !

MODO GERUNDIO

Semplice	*Composto*
movendo	avendo **mosso**

MODO INFINITO

Semplice	*Composto*
muovere	avere **mosso**

MODO PARTICIPIO

Presente	*Passato*
movente	**mosso**

NASCERE to be born - naître - geboren werden - nacer

MODO INDICATIVO

Presente		*Imperfetto*	*Passato prossimo*		*Trapassato pross.*	
io	nasco	nascevo	sono	**nato,a**	ero	**nato,a**
tu	nasci	nascevi	sei	**nato,a**	eri	**nato,a**
lui,lei	nasce	nasceva	è	**nato,a**	era	**nato,a**
noi	nasciamo	nascevamo	siamo	**nati,e**	eravamo	**nati,e**
voi	nascete	nascevate	siete	**nati,e**	eravate	**nati,e**
loro	nascono	nascevano	sono	**nati,e**	erano	**nati,e**

Futuro sempl.		*Futuro comp.*		*Passato remoto*	*Trapassato rem.*	
io	nascerò	sarò	**nato,a**	**nacqui**	fui	**nato,a**
tu	nascerai	sarai	**nato,a**	nascesti	fosti	**nato,a**
lui,lei	nascerà	sarà	**nato,a**	**nacque**	fu	**nato,a**
noi	nasceremo	saremo	**nati,e**	nascemmo	fummo	**nati,e**
voi	nascerete	sarete	**nati,e**	nasceste	foste	**nati,e**
loro	nasceranno	saranno	**nati,e**	**nacquero**	furono	**nati,e**

MODO CONGIUNTIVO

Presente		*Imperfetto*	*Passato*		*Trapassato*	
io	nasca	nascessi	sia	**nato,a**	fossi	**nato,a**
tu	nasca	nascessi	sia	**nato,a**	fossi	**nato,a**
lui,lei	nasca	nascesse	sia	**nato,a**	fosse	**nato,a**
noi	nasciamo	nascessimo	siamo	**nati,e**	fossimo	**nati,e**
voi	nasciate	nasceste	siate	**nati,e**	foste	**nati,e**
loro	nascano	nascessero	siano	**nati,e**	fossero	**nati,e**

MODO CONDIZIONALE

Semplice		*Composto*	
io	nascerei	sarei	**nato,a**
tu	nasceresti	saresti	**nato,a**
lui,lei	nascerebbe	sarebbe	**nato,a**
noi	nasceremmo	saremmo	**nati,e**
voi	nascereste	sareste	**nati,e**
loro	nascerebbero	sarebbero	**nati,e**

MODO IMPERATIVO

Diretto	*Indiretto*
nasci !	
	nasca !
nasciamo !	
nascete !	
	nascano !

MODO GERUNDIO

Semplice	*Composto*
nascendo	essendo **nato,...**

MODO INFINITO

Semplice	*Composto*
nascere	essere **nato,...**

MODO PARTICIPIO

Presente	*Passato*
nascente	**nato,...**

NASCONDERE to hide - cacher - verstecken - esconder

MODO INDICATIVO

	Presente	*Imperfetto*	*Passato prossimo*		*Trapassato pross.*	
io	nascondo	nascondevo	ho	**nascosto**	avevo	**nascosto**
tu	nascondi	nascondevi	hai	**nascosto**	avevi	**nascosto**
lui,lei	nasconde	nascondeva	ha	**nascosto**	aveva	**nascosto**
noi	nascondiamo	nascondevamo	abbiamo	**nascosto**	avevamo	**nascosto**
voi	nascondete	nascondevate	avete	**nascosto**	avevate	**nascosto**
loro	nascondono	nascondevano	hanno	**nascosto**	avevano	**nascosto**

	Futuro sempl.	*Futuro comp.*		*Passato remoto*	*Trapassato rem.*	
io	nasconderò	avrò	**nascosto**	**nascosi**	ebbi	**nascosto**
tu	nasconderai	avrai	**nascosto**	nascondesti	avesti	**nascosto**
lui,lei	nasconderà	avrà	**nascosto**	**nascose**	ebbe	**nascosto**
noi	nasconderemo	avremo	**nascosto**	nascondemmo	avemmo	**nascosto**
voi	nasconderete	avrete	**nascosto**	nascondeste	aveste	**nascosto**
loro	nasconderanno	avranno	**nascosto**	**nascosero**	ebbero	**nascosto**

MODO CONGIUNTIVO

	Presente	*Imperfetto*	*Passato*		*Trapassato*	
io	nasconda	nascondessi	abbia	**nascosto**	avessi	**nascosto**
tu	nasconda	nascondessi	abbia	**nascosto**	avessi	**nascosto**
lui,lei	nasconda	nascondesse	abbia	**nascosto**	avesse	**nascosto**
noi	nascondiamo	nascondessimo	abbiamo	**nascosto**	avessimo	**nascosto**
voi	nascondiate	nascondeste	abbiate	**nascosto**	aveste	**nascosto**
loro	nascondano	nascondessero	abbiano	**nascosto**	avessero	**nascosto**

MODO CONDIZIONALE

	Semplice	*Composto*	
io	nasconderei	avrei	**nascosto**
tu	nasconderesti	avresti	**nascosto**
lui,lei	nasconderebbe	avrebbe	**nascosto**
noi	nasconderemmo	avremmo	**nascosto**
voi	nascondereste	avreste	**nascosto**
loro	nasconderebbero	avrebbero	**nascosto**

MODO IMPERATIVO

Diretto	*Indiretto*
nascondi !	
	nasconda !
nascondiamo !	
nascondete !	
	nascondano !

MODO GERUNDIO

Semplice	*Composto*
nascondendo	avendo **nascosto**

MODO INFINITO

Semplice	*Composto*
nascondere	avere **nascosto**

MODO PARTICIPIO

Presente	*Passato*
nascondente	**nascosto**

NUOCERE to harm - nuire - schaden - dañar/perjudicar

MODO INDICATIVO

Presente		*Imperfetto*	*Passato prossimo*		*Trapassato pross.*	
io	**noccio**	**nocevo**	ho	**nociuto**	avevo	**nociuto**
tu	nuoci	**nocevi**	hai	**nociuto**	avevi	**nociuto**
lui,lei	nuoce	**noceva**	ha	**nociuto**	aveva	**nociuto**
noi	**nociamo**	**nocevamo**	abbiamo	**nociuto**	avevamo	**nociuto**
voi	**nocete**	**nocevate**	avete	**nociuto**	avevate	**nociuto**
loro	**nocciono**	**nocevano**	hanno	**nociuto**	avevano	**nociuto**

Futuro sempl.		*Futuro comp.*		*Passato remoto*	*Trapassato rem.*	
io	**nocerò**	avrò	**nociuto**	**nocqui**	ebbi	**nociuto**
tu	**nocerai**	avrai	**nociuto**	**nocesti**	avesti	**nociuto**
lui,lei	**nocerà**	avrà	**nociuto**	**nocque**	ebbe	**nociuto**
noi	**noceremo**	avremo	**nociuto**	**nocemmo**	avemmo	**nociuto**
voi	**nocerete**	avrete	**nociuto**	**noceste**	aveste	**nociuto**
loro	**noceranno**	avranno	**nociuto**	**nocquero**	ebbero	**nociuto**

MODO CONGIUNTIVO

Presente		*Imperfetto*	*Passato*		*Trapassato*	
io	**noccia**	**nocessi**	abbia	**nociuto**	avessi	**nociuto**
tu	**noccia**	**nocessi**	abbia	**nociuto**	avessi	**nociuto**
lui,lei	**noccia**	**nocesse**	abbia	**nociuto**	avesse	**nociuto**
noi	**nociamo**	**nocessimo**	abbiamo	**nociuto**	avessimo	**nociuto**
voi	**nociate**	**noceste**	abbiate	**nociuto**	aveste	**nociuto**
loro	**nocciano**	**nocessero**	abbiano	**nociuto**	avessero	**nociuto**

MODO CONDIZIONALE

Semplice		*Composto*	
io	**nocerei**	avrei	**nociuto**
tu	**noceresti**	avresti	**nociuto**
lui,lei	**nocerebbe**	avrebbe	**nociuto**
noi	**noceremmo**	avremmo	**nociuto**
voi	**nocereste**	avreste	**nociuto**
loro	**nocerebbero**	avrebbero	**nociuto**

MODO IMPERATIVO

Diretto	*Indiretto*
nuoci !	
	noccia !
nociamo !	
nocete !	
	nocciano !

MODO GERUNDIO

Semplice	*Composto*
nocendo	avendo **nociuto**

MODO INFINITO

Semplice	*Composto*
nuocere	avere **nociuto**

MODO PARTICIPIO

Presente	*Passato*
nocente	**nociuto**

OFFENDERE

to insult - offenser - beleidigen - ofender

MODO INDICATIVO

Presente		*Imperfetto*	*Passato prossimo*		*Trapassato pross.*	
io	offendo	offendevo	ho	**offeso**	avevo	**offeso**
tu	offendi	offendevi	hai	**offeso**	avevi	**offeso**
lui,lei	offende	offendeva	ha	**offeso**	aveva	**offeso**
noi	offendiamo	offendevamo	abbiamo	**offeso**	avevamo	**offeso**
voi	offendete	offendevate	avete	**offeso**	avevate	**offeso**
loro	offendono	offendevano	hanno	**offeso**	avevano	**offeso**

Futuro sempl.		*Futuro comp.*		*Passato remoto*	*Trapassato rem.*	
io	offenderò	avrò	**offeso**	**offesi**	ebbi	**offeso**
tu	offenderai	avrai	**offeso**	offendesti	avesti	**offeso**
lui,lei	offenderà	avrà	**offeso**	**offese**	ebbe	**offeso**
noi	offenderemo	avremo	**offeso**	offendemmo	avemmo	**offeso**
voi	offenderete	avrete	**offeso**	offendeste	aveste	**offeso**
loro	offenderanno	avranno	**offeso**	**offesero**	ebbero	**offeso**

MODO CONGIUNTIVO

Presente		*Imperfetto*	*Passato*		*Trapassato*	
io	offenda	offendessi	abbia	**offeso**	avessi	**offeso**
tu	offenda	offendessi	abbia	**offeso**	avessi	**offeso**
lui,lei	offenda	offendesse	abbia	**offeso**	avesse	**offeso**
noi	offendiamo	offendessimo	abbiamo	**offeso**	avessimo	**offeso**
voi	offendiate	offendeste	abbiate	**offeso**	aveste	**offeso**
loro	offendano	offendessero	abbiano	**offeso**	avessero	**offeso**

MODO CONDIZIONALE / MODO IMPERATIVO

	Semplice	*Composto*		*Diretto*	*Indiretto*
io	offenderei	avrei	**offeso**		
tu	offenderesti	avresti	**offeso**	offendi !	
lui,lei	offenderebbe	avrebbe	**offeso**		offenda !
noi	offenderemmo	avremmo	**offeso**	offendiamo !	
voi	offendereste	avreste	**offeso**	offendete !	
loro	offenderebbero	avrebbero	**offeso**		offendano !

MODO GERUNDIO / MODO INFINITO / MODO PARTICIPIO

MODO GERUNDIO		MODO INFINITO		MODO PARTICIPIO	
Semplice	*Composto*	*Semplice*	*Composto*	*Presente*	*Passato*
offendendo	avendo **offeso**	offendere	avere **offeso**	offendente	**offeso**

OFFRIRE

to offer - offrir - anbieten - ofrecer

MODO INDICATIVO

	Presente	Imperfetto	Passato prossimo	Trapassato pross.
io	offro	offrivo	ho **offerto**	avevo **offerto**
tu	offri	offrivi	hai **offerto**	avevi **offerto**
lui,lei	offre	offriva	ha **offerto**	aveva **offerto**
noi	offriamo	offrivamo	abbiamo **offerto**	avevamo **offerto**
voi	offrite	offrivate	avete **offerto**	avevate **offerto**
loro	offrono	offrivano	hanno **offerto**	avevano **offerto**

	Futuro sempl.	Futuro comp.	Passato remoto	Trapassato rem.
io	offrirò	avrò **offerto**	offrii	ebbi **offerto**
tu	offrirai	avrai **offerto**	offristi	avesti **offerto**
lui,lei	offrirà	avrà **offerto**	offrì	ebbe **offerto**
noi	offriremo	avremo **offerto**	offrimmo	avemmo **offerto**
voi	offrirete	avrete **offerto**	offriste	aveste **offerto**
loro	offriranno	avranno **offerto**	offrirono	ebbero **offerto**

MODO CONGIUNTIVO

	Presente	Imperfetto	Passato	Trapassato
io	offra	offrissi	abbia **offerto**	avessi **offerto**
tu	offra	offrissi	abbia **offerto**	avessi **offerto**
lui,lei	offra	offrisse	abbia **offerto**	avesse **offerto**
noi	offriamo	offrissimo	abbiamo **offerto**	avessimo **offerto**
voi	offriate	offriste	abbiate **offerto**	aveste **offerto**
loro	offrano	offrissero	abbiano **offerto**	avessero **offerto**

MODO CONDIZIONALE

	Semplice	Composto
io	offrirei	avrei **offerto**
tu	offriresti	avresti **offerto**
lui,lei	offrirebbe	avrebbe **offerto**
noi	offriremmo	avremmo **offerto**
voi	offrireste	avreste **offerto**
loro	offrirebbero	avrebbero **offerto**

MODO IMPERATIVO

Diretto	Indiretto
offri !	
	offra !
offriamo !	
offrite !	
	offrano !

MODO GERUNDIO

Semplice	Composto
offrendo	avendo **offerto**

MODO INFINITO

Semplice	Composto
offrire	avere **offerto**

MODO PARTICIPIO

Presente	Passato
offerente	**offerto**

PARERE to seem - paraître - scheinen - parecer

MODO INDICATIVO

Presente		*Imperfetto*	*Passato prossimo*		*Trapassato pross.*	
io	**paio**	parevo	sono	**parso,a**	ero	**parso,a**
tu	pari	parevi	sei	**parso,a**	eri	**parso,a**
lui,lei	pare	pareva	è	**parso,a**	era	**parso,a**
noi	**paiamo**	parevamo	siamo	**parsi,e**	eravamo	**parsi,e**
voi	parete	parevate	siete	**parsi,e**	eravate	**parsi,e**
loro	**paiono**	parevano	sono	**parsi,e**	erano	**parsi,e**

Futuro sempl.		*Futuro comp.*		*Passato remoto*	*Trapassato rem.*	
io	**parrò**	sarò	**parso,a**	**parvi**	fui	**parso,a**
tu	**parrai**	sarai	**parso,a**	paresti	fosti	**parso,a**
lui,lei	**parrà**	sarà	**parso,a**	**parve**	fu	**parso,a**
noi	**parremo**	saremo	**parsi,e**	paremmo	fummo	**parsi,e**
voi	**parrete**	sarete	**parsi,e**	pareste	foste	**parsi,e**
loro	**parranno**	saranno	**parsi,e**	**parvero**	furono	**parsi,e**

MODO CONGIUNTIVO

Presente		*Imperfetto*	*Passato*		*Trapassato*	
io	**paia**	paressi	sia	**parso,a**	fossi	**parso,a**
tu	**paia**	paressi	sia	**parso,a**	fossi	**parso,a**
lui,lei	**paia**	paresse	sia	**parso,a**	fosse	**parso,a**
noi	**paiamo**	paressimo	siamo	**parsi,e**	fossimo	**parsi,e**
voi	**paiate**	pareste	siate	**parsi,e**	foste	**parsi,e**
loro	**paiano**	paressero	siano	**parsi,e**	fossero	**parsi,e**

MODO CONDIZIONALE / MODO IMPERATIVO

Semplice		*Composto*		*Diretto*	*Indiretto*
io	**parrei**	sarei	**parso,a**		
tu	**parresti**	saresti	**parso,a**	_	
lui,lei	**parrebbe**	sarebbe	**parso.a**		_
noi	**parremmo**	saremmo	**parsi.e**	_	
voi	**parreste**	sareste	**parsi.e**	_	
loro	**parrebbero**	sarebbero	**parsi.e**		_

MODO GERUNDIO

Semplice	*Composto*
parendo	**essendo parso,...**

MODO INFINITO

Semplice	*Composto*
parere	essere **parso,...**

MODO PARTICIPIO

Presente	*Passato*
parvente	**parso,...**

Nota: *questo verbo è usato prevalentemente nella forma impersonale. Es. mi pare che tu abbia ragione.*

PERDERE

to lose - perdre - verlieren - perder

MODO INDICATIVO

Presente		*Imperfetto*	*Passato prossimo*		*Trapassato pross.*	
io	perdo	perdevo	ho	**perso**	avevo	**perso**
tu	perdi	perdevi	hai	**perso**	avevi	**perso**
lui,lei	perde	perdeva	ha	**perso**	aveva	**perso**
noi	perdiamo	perdevamo	abbiamo	**perso**	avevamo	**perso**
voi	perdete	perdevate	avete	**perso**	avevate	**perso**
loro	perdono	perdevano	hanno	**perso**	avevano	**perso**

Futuro sempl.		*Futuro comp.*		*Passato remoto*	*Trapassato rem.*	
io	perderò	avrò	**perso**	**persi**	ebbi	**perso**
tu	perderai	avrai	**perso**	perdesti	avesti	**perso**
lui,lei	perderà	avrà	**perso**	**perse**	ebbe	**perso**
noi	perderemo	avremo	**perso**	perdemmo	avemmo	**perso**
voi	perderete	avrete	**perso**	perdeste	aveste	**perso**
loro	perderanno	avranno	**perso**	**persero**	ebbero	**perso**

MODO CONGIUNTIVO

Presente		*Imperfetto*	*Passato*		*Trapassato*	
io	perda	perdessi	abbia	**perso**	avessi	**perso**
tu	perda	perdessi	abbia	**perso**	avessi	**perso**
lui,lei	perda	perdesse	abbia	**perso**	avesse	**perso**
noi	perdiamo	perdessimo	abbiamo	**perso**	avessimo	**perso**
voi	perdiate	perdeste	abbiate	**perso**	aveste	**perso**
loro	perdano	perdessero	abbiano	**perso**	avessero	**perso**

MODO CONDIZIONALE

Semplice		*Composto*	
io	perderei	avrei	**perso**
tu	perderesti	avresti	**perso**
lui,lei	perderebbe	avrebbe	**perso**
noi	perderemmo	avremmo	**perso**
voi	perdereste	avreste	**perso**
loro	perderebbero	avrebbero	**perso**

MODO IMPERATIVO

Diretto	*Indiretto*
perdi !	
	perda !
perdiamo !	
perdete !	
	perdano !

MODO GERUNDIO

Semplice	*Composto*
perdendo	avendo **perso**

MODO INFINITO

Semplice	*Composto*
perdere	avere **perso**

MODO PARTICIPIO

Presente	*Passato*
perdente	**perso**

Nota : *questo verbo ha un altro participio passato (regolare) «perduto», che però è meno usato. Es. Ieri sera ho perduto l'autobus.*

PERSUADERE

to convince - persuader - überzeugen - persuadir

MODO INDICATIVO

	Presente	*Imperfetto*	*Passato prossimo*		*Trapassato pross.*	
io	persuado	persuadevo	ho	**persuaso**	avevo	**persuaso**
tu	persuadi	persuadevi	hai	**persuaso**	avevi	**persuaso**
lui,lei	persuade	persuadeva	ha	**persuaso**	aveva	**persuaso**
noi	persuadiamo	persuadevamo	abbiamo	**persuaso**	avevamo	**persuaso**
voi	persuadete	persuadevate	avete	**persuaso**	avevate	**persuaso**
loro	persuadono	persuadevano	hanno	**persuaso**	avevano	**persuaso**

	Futuro sempl.	*Futuro comp.*		*Passato remoto*	*Trapassato rem.*	
io	persuaderò	avrò	**persuaso**	**persuasi**	ebbi	**persuaso**
tu	persuaderai	avrai	**persuaso**	persuadesti	avesti	**persuaso**
lui,lei	persuaderà	avrà	**persuaso**	**persuase**	ebbe	**persuaso**
noi	persuaderemo	avremo	**persuaso**	persuademmo	avemmo	**persuaso**
voi	persuaderete	avrete	**persuaso**	persuadeste	aveste	**persuaso**
loro	persuaderanno	avranno	**persuaso**	**persuasero**	ebbero	**persuaso**

MODO CONGIUNTIVO

	Presente	*Imperfetto*	*Passato*		*Trapassato*	
io	persuada	persuadessi	abbia	**persuaso**	avessi	**persuaso**
tu	persuada	persuadessi	abbia	**persuaso**	avessi	**persuaso**
lui,lei	persuada	persuadesse	abbia	**persuaso**	avesse	**persuaso**
noi	persuadiamo	persuadessimo	abbiamo	**persuaso**	avessimo	**persuaso**
voi	persuadiate	persuadeste	abbiate	**persuaso**	aveste	**persuaso**
loro	persuadano	persuadessero	abbiano	**persuaso**	avessero	**persuaso**

MODO CONDIZIONALE

	Semplice	*Composto*	
io	persuaderei	avrei	**persuaso**
tu	persuaderesti	avresti	**persuaso**
lui,lei	persuaderebbe	avrebbe	**persuaso**
noi	persuaderemmo	avremmo	**persuaso**
voi	persuadereste	avreste	**persuaso**
loro	persuaderebbero	avrebbero	**persuaso**

MODO IMPERATIVO

Diretto	*Indiretto*
persuadi !	
	persuada !
persuadiamo !	
persuadete !	
	persuadano !

MODO GERUNDIO

Semplice	*Composto*
persuadendo	avendo **persuaso**

MODO INFINITO

Semplice	*Composto*
persuadere	avere **persuaso**

MODO PARTICIPIO

Presente	*Passato*
persuadente	**persuaso**

PIACERE

to like - plaire - gefallen - gustar

MODO INDICATIVO

Presente		*Imperfetto*	*Passato prossimo*		*Trapassato pross.*	
io	**piaccio**	piacevo	sono	**piaciuto,a**	ero	**piaciuto,a**
tu	piaci	piacevi	sei	**piaciuto,a**	eri	**piaciuto,a**
lui,lei	piace	piaceva	è	**piaciuto,a**	era	**piaciuto,a**
noi	**piacciamo**	piacevamo	siamo	**piaciuti,e**	eravamo	**piaciuti,e**
voi	piacete	piacevate	siete	**piaciuti,e**	eravate	**piaciuti,e**
loro	**piacciono**	piacevano	sono	**piaciuti,e**	erano	**piaciuti,e**

Futuro sempl.		*Futuro comp.*		*Passato remoto*	*Trapassato rem.*	
io	piacerò	sarò	**piaciuto,a**	**piacqui**	fui	**piaciuto,a**
tu	piacerai	sarai	**piaciuto,a**	piacesti	fosti	**piaciuto,a**
lui,lei	piacerà	sarà	**piaciuto,a**	**piacque**	fu	**piaciuto,a**
noi	piaceremo	saremo	**piaciuti,e**	piacemmo	fummo	**piaciuti,e**
voi	piacerete	sarete	**piaciuti,e**	piaceste	foste	**piaciuti,e**
loro	piaceranno	saranno	**piaciuti,e**	**piacquero**	furono	**piaciuti,e**

MODO CONGIUNTIVO

Presente		*Imperfetto*	*Passato*		*Trapassato*	
io	**piaccia**	piacessi	sia	**piaciuto,a**	fossi	**piaciuto,a**
tu	**piaccia**	piacessi	sia	**piaciuto,a**	fossi	**piaciuto,a**
lui,lei	**piaccia**	piacesse	sia	**piaciuto,a**	fosse	**piaciuto,a**
noi	**piacciamo**	piacessimo	siamo	**piaciuti,e**	fossimo	**piaciuti,e**
voi	**piacciate**	piaceste	siate	**piaciuti,e**	foste	**piaciuti,e**
loro	**piacciano**	piacessero	siano	**piaciuti,e**	fossero	**piaciuti,e**

MODO CONDIZIONALE

Semplice		*Composto*	
io	piacerei	sarei	**piaciuto,a**
tu	piaceresti	saresti	**piaciuto,a**
lui,lei	piacerebbe	sarebbe	**piaciuto,a**
noi	piaceremmo	saremmo	**piaciuti,e**
voi	piacereste	sareste	**piaciuti,e**
loro	piacerebbero	sarebbero	**piaciuti,e**

MODO IMPERATIVO

Diretto	*Indiretto*
_	
	_
_	
_	
	_

MODO GERUNDIO

Semplice	*Composto*
piacendo	essendo **piaciuto,...**

MODO INFINITO

Semplice	*Composto*
piacere	essere **piaciuto,...**

MODO PARTICIPIO

Presente	*Passato*
piacente	**piaciuto,...**

PIANGERE to cry - pleurer - weinen - llorar

MODO INDICATIVO

Presente		*Imperfetto*	*Passato prossimo*		*Trapassato pross.*	
io	piango	piangevo	ho	**pianto**	avevo	**pianto**
tu	piangi	piangevi	hai	**pianto**	avevi	**pianto**
lui,lei	piange	piangeva	ha	**pianto**	aveva	**pianto**
noi	piangiamo	piangevamo	abbiamo	**pianto**	avevamo	**pianto**
voi	piangete	piangevate	avete	**pianto**	avevate	**pianto**
loro	piangono	piangevano	hanno	**pianto**	avevano	**pianto**

Futuro sempl.		*Futuro comp.*		*Passato remoto*	*Trapassato rem.*	
io	piangerò	avrò	**pianto**	**piansi**	ebbi	**pianto**
tu	piangerai	avrai	**pianto**	piangesti	avesti	**pianto**
lui,lei	piangerà	avrà	**pianto**	**pianse**	ebbe	**pianto**
noi	piangeremo	avremo	**pianto**	piangemmo	avemmo	**pianto**
voi	piangerete	avrete	**pianto**	piangeste	aveste	**pianto**
loro	piangeranno	avranno	**pianto**	**piansero**	ebbero	**pianto**

MODO CONGIUNTIVO

Presente		*Imperfetto*	*Passato*		*Trapassato*	
io	pianga	piangessi	abbia	**pianto**	avessi	**pianto**
tu	pianga	piangessi	abbia	**pianto**	avessi	**pianto**
lui,lei	pianga	piangesse	abbia	**pianto**	avesse	**pianto**
noi	piangiamo	piangessimo	abbiamo	**pianto**	avessimo	**pianto**
voi	piangiate	piangeste	abbiate	**pianto**	aveste	**pianto**
loro	piangano	piangessero	abbiano	**pianto**	avessero	**pianto**

MODO CONDIZIONALE

Semplice		*Composto*	
io	piangerei	avrei	**pianto**
tu	piangeresti	avresti	**pianto**
lui,lei	piangerebbe	avrebbe	**pianto**
noi	piangeremmo	avremmo	**pianto**
voi	piangereste	avreste	**pianto**
loro	piangerebbero	avrebbero	**pianto**

MODO IMPERATIVO

Diretto	*Indiretto*
piangi !	
	pianga !
piangiamo !	
piangete !	
	piangano !

MODO GERUNDIO

Semplice	*Composto*
piangendo	avendo **pianto**

MODO INFINITO

Semplice	*Composto*
piangere	avere **pianto**

MODO PARTICIPIO

Presente	*Passato*
piangente	**pianto**

PIOVERE
to rain - plevoir - regnen - llover

MODO INDICATIVO

Presente	*Imperfetto*	*Passato prossimo*	*Trapassato pross.*
piove	pioveva	è piovuto,a	era piovuto,a
piovono	piovevano	sono piovuti,e	erano piovuti,e

Futuro sempl.	*Futuro comp.*	*Passato remoto*	*Trapassato rem.*
pioverà	sarà piovuto,a	**piovve**	fu piovuto,a
pioveranno	saranno piovuti,e	**piovvero**	furono piovuti,e

MODO CONGIUNTIVO

Presente	*Imperfetto*	*Passato*	*Trapassato*
piova	piovesse	sia piovuto,a	fosse piovuto,a
piovano	piovessero	siano piovuti,e	fossero piovuti,e

MODO CONDIZIONALE

Semplice	*Composto*
pioverebbe	sarebbe piovuto,a
pioverebbero	sarebbero piovuti,e

MODO IMPERATIVO

Diretto	*Indiretto*
-	-
-	-

MODO GERUNDIO

Semplice	*Composto*
piovendo	essendo piovuto,...

MODO INFINITO

Semplice	*Composto*
piovere	essere piovuto,...

MODO PARTICIPIO

Presente	*Passato*
piovente	piovuto,...

***Nota :** si usa l'ausiliare «avere» quando si vuole sottolineare la durata del fenomeno atmosferico. Es. ha piovuto per più di due ore.*

PORGERE to give - tendre - reichen - dar/regalar/presentar

MODO INDICATIVO

Presente		*Imperfetto*	*Passato prossimo*		*Trapassato pross.*	
io	porgo	porgevo	ho	**porto**	avevo	**porto**
tu	porgi	porgevi	hai	**porto**	avevi	**porto**
lui,lei	porge	porgeva	ha	**porto**	aveva	**porto**
noi	porgiamo	porgevamo	abbiamo	**porto**	avevamo	**porto**
voi	porgete	porgevate	avete	**porto**	avevate	**porto**
loro	porgono	porgevano	hanno	**porto**	avevano	**porto**

Futuro sempl.		*Futuro comp.*		*Passato remoto*	*Trapassato rem.*	
io	porgerò	avrò	**porto**	**porsi**	ebbi	**porto**
tu	porgerai	avrai	**porto**	porgesti	avesti	**porto**
lui, lei	porgerà	avrà	**porto**	**porse**	ebbe	**porto**
noi	porgeremo	avremo	**porto**	porgemmo	avemmo	**porto**
voi	porgerete	avrete	**porto**	porgeste	aveste	**porto**
loro	porgeranno	avranno	**porto**	**porsero**	ebbero	**porto**

MODO CONGIUNTIVO

Presente		*Imperfetto*	*Passato*		*Trapassato*	
io	porga	porgessi	abbia	**porto**	avessi	**porto**
tu	porga	porgessi	abbia	**porto**	avessi	**porto**
lui,lei	porga	porgesse	abbia	**porto**	avesse	**porto**
noi	porgiamo	porgessimo	abbiamo	**porto**	avessimo	**porto**
voi	porgiate	porgeste	abbiate	**porto**	aveste	**porto**
loro	porgano	porgessero	abbiano	**porto**	avessero	**porto**

MODO CONDIZIONALE / MODO IMPERATIVO

Semplice		*Composto*		*Diretto*	*Indiretto*
io	porgerei	avrei	**porto**		
tu	porgeresti	avresti	**porto**	porgi !	
lui,lei	porgerebbe	avrebbe	**porto**		porga !
noi	porgeremmo	avremmo	**porto**	porgiamo !	
voi	porgereste	avreste	**porto**	porgete !	
loro	porgerebbero	avrebbero	**porto**		porgano !

MODO GERUNDIO

Semplice	*Composto*
porgendo	avendo **porto**

MODO INFINITO

Semplice	*Composto*
porgere	avere **porto**

MODO PARTICIPIO

Presente	*Passato*
porgente	**porto**

PORRE

to put/to place - mettre - legen/stellen - poner

MODO INDICATIVO

	Presente	*Imperfetto*	*Passato prossimo*		*Trapassato pross.*	
io	**pongo**	**ponevo**	ho	**posto**	avevo	**posto**
tu	**poni**	**ponevi**	hai	**posto**	avevi	**posto**
lui,lei	**pone**	**poneva**	ha	**posto**	aveva	**posto**
noi	**poniamo**	**ponevamo**	abbiamo	**posto**	avevamo	**posto**
voi	**ponete**	**ponevate**	avete	**posto**	avevate	**posto**
loro	**pongono**	**ponevano**	hanno	**posto**	avevano	**posto**

	Futuro sempl.	*Futuro comp.*		*Passato remoto*	*Trapassato rem.*	
io	**porrò**	avrò	**posto**	**posi**	ebbi	**posto**
tu	**porrai**	avrai	**posto**	**ponesti**	avesti	**posto**
lui,lei	**porrà**	avrà	**posto**	**pose**	ebbe	**posto**
noi	**porremo**	avremo	**posto**	**ponemmo**	avemmo	**posto**
voi	**porrete**	avrete	**posto**	**poneste**	aveste	**posto**
loro	**porranno**	avranno	**posto**	**posero**	ebbero	**posto**

MODO CONGIUNTIVO

	Presente	*Imperfetto*	*Passato*		*Trapassato*	
io	**ponga**	**ponessi**	abbia	**posto**	avessi	**posto**
tu	**ponga**	**ponessi**	abbia	**posto**	avessi	**posto**
lui,lei	**ponga**	**ponesse**	abbia	**posto**	avesse	**posto**
noi	**poniamo**	**ponessimo**	abbiamo	**posto**	avessimo	**posto**
voi	**poniate**	**poneste**	abbiate	**posto**	aveste	**posto**
loro	**pongano**	**ponessero**	abbiano	**posto**	avessero	**posto**

MODO CONDIZIONALE

	Semplice	*Composto*	
io	**porrei**	avrei	**posto**
tu	**porresti**	avresti	**posto**
lui,lei	**porrebbe**	avrebbe	**posto**
noi	**porremmo**	avremmo	**posto**
voi	**porreste**	avreste	**posto**
loro	**porrebbero**	avrebbero	**posto**

MODO IMPERATIVO

Diretto	*Indiretto*
poni !	
	ponga !
poniamo !	
ponete !	
	pongano !

MODO GERUNDIO

Semplice	*Composto*
ponendo	avendo **posto**

MODO INFINITO

Semplice	*Composto*
porre	avere **posto**

MODO PARTICIPIO

Presente	*Passato*
ponente	**posto**

POTERE can - pouvoir - können - poder

MODO INDICATIVO

Presente		*Imperfetto*	*Passato prossimo*		*Trapassato pross.*	
io	**posso**	potevo	ho	potuto	avevo	potuto
tu	**puoi**	potevi	hai	potuto	avevi	potuto
lui,lei	**può**	poteva	ha	potuto	aveva	potuto
noi	**possiamo**	potevamo	abbiamo	potuto	avevamo	potuto
voi	potete	potevate	avete	potuto	avevate	potuto
loro	**possono**	potevano	hanno	potuto	avevano	potuto

Futuro sempl.		*Futuro comp.*		*Passato remoto*	*Trapassato rem.*	
io	**potrò**	avrò	potuto	potei (-etti)	ebbi	potuto
tu	**potrai**	avrai	potuto	potesti	avesti	potuto
lui,lei	**potrà**	avrà	potuto	poté (-ette)	ebbe	potuto
noi	**potremo**	avremo	potuto	potemmo	avemmo	potuto
voi	**potrete**	avrete	potuto	poteste	aveste	potuto
loro	**potranno**	avranno	potuto	poterono (-ettero)	ebbero	potuto

MODO CONGIUNTIVO

Presente		*Imperfetto*	*Passato*		*Trapassato*	
io	**possa**	potessi	abbia	potuto	avessi	potuto
tu	**possa**	potessi	abbia	potuto	avessi	potuto
lui,lei	**possa**	potesse	abbia	potuto	avesse	potuto
noi	**possiamo**	potessimo	abbiamo	potuto	avessimo	potuto
voi	**possiate**	poteste	abbiate	potuto	aveste	potuto
loro	**possano**	potessero	abbiano	potuto	avessero	potuto

MODO CONDIZIONALE

Semplice		*Composto*	
io	**potrei**	avrei	potuto
tu	**potresti**	avresti	potuto
lui,lei	**potrebbe**	avrebbe	potuto
noi	**potremmo**	avremmo	potuto
voi	**potreste**	avreste	potuto
loro	**potrebbero**	avrebbero	potuto

MODO IMPERATIVO

Diretto	*Indiretto*
_	
	_
_	
_	
	_

MODO GERUNDIO

Semplice	*Composto*
potendo	avendo potuto

MODO INFINITO

Semplice	*Composto*
potere	avere potuto

MODO PARTICIPIO

Presente	*Passato*
potente	potuto

PRENDERE
to take - prendre - nehmen - tomar/coger

MODO INDICATIVO

	Presente	*Imperfetto*	*Passato prossimo*	*Trapassato pross.*
io	prendo	prendevo	ho **preso**	avevo **preso**
tu	prendi	prendevi	hai **preso**	avevi **preso**
lui,lei	prende	prendeva	ha **preso**	aveva **preso**
noi	prendiamo	prendevamo	abbiamo **preso**	avevamo **preso**
voi	prendete	prendevate	avete **preso**	avevate **preso**
loro	prendono	prendevano	hanno **preso**	avevano **preso**

	Futuro sempl.	*Futuro comp.*	*Passato remoto*	*Trapassato rem.*
io	prenderò	avrò **preso**	**presi**	ebbi **preso**
tu	prenderai	avrai **preso**	prendesti	avesti **preso**
lui,lei	prenderà	avrà **preso**	**prese**	ebbe **preso**
noi	prenderemo	avremo **preso**	prendemmo	avemmo **preso**
voi	prenderete	avrete **preso**	prendeste	aveste **preso**
loro	prenderanno	avranno **preso**	**presero**	ebbero **preso**

MODO CONGIUNTIVO

	Presente	*Imperfetto*	*Passato*	*Trapassato*
io	prenda	prendessi	abbia **preso**	avessi **preso**
tu	prenda	prendessi	abbia **preso**	avessi **preso**
lui,lei	prenda	prendesse	abbia **preso**	avesse **preso**
noi	prendiamo	prendessimo	abbiamo **preso**	avessimo **preso**
voi	prendiate	prendeste	abbiate **preso**	aveste **preso**
loro	prendano	prendessero	abbiano **preso**	avessero **preso**

MODO CONDIZIONALE

	Semplice	*Composto*
io	prenderei	avrei **preso**
tu	prenderesti	avresti **preso**
lui,lei	prenderebbe	avrebbe **preso**
noi	prenderemmo	avremmo **preso**
voi	prendereste	avreste **preso**
loro	prenderebbero	avrebbero **preso**

MODO IMPERATIVO

Diretto	*Indiretto*
prendi !	
	prenda !
prendiamo !	
prendete !	
	prendano !

MODO GERUNDIO

Semplice	*Composto*
prendendo	avendo **preso**

MODO INFINITO

Semplice	*Composto*
prendere	avere **preso**

MODO PARTICIPIO

Presente	*Passato*
prendente	**preso**

PRODURRE

to produce - produire - erzeugen - producir

MODO INDICATIVO

Presente		*Imperfetto*	*Passato prossimo*		*Trapassato pross.*	
io	**produco**	**producevo**	ho	**prodotto**	avevo	**prodotto**
tu	**produci**	**producevi**	hai	**prodotto**	avevi	**prodotto**
lui,lei	**produce**	**produceva**	ha	**prodotto**	aveva	**prodotto**
noi	**produciamo**	**producevamo**	abbiamo	**prodotto**	avevamo	**prodotto**
voi	**producete**	**producevate**	avete	**prodotto**	avevate	**prodotto**
loro	**producono**	**producevano**	hanno	**prodotto**	avevano	**prodotto**

Futuro sempl.		*Futuro comp.*		*Passato remoto*	*Trapassato rem.*	
io	**produrrò**	avrò	**prodotto**	**produssi**	ebbi	**prodotto**
tu	**produrrai**	avrai	**prodotto**	**producesti**	avesti	**prodotto**
lui,lei	**produrrà**	avrà	**prodotto**	**produsse**	ebbe	**prodotto**
noi	**produrremo**	avremo	**prodotto**	**producemmo**	avemmo	**prodotto**
voi	**produrrete**	avrete	**prodotto**	**produceste**	aveste	**prodotto**
loro	**produrranno**	avranno	**prodotto**	**produssero**	ebbero	**prodotto**

MODO CONGIUNTIVO

Presente		*Imperfetto*	*Passato*		*Trapassato*	
io	**produca**	**producessi**	abbia	**prodotto**	avessi	**prodotto**
tu	**produca**	**producessi**	abbia	**prodotto**	avessi	**prodotto**
lui,lei	**produca**	**producesse**	abbia	**prodotto**	avesse	**prodotto**
noi	**produciamo**	**producessimo**	abbiamo	**prodotto**	avessimo	**prodotto**
voi	**produciate**	**produceste**	abbiate	**prodotto**	aveste	**prodotto**
loro	**producano**	**producessero**	abbiano	**prodotto**	avessero	**prodotto**

MODO CONDIZIONALE / MODO IMPERATIVO

	Semplice	*Composto*		*Diretto*	*Indiretto*
io	**produrrei**	avrei	**prodotto**		
tu	**produrresti**	avresti	**prodotto**	**produci** !	
lui,lei	**produrrebbe**	avrebbe	**prodotto**		**produca** !
noi	**produrremmo**	avremmo	**prodotto**	**produciamo** !	
voi	**produrreste**	avreste	**prodotto**	**producete** !	
loro	**produrrebbero**	avrebbero	**prodotto**		**producano** !

MODO GERUNDIO

Semplice	*Composto*
producendo	avendo **prodotto**

MODO INFINITO

Semplice	*Composto*
produrre	avere **prodotto**

MODO PARTICIPIO

Presente	*Passato*
producente	**prodotto**

PROTEGGERE
to protect - protéger - schützen - proteger

MODO INDICATIVO

	Presente	*Imperfetto*	*Passato prossimo*	*Trapassato pross.*
io	proteggo	proteggevo	ho **protetto**	avevo **protetto**
tu	proteggi	proteggevi	hai **protetto**	avevi **protetto**
lui,lei	protegge	proteggeva	ha **protetto**	aveva **protetto**
noi	proteggiamo	proteggevamo	abbiamo **protetto**	avevamo **protetto**
voi	proteggete	proteggevate	avete **protetto**	avevate **protetto**
loro	proteggono	proteggevano	hanno **protetto**	avevano **protetto**

	Futuro sempl.	*Futuro comp.*	*Passato remoto*	*Trapassato rem.*
io	proteggerò	avrò **protetto**	**protessi**	ebbi **protetto**
tu	proteggerai	avrai **protetto**	proteggesti	avesti **protetto**
lui,lei	proteggerà	avrà **protetto**	**protesse**	ebbe **protetto**
noi	proteggeremo	avremo **protetto**	proteggemmo	avemmo **protetto**
voi	proteggerete	avrete **protetto**	proteggeste	aveste **protetto**
loro	proteggeranno	avranno **protetto**	**protessero**	ebbero **protetto**

MODO CONGIUNTIVO

	Presente	*Imperfetto*	*Passato*	*Trapassato*
io	protegga	proteggessi	abbia **protetto**	avessi **protetto**
tu	protegga	proteggessi	abbia **protetto**	avessi **protetto**
lui,lei	protegga	proteggesse	abbia **protetto**	avesse **protetto**
noi	proteggiamo	proteggessimo	abbiamo **protetto**	avessimo **protetto**
voi	proteggiate	proteggeste	abbiate **protetto**	aveste **protetto**
loro	proteggano	proteggessero	abbiano **protetto**	avessero **protetto**

MODO CONDIZIONALE / MODO IMPERATIVO

	Semplice	*Composto*	*Diretto*	*Indiretto*
io	proteggerei	avrei **protetto**		
tu	proteggeresti	avresti **protetto**	proteggi !	
lui,lei	proteggerebbe	avrebbe **protetto**		protegga !
noi	proteggeremmo	avremmo **protetto**	proteggiamo !	
voi	proteggereste	avreste **protetto**	proteggete !	
loro	proteggerebbero	avrebbero **protetto**		proteggano !

MODO GERUNDIO / MODO INFINITO / MODO PARTICIPIO

Gerundio *Semplice*	Gerundio *Composto*	Infinito *Semplice*	Infinito *Composto*	Participio *Presente*	Participio *Passato*
proteggendo	avendo **protetto**	proteggere	avere **protetto**	proteggente	**protetto**

RADERE to shave - raser - rasieren - afeitar/rasurar

MODO INDICATIVO

	Presente	*Imperfetto*	*Passato prossimo*	*Trapassato pross.*
io	rado	radevo	ho **raso**	avevo **raso**
tu	radi	radevi	hai **raso**	avevi **raso**
lui,lei	rade	radeva	ha **raso**	aveva **raso**
noi	radiamo	radevamo	abbiamo **raso**	avevamo **raso**
voi	radete	radevate	avete **raso**	avevate **raso**
loro	radono	radevano	hanno **raso**	avevano **raso**

	Futuro sempl.	*Futuro comp.*	*Passato remoto*	*Trapassato rem.*
io	raderò	avrò **raso**	**rasi**	ebbi **raso**
tu	raderai	avrai **raso**	radesti	avesti **raso**
lui,lei	raderà	avrà **raso**	**rase**	ebbe **raso**
noi	raderemo	avremo **raso**	rademmo	avemmo **raso**
voi	raderete	avrete **raso**	radeste	aveste **raso**
loro	raderanno	avranno **raso**	**rasero**	ebbero **raso**

MODO CONGIUNTIVO

	Presente	*Imperfetto*	*Passato*	*Trapassato*
io	rada	radessi	abbia **raso**	avessi **raso**
tu	rada	radessi	abbia **raso**	avessi **raso**
lui,lei	rada	radesse	abbia **raso**	avesse **raso**
noi	radiamo	radessimo	abbiamo **raso**	avessimo **raso**
voi	radiate	radeste	abbiate **raso**	aveste **raso**
loro	radano	radessero	abbiano **raso**	avessero **raso**

MODO CONDIZIONALE

	Semplice	*Composto*
io	raderei	avrei **raso**
tu	raderesti	avresti **raso**
lui,lei	raderebbe	avrebbe **raso**
noi	raderemmo	avremmo **raso**
voi	radereste	avreste **raso**
loro	raderebbero	avrebbero **raso**

MODO IMPERATIVO

Diretto	*Indiretto*
radi !	
	rada !
radiamo !	
radete !	
	radano !

MODO GERUNDIO

Semplice	*Composto*
radendo	avendo **raso**

MODO INFINITO

Semplice	*Composto*
radere	avere **raso**

MODO PARTICIPIO

Presente	*Passato*
radente	**raso**

REDIGERE to draw up/write - rédiger - redigieren - redactar

MODO INDICATIVO

Presente		*Imperfetto*	*Passato prossimo*		*Trapassato pross.*	
io	redigo	redigevo	ho	**redatto**	avevo	**redatto**
tu	redigi	redigevi	hai	**redatto**	avevi	**redatto**
lui,lei	redige	redigeva	ha	**redatto**	aveva	**redatto**
noi	redigiamo	redigevamo	abbiamo	**redatto**	avevamo	**redatto**
voi	redigete	redigevate	avete	**redatto**	avevate	**redatto**
loro	redigono	redigevano	hanno	**redatto**	avevano	**redatto**

Futuro sempl.		*Futuro comp.*		*Passato remoto*	*Trapassato rem.*	
io	redigerò	avrò	**redatto**	**redassi**	ebbi	**redatto**
tu	redigerai	avrai	**redatto**	redigesti	avesti	**redatto**
lui,lei	redigerà	avrà	**redatto**	**redasse**	ebbe	**redatto**
noi	redigeremo	avremo	**redatto**	redigemmo	avemmo	**redatto**
voi	redigerete	avrete	**redatto**	redigeste	aveste	**redatto**
loro	redigeranno	avranno	**redatto**	**redassero**	ebbero	**redatto**

MODO CONGIUNTIVO

Presente		*Imperfetto*	*Passato*		*Trapassato*	
io	rediga	redigessi	abbia	**redatto**	avessi	**redatto**
tu	rediga	redigessi	abbia	**redatto**	avessi	**redatto**
lui,lei	rediga	redigesse	abbia	**redatto**	avesse	**redatto**
noi	redigiamo	redigessimo	abbiamo	**redatto**	avessimo	**redatto**
voi	redigiate	redigeste	abbiate	**redatto**	aveste	**redatto**
loro	redigano	redigessero	abbiano	**redatto**	avessero	**redatto**

MODO CONDIZIONALE

Semplice		*Composto*	
io	redigerei	avrei	**redatto**
tu	redigeresti	avresti	**redatto**
lui,lei	redigerebbe	avrebbe	**redatto**
noi	redigeremmo	avremmo	**redatto**
voi	redigereste	avreste	**redatto**
loro	redigerebbero	avrebbero	**redatto**

MODO IMPERATIVO

Diretto	*Indiretto*
redigi !	
	rediga !
redigiamo !	
redigete !	
	redigano !

MODO GERUNDIO

Semplice	*Composto*
redigendo	avendo **redatto**

MODO INFINITO

Semplice	*Composto*
redigere	avere **redatto**

MODO PARTICIPIO

Presente	*Passato*
redigente	**redatto**

REGGERE to hold - supporter/soutenir - standhalten - regir

MODO INDICATIVO

	Presente	*Imperfetto*	*Passato prossimo*		*Trapassato pross.*	
io	reggo	reggevo	ho	**retto**	avevo	**retto**
tu	reggi	reggevi	hai	**retto**	avevi	**retto**
lui,lei	regge	reggeva	ha	**retto**	aveva	**retto**
noi	reggiamo	reggevamo	abbiamo	**retto**	avevamo	**retto**
voi	reggete	reggevate	avete	**retto**	avevate	**retto**
loro	reggono	reggevano	hanno	**retto**	avevano	**retto**

	Futuro sempl.	*Futuro comp.*		*Passato remoto*	*Trapassato rem.*	
io	reggerò	avrò	**retto**	**ressi**	ebbi	**retto**
tu	reggerai	avrai	**retto**	reggesti	avesti	**retto**
lui,lei	reggerà	avrà	**retto**	**resse**	ebbe	**retto**
noi	reggeremo	avremo	**retto**	reggemmo	avemmo	**retto**
voi	reggerete	avrete	**retto**	reggeste	aveste	**retto**
loro	reggeranno	avranno	**retto**	**ressero**	ebbero	**retto**

MODO CONGIUNTIVO

	Presente	*Imperfetto*	*Passato*		*Trapassato*	
io	regga	reggessi	abbia	**retto**	avessi	**retto**
tu	regga	reggessi	abbia	**retto**	avessi	**retto**
lui,lei	regga	reggesse	abbia	**retto**	avesse	**retto**
noi	reggiamo	reggessimo	abbiamo	**retto**	avessimo	**retto**
voi	reggiate	reggeste	abbiate	**retto**	aveste	**retto**
loro	reggano	reggessero	abbiano	**retto**	avessero	**retto**

MODO CONDIZIONALE / MODO IMPERATIVO

	Semplice	*Composto*		*Diretto*	*Indiretto*
io	reggerei	avrei	**retto**		
tu	reggeresti	avresti	**retto**	reggi !	
lui,lei	reggerebbe	avrebbe	**retto**		regga !
noi	reggeremmo	avremmo	**retto**	reggiamo !	
voi	reggereste	avreste	**retto**	reggete !	
loro	reggerebbero	avrebbero	**retto**		reggano !

MODO GERUNDIO / MODO INFINITO / MODO PARTICIPIO

Semplice	*Composto*	*Semplice*	*Composto*	*Presente*	*Passato*
reggendo	avendo **retto**	reggere	avere **retto**	reggente	**retto**

RENDERE

to return - rendre - zurückgeben - rendir

MODO INDICATIVO

	Presente	*Imperfetto*	*Passato prossimo*		*Trapassato pross.*	
io	rendo	rendevo	ho	**reso**	avevo	**reso**
tu	rendi	rendevi	hai	**reso**	avevi	**reso**
lui,lei	rende	rendeva	ha	**reso**	aveva	**reso**
noi	rendiamo	rendevamo	abbiamo	**reso**	avevamo	**reso**
voi	rendete	rendevate	avete	**reso**	avevate	**reso**
loro	rendono	rendevano	hanno	**reso**	avevano	**reso**

	Futuro sempl.	*Futuro comp.*		*Passato remoto*	*Trapassato rem.*	
io	renderò	avrò	**reso**	**resi**	ebbi	**reso**
tu	renderai	avrai	**reso**	rendesti	avesti	**reso**
lui,lei	renderà	avrà	**reso**	**rese**	ebbe	**reso**
noi	renderemo	avremo	**reso**	rendemmo	avemmo	**reso**
voi	renderete	avrete	**reso**	rendeste	aveste	**reso**
loro	renderanno	avranno	**reso**	**resero**	ebbero	**reso**

MODO CONGIUNTIVO

	Presente	*Imperfetto*	*Passato*		*Trapassato*	
io	renda	rendessi	abbia	**reso**	avessi	**reso**
tu	renda	rendessi	abbia	**reso**	avessi	**reso**
lui,lei	renda	rendesse	abbia	**reso**	avesse	**reso**
noi	rendiamo	rendessimo	abbiamo	**reso**	avessimo	**reso**
voi	rendiate	rendeste	abbiate	**reso**	aveste	**reso**
loro	rendano	rendessero	abbiano	**reso**	avessero	**reso**

MODO CONDIZIONALE / MODO IMPERATIVO

	Semplice	*Composto*		*Diretto*	*Indiretto*
io	renderei	avrei	**reso**		
tu	renderesti	avresti	**reso**	rendi !	
lui,lei	renderebbe	avrebbe	**reso**		renda !
noi	renderemmo	avremmo	**reso**	rendiamo !	
voi	rendereste	avreste	**reso**	rendete !	
loro	renderebbero	avrebbero	**reso**		rendano !

MODO GERUNDIO / MODO INFINITO / MODO PARTICIPIO

Semplice	*Composto*	*Semplice*	*Composto*	*Presente*	*Passato*
rendendo	avendo **reso**	rendere	avere **reso**	rendente	**reso**

REPRIMERE

to repress - réprimer - unterdrücken - reprimir

MODO INDICATIVO

Presente		*Imperfetto*	*Passato prossimo*		*Trapassato pross.*	
io	reprimo	reprimevo	ho	**represso**	avevo	**represso**
tu	reprimi	reprimevi	hai	**represso**	avevi	**represso**
lui,lei	reprime	reprimeva	ha	**represso**	aveva	**represso**
no i	reprimiamo	reprimevamo	abbiamo	**represso**	avevamo	**represso**
voi	reprimete	reprimevate	avete	**represso**	avevate	**represso**
loro	reprimono	reprimevano	hanno	**represso**	avevano	**represso**

Futuro sempl.		*Futuro comp.*		*Passato remoto*	*Trapassato rem.*	
io	reprimerò	avrò	**represso**	**repressi**	ebbi	**represso**
tu	reprimerai	avrai	**represso**	reprimesti	avesti	**represso**
lui,lei	reprimerà	avrà	**represso**	**represse**	ebbe	**represso**
noi	reprimeremo	avremo	**represso**	reprimemmo	avemmo	**represso**
voi	reprimerete	avrete	**represso**	reprimeste	aveste	**represso**
loro	reprimeranno	avranno	**represso**	**repressero**	ebbero	**represso**

MODO CONGIUNTIVO

Presente		*Imperfetto*	*Passato*		*Trapassato*	
io	reprima	reprimessi	abbia	**represso**	avessi	**represso**
tu	reprima	reprimessi	abbia	**represso**	avessi	**represso**
lui,lei	reprima	reprimesse	abbia	**represso**	avesse	**represso**
noi	reprimiamo	reprimessimo	abbiamo	**represso**	avessimo	**represso**
voi	reprimiate	reprimeste	abbiate	**represso**	aveste	**represso**
loro	reprimano	reprimessero	abbiano	**represso**	avessero	**represso**

MODO CONDIZIONALE / MODO IMPERATIVO

Semplice		*Composto*		*Diretto*	*Indiretto*
io	reprimerei	avrei	**represso**		
tu	reprimeresti	avresti	**represso**	reprimi !	
lui,lei	reprimerebbe	avrebbe	**represso**		reprima !
noi	reprimeremmo	avremmo	**represso**	reprimiamo !	
voi	reprimereste	avreste	**represso**	reprimete !	
loro	reprimerebbero	avrebbero	**represso**		reprimano !

MODO GERUNDIO / MODO INFINITO / MODO PARTICIPIO

Semplice	*Composto*	*Semplice*	*Composto*	*Presente*	*Passato*
reprimendo	avendo **represso**	reprimere	avere **represso**	reprimente	**represso**

RESTRINGERE to reduce/take in - restreindre - enger machen - restringir

MODO INDICATIVO

	Presente	Imperfetto	Passato prossimo		Trapassato pross.	
io	restringo	restringevo	ho	**ristretto**	avevo	**ristretto**
tu	restringi	restringevi	hai	**ristretto**	avevi	**ristretto**
lui,lei	restringe	restringeva	ha	**ristretto**	aveva	**ristretto**
noi	restringiamo	restringevamo	abbiamo	**ristretto**	avevamo	**ristretto**
voi	restringete	restringevate	avete	**ristretto**	avevate	**ristretto**
loro	restringono	restringevano	hanno	**ristretto**	avevano	**ristretto**

	Futuro sempl.	Futuro comp.		Passato remoto	Trapassato rem.	
io	restringerò	avrò	**ristretto**	**restrinsi**	ebbi	**ristretto**
tu	restringerai	avrai	**ristretto**	restringesti	avesti	**ristretto**
lui,lei	restringerà	avrà	**ristretto**	**restrinse**	ebbe	**ristretto**
noi	restringeremo	avremo	**ristretto**	restringemmo	avemmo	**ristretto**
voi	restringerete	avrete	**ristretto**	restringeste	aveste	**ristretto**
loro	restringeranno	avranno	**ristretto**	**restrinsero**	ebbero	**ristretto**

MODO CONGIUNTIVO

	Presente	Imperfetto	Passato		Trapassato	
io	restringa	restringessi	abbia	**ristretto**	avessi	**ristretto**
tu	restringa	restringessi	abbia	**ristretto**	avessi	**ristretto**
lui,lei	restringa	restringesse	abbia	**ristretto**	avesse	**ristretto**
noi	restringiamo	restringessimo	abbiamo	**ristretto**	avessimo	**ristretto**
voi	restringiate	restringeste	abbiate	**ristretto**	aveste	**ristretto**
loro	restringano	restringessero	abbiano	**ristretto**	avessero	**ristretto**

MODO CONDIZIONALE / MODO IMPERATIVO

	Semplice	Composto		Diretto	Indiretto
io	restringerei	avrei	**ristretto**		
tu	restringeresti	avresti	**ristretto**	restringi !	
lui,lei	restringerebbe	avrebbe	**ristretto**		restringa !
noi	restringeremmo	avremmo	**ristretto**	restringiamo !	
voi	restringereste	avreste	**ristretto**	restringete !	
loro	restringerebbero	avrebbero	**ristretto**		restringano !

MODO GERUNDIO / MODO INFINITO / MODO PARTICIPIO

Gerundio Semplice	Gerundio Composto	Infinito Semplice	Infinito Composto	Participio Presente	Participio Passato
restringendo	avendo **ristretto**	restringere	avere **ristretto**	restringente	**ristretto**

RIDERE to laugh - rire - lachen - reír

MODO INDICATIVO

Presente		*Imperfetto*	*Passato prossimo*		*Trapassato pross.*	
io	rido	ridevo	ho	**riso**	avevo	**riso**
tu	ridi	ridevi	hai	**riso**	avevi	**riso**
lui,lei	ride	rideva	ha	**riso**	aveva	**riso**
noi	ridiamo	ridevamo	abbiamo	**riso**	avevamo	**riso**
voi	ridete	ridevate	avete	**riso**	avevate	**riso**
loro	ridono	ridevano	hanno	**riso**	avevano	**riso**

Futuro sempl.		*Futuro comp.*		*Passato remoto*	*Trapassato rem.*	
io	riderò	avrò	**riso**	**risi**	ebbi	**riso**
tu	riderai	avrai	**riso**	ridesti	avesti	**riso**
lui,lei	riderà	avrà	**riso**	**rise**	ebbe	**riso**
noi	rideremo	avremo	**riso**	ridemmo	avemmo	**riso**
voi	riderete	avrete	**riso**	rideste	aveste	**riso**
loro	rideranno	avranno	**riso**	**risero**	ebbero	**riso**

MODO CONGIUNTIVO

Presente		*Imperfetto*	*Passato*		*Trapassato*	
io	rida	ridessi	abbia	**riso**	avessi	**riso**
tu	rida	ridessi	abbia	**riso**	avessi	**riso**
lui,lei	rida	ridesse	abbia	**riso**	avesse	**riso**
noi	ridiamo	ridessimo	abbiamo	**riso**	avessimo	**riso**
voi	ridiate	rideste	abbiate	**riso**	aveste	**riso**
loro	ridano	ridessero	abbiano	**riso**	avessero	**riso**

MODO CONDIZIONALE

Semplice		*Composto*	
io	riderei	avrei	**riso**
tu	rideresti	avresti	**riso**
lui,lei	riderebbe	avrebbe	**riso**
noi	rideremmo	avremmo	**riso**
voi	ridereste	avreste	**riso**
loro	riderebbero	avrebbero	**riso**

MODO IMPERATIVO

Diretto	*Indiretto*
ridi !	
	rida !
ridiamo !	
ridete !	
	ridano !

MODO GERUNDIO

Semplice	*Composto*
ridendo	avendo **riso**

MODO INFINITO

Semplice	*Composto*
ridere	avere **riso**

MODO PARTICIPIO

Presente	*Passato*
ridente	**riso**

RIDURRE

to reduce - réduire - verwandeln/redizieren - reducir

MODO INDICATIVO

	Presente	*Imperfetto*	*Passato prossimo*	*Trapassato pross.*
io	**riduco**	**riducevo**	ho **ridotto**	avevo **ridotto**
tu	**riduci**	**riducevi**	hai **ridotto**	avevi **ridotto**
lui,lei	**riduce**	**riduceva**	ha **ridotto**	aveva **ridotto**
noi	**riduciamo**	**riducevamo**	abbiamo **ridotto**	avevamo **ridotto**
voi	**riducete**	**riducevate**	avete **ridotto**	avevate **ridotto**
loro	**riducono**	**riducevano**	hanno **ridotto**	avevano **ridotto**

	Futuro sempl.	*Futuro comp.*	*Passato remoto*	*Trapassato rem.*
io	**ridurrò**	avrò **ridotto**	**ridussi**	ebbi **ridotto**
tu	**ridurrai**	avrai **ridotto**	**riducesti**	avesti **ridotto**
lui,lei	**ridurrà**	avrà **ridotto**	**ridusse**	ebbe **ridotto**
noi	**ridurremo**	avremo **ridotto**	**riducemmo**	avemmo **ridotto**
voi	**ridurrete**	avrete **ridotto**	**riduceste**	aveste **ridotto**
loro	**ridurranno**	avranno **ridotto**	**ridussero**	ebbero **ridotto**

MODO CONGIUNTIVO

	Presente	*Imperfetto*	*Passato*	*Trapassato*
io	**riduca**	**riducessi**	abbia **ridotto**	avessi **ridotto**
tu	**riduca**	**riducessi**	abbia **ridotto**	avessi **ridotto**
lui,lei	**riduca**	**riducesse**	abbia **ridotto**	avesse **ridotto**
noi	**riduciamo**	**riducessimo**	abbiamo **ridotto**	avessimo **ridotto**
voi	**riduciate**	**riduceste**	abbiate **ridotto**	aveste **ridotto**
loro	**riducano**	**riducessero**	abbiano **ridotto**	avessero **ridotto**

MODO CONDIZIONALE

	Semplice	*Composto*
io	**ridurrei**	avrei **ridotto**
tu	**ridurresti**	avresti **ridotto**
lui,lei	**ridurrebbe**	avrebbe **ridotto**
noi	**ridurremmo**	avremmo **ridotto**
voi	**ridurreste**	avreste **ridotto**
loro	**ridurrebbero**	avrebbero **ridotto**

MODO IMPERATIVO

Diretto	*Indiretto*
riduci !	
	riduca !
riduciamo !	
riducete !	
	riducano !

MODO GERUNDIO

Semplice	*Composto*
riducendo	avendo **ridotto**

MODO INFINITO

Semplice	*Composto*
ridurre	avere **ridotto**

MODO PARTICIPIO

Presente	*Passato*
riducente	**ridotto**

RIEMPIRE to fill up - remplir - füllen - rellenar

MODO INDICATIVO

	Presente	*Imperfetto*	*Passato prossimo*		*Trapassato pross.*	
io	**riempio**	riempivo	ho	riempito	avevo	riempito
tu	riempi	riempivi	hai	riempito	avevi	riempito
lui,lei	**riempie**	riempiva	ha	riempito	aveva	riempito
noi	riempiamo	riempivamo	abbiamo	riempito	avevamo	riempito
voi	riempite	riempivate	avete	riempito	avevate	riempito
loro	**riempiono**	riempivano	hanno	riempito	avevano	riempito

	Futuro sempl.	*Futuro comp.*		*Passato remoto*	*Trapassato rem.*	
io	riempirò	avrò	riempito	riempii	ebbi	riempito
tu	riempirai	avrai	riempito	riempisti	avesti	riempito
lui,lei	riempirà	avrà	riempito	riempì	ebbe	riempito
noi	riempiremo	avremo	riempito	riempimmo	avemmo	riempito
voi	riempirete	avrete	riempito	riempiste	aveste	riempito
loro	riempiranno	avranno	riempito	riempirono	ebbero	riempito

MODO CONGIUNTIVO

	Presente	*Imperfetto*	*Passato*		*Trapassato*	
io	**riempia**	riempissi	abbia	riempito	avessi	riempito
tu	**riempia**	riempissi	abbia	riempito	avessi	riempito
lui,lei	**riempia**	riempisse	abbia	riempito	avesse	riempito
noi	riempiamo	riempissimo	abbiamo	riempito	avessimo	riempito
voi	riempiate	riempiste	abbiate	riempito	aveste	riempito
loro	**riempiano**	riempissero	abbiano	riempito	avessero	riempito

MODO CONDIZIONALE / MODO IMPERATIVO

	Semplice	*Composto*		*Diretto*	*Indiretto*
io	riempirei	avrei	riempito		
tu	riempiresti	avresti	riempito	riempi !	
lui,lei	riempirebbe	avrebbe	riempito		**riempia** !
noi	riempiremmo	avremmo	riempito	riempiamo !	
voi	riempireste	avreste	riempito	riempite !	
loro	riempirebbero	avrebbero	riempito		**riempiano** !

MODO GERUNDIO

Semplice	*Composto*
riempiendo	avendo riempito

MODO INFINITO

Semplice	*Composto*
riempire	avere riempito

MODO PARTICIPIO

Presente	*Passato*
riempiente	riempito

RIMANERE to remain - rester - bleiben - quedar/quedarse

MODO INDICATIVO

	Presente	*Imperfetto*	*Passato prossimo*		*Trapassato pross.*	
io	**rimango**	rimanevo	sono	**rimasto,a**	ero	**rimasto,a**
tu	rimani	rimanevi	sei	**rimasto,a**	eri	**rimasto,a**
lui,lei	rimane	rimaneva	è	**rimasto,a**	era	**rimasto,a**
noi	rimaniamo	rimanevamo	siamo	**rimasti,e**	eravamo	**rimasti,e**
voi	rimanete	rimanevate	siete	**rimasti,e**	eravate	**rimasti,e**
loro	**rimangono**	rimanevano	sono	**rimasti,e**	erano	**rimasti,e**

	Futuro sempl.	*Futuro comp.*		*Passato remoto*	*Trapassato rem.*	
io	**rimarrò**	sarò	**rimasto,a**	**rimasi**	fui	**rimasto,a**
tu	**rimarrai**	sarai	**rimasto,a**	rimanesti	fosti	**rimasto,a**
lui,lei	**rimarrà**	sarà	**rimasto,a**	**rimase**	fu	**rimasto,a**
noi	**rimarremo**	saremo	**rimasti,e**	rimanemmo	fummo	**rimasti,e**
voi	**rimarrete**	sarete	**rimasti,e**	rimaneste	foste	**rimasti,e**
loro	**rimarranno**	saranno	**rimasti,e**	**rimasero**	furono	**rimasti,e**

MODO CONGIUNTIVO

	Presente	*Imperfetto*	*Passato*		*Trapassato*	
io	**rimanga**	rimanessi	sia	**rimasto,a**	fossi	**rimasto,a**
tu	**rimanga**	rimanessi	sia	**rimasto,a**	fossi	**rimasto,a**
lui,lei	**rimanga**	rimanesse	sia	**rimasto,a**	fosse	**rimasto,a**
noi	rimaniamo	rimanessimo	siamo	**rimasti,e**	fossimo	**rimasti,e**
voi	rimaniate	rimaneste	siate	**rimasti,e**	foste	**rimasti,e**
loro	**rimangano**	rimanessero	siano	**rimasti,e**	fossero	**rimasti,e**

MODO CONDIZIONALE

	Semplice	*Composto*	
io	**rimarrei**	sarei	**rimasto,a**
tu	**rimarresti**	saresti	**rimasto,a**
lui,lei	**rimarrebbe**	sarebbe	**rimasto,a**
noi	**rimarremmo**	saremmo	**rimasti,e**
voi	**rimarreste**	sareste	**rimasti,e**
loro	**rimarrebbero**	sarebbero	**rimasti,e**

MODO IMPERATIVO

Diretto	*Indiretto*
rimani !	
	rimanga !
rimaniamo !	
rimanete !	
	rimangano !

MODO GERUNDIO

Semplice	*Composto*
rimanendo	essendo **rimasto,...**

MODO INFINITO

Semplice	*Composto*
rimanere	essere **rimasto,...**

MODO PARTICIPIO

Presente	*Passato*
rimanente	**rimasto,...**

RISOLVERE

to solve - résoudre - lösen - resolver

MODO INDICATIVO

Presente		*Imperfetto*	*Passato prossimo*		*Trapassato pross.*	
io	risolvo	risolvevo	ho	**risolto**	avevo	**risolto**
tu	risolvi	risolvevi	hai	**risolto**	avevi	**risolto**
lui,lei	risolve	risolveva	ha	**risolto**	aveva	**risolto**
noi	risolviamo	risolvevamo	abbiamo	**risolto**	avevamo	**risolto**
voi	risolvete	risolvevate	avete	**risolto**	avevate	**risolto**
loro	risolvono	risolvevano	hanno	**risolto**	avevano	**risolto**

Futuro sempl.		*Futuro comp.*		*Passato remoto*	*Trapassato rem.*	
io	risolverò	avrò	**risolto**	**risolsi**	ebbi	**risolto**
tu	risolverai	avrai	**risolto**	risolvesti	avesti	**risolto**
lui,lei	risolverà	avrà	**risolto**	**risolse**	ebbe	**risolto**
noi	risolveremo	avremo	**risolto**	risolvemmo	avemmo	**risolto**
voi	risolverete	avrete	**risolto**	risolveste	aveste	**risolto**
loro	risolveranno	avranno	**risolto**	**risolsero**	ebbero	**risolto**

MODO CONGIUNTIVO

Presente		*Imperfetto*	*Passato*		*Trapassato*	
io	risolva	risolvessi	abbia	**risolto**	avessi	**risolto**
tu	risolva	risolvessi	abbia	**risolto**	avessi	**risolto**
lui,lei	risolva	risolvesse	abbia	**risolto**	avesse	**risolto**
noi	risolviamo	risolvessimo	abbiamo	**risolto**	avessimo	**risolto**
voi	risolviate	risolveste	abbiate	**risolto**	aveste	**risolto**
loro	risolvano	risolvessero	abbiano	**risolto**	avessero	**risolto**

MODO CONDIZIONALE

Semplice		*Composto*	
io	risolverei	avrei	**risolto**
tu	risolveresti	avresti	**risolto**
lui,lei	risolverebbe	avrebbe	**risolto**
noi	risolveremmo	avremmo	**risolto**
voi	risolvereste	avreste	**risolto**
loro	risolverebbero	avrebbero	**risolto**

MODO IMPERATIVO

Diretto	*Indiretto*
risolvi !	
	risolva !
risolviamo !	
risolvete !	
	risolvano !

MODO GERUNDIO

Semplice	*Composto*
risolvendo	avendo **risolto**

MODO INFINITO

Semplice	*Composto*
risolvere	avere **risolto**

MODO PARTICIPIO

Presente	*Passato*
risolvente	**risolto**

RISPONDERE

to answer - répondre - antworten - responder

MODO INDICATIVO

	Presente	*Imperfetto*	*Passato prossimo*		*Trapassato pross.*	
io	rispondo	rispondevo	ho	**risposto**	avevo	**risposto**
tu	rispondi	rispondevi	hai	**risposto**	avevi	**risposto**
lui,lei	risponde	rispondeva	ha	**risposto**	aveva	**risposto**
noi	rispondiamo	rispondevamo	abbiamo	**risposto**	avevamo	**risposto**
voi	rispondete	rispondevate	avete	**risposto**	avevate	**risposto**
loro	rispondono	rispondevano	hanno	**risposto**	avevano	**risposto**

	Futuro sempl.	*Futuro comp.*		*Passato remoto*	*Trapassato rem.*	
io	risponderò	avrò	**risposto**	**risposi**	ebbi	**risposto**
tu	risponderai	avrai	**risposto**	rispondesti	avesti	**risposto**
lui,lei	risponderà	avrà	**risposto**	**rispose**	ebbe	**risposto**
noi	risponderemo	avremo	**risposto**	rispondemmo	avemmo	**risposto**
voi	risponderete	avrete	**risposto**	rispondeste	aveste	**risposto**
loro	risponderanno	avranno	**risposto**	**risposero**	ebbero	**risposto**

MODO CONGIUNTIVO

	Presente	*Imperfetto*	*Passato*		*Trapassato*	
io	risponda	rispondessi	abbia	**risposto**	avessi	**risposto**
tu	risponda	rispondessi	abbia	**risposto**	avessi	**risposto**
lui,lei	risponda	rispondesse	abbia	**risposto**	avesse	**risposto**
noi	rispondiamo	rispondessimo	abbiamo	**risposto**	avessimo	**risposto**
voi	rispondiate	rispondeste	abbiate	**risposto**	aveste	**risposto**
loro	rispondano	rispondessero	abbiano	**risposto**	avessero	**risposto**

MODO CONDIZIONALE / MODO IMPERATIVO

	Semplice	*Composto*		*Diretto*	*Indiretto*
io	risponderei	avrei	**risposto**		
tu	risponderesti	avresti	**risposto**	rispondi !	
lui,lei	risponderebbe	avrebbe	**risposto**		risponda !
noi	risponderemmo	avremmo	**risposto**	rispondiamo !	
voi	rispondereste	avreste	**risposto**	rispondete !	
loro	risponderebbero	avrebbero	**risposto**		rispondano !

MODO GERUNDIO

Semplice	*Composto*
rispondendo	avendo **risposto**

MODO INFINITO

Semplice	*Composto*
rispondere	avere **risposto**

MODO PARTICIPIO

Presente	*Passato*
rispondente	**risposto**

ROMPERE
to break - casser - brechen - romper

MODO INDICATIVO

Presente		*Imperfetto*	*Passato prossimo*		*Trapassato pross.*	
io	rompo	rompevo	ho	**rotto**	avevo	**rotto**
tu	rompi	rompevi	hai	**rotto**	avevi	**rotto**
lui,lei	rompe	rompeva	ha	**rotto**	aveva	**rotto**
noi	rompiamo	rompevamo	abbiamo	**rotto**	avevamo	**rotto**
voi	rompete	rompevate	avete	**rotto**	avevate	**rotto**
loro	rompono	rompevano	hanno	**rotto**	avevano	**rotto**

Futuro sempl.		*Futuro comp.*		*Passato remoto*	*Trapassato rem.*	
io	romperò	avrò	**rotto**	**ruppi**	ebbi	**rotto**
tu	romperai	avrai	**rotto**	rompesti	avesti	**rotto**
lui,lei	romperà	avrà	**rotto**	**ruppe**	ebbe	**rotto**
noi	romperemo	avremo	**rotto**	rompemmo	avemmo	**rotto**
voi	romperete	avrete	**rotto**	rompeste	aveste	**rotto**
loro	romperanno	avranno	**rotto**	**ruppero**	ebbero	**rotto**

MODO CONGIUNTIVO

Presente		*Imperfetto*	*Passato*		*Trapassato*	
io	rompa	rompessi	abbia	**rotto**	avessi	**rotto**
tu	rompa	rompessi	abbia	**rotto**	avessi	**rotto**
lui,lei	rompa	rompesse	abbia	**rotto**	avesse	**rotto**
noi	rompiamo	rompessimo	abbiamo	**rotto**	avessimo	**rotto**
voi	rompiate	rompeste	abbiate	**rotto**	aveste	**rotto**
loro	rompano	rompessero	abbiano	**rotto**	avessero	**rotto**

MODO CONDIZIONALE

Semplice		*Composto*	
io	romperei	avrei	**rotto**
tu	romperesti	avresti	**rotto**
lui,lei	romperebbe	avrebbe	**rotto**
noi	romperemmo	avremmo	**rotto**
voi	rompereste	avreste	**rotto**
loro	romperebbero	avrebbero	**rotto**

MODO IMPERATIVO

Diretto	*Indiretto*
rompi !	
	rompa !
rompiamo !	
rompete !	
	rompano !

MODO GERUNDIO

Semplice	*Composto*
rompendo	avendo **rotto**

MODO INFINITO

Semplice	*Composto*
rompere	avere **rotto**

MODO PARTICIPIO

Presente	*Passato*
rompente	**rotto**

SALIRE to go up/to climb/to get on - monter - steigen - subir

MODO INDICATIVO

	Presente	*Imperfetto*	*Passato prossimo*		*Trapassato pross.*	
io	**salgo**	salivo	sono	salito,a	ero	salito,a
tu	sali	salivi	sei	salito,a	eri	salito,a
lui,lei	sale	saliva	è	salito,a	era	salito,a
noi	saliamo	salivamo	siamo	saliti,e	eravamo	saliti,e
voi	salite	salivate	siete	saliti,e	eravate	saliti,e
loro	**salgono**	salivano	sono	saliti,e	erano	saliti,e

	Futuro sempl.	*Futuro comp.*		*Passato remoto*	*Trapassato rem.*	
io	salirò	sarò	salito,a	salii	fui	salito,a
tu	salirai	sarai	salito,a	salisti	fosti	salito,a
lui,lei	salirà	sarà	salito,a	salì	fu	salito,a
noi	saliremo	saremo	saliti,e	salimmo	fummo	saliti,e
voi	salirete	sarete	saliti,e	saliste	foste	saliti,e
loro	saliranno	saranno	saliti,e	salirono	furono	saliti,e

MODO CONGIUNTIVO

	Presente	*Imperfetto*	*Passato*		*Trapassato*	
io	**salga**	salissi	sia	salito,a	fossi	salito,a
tu	**salga**	salissi	sia	salito,a	fossi	salito,a
lui,lei	**salga**	salisse	sia	salito,a	fosse	salito,a
noi	saliamo	salissimo	siamo	saliti,e	fossimo	saliti,e
voi	saliate	saliste	siate	saliti,e	foste	saliti,e
loro	**salgano**	salissero	siano	saliti,e	fossero	saliti,e

MODO CONDIZIONALE / MODO IMPERATIVO

	Semplice	*Composto*		*Diretto*	*Indiretto*
io	salirei	sarei	salito,a		
tu	saliresti	saresti	salito,a	sali !	
lui,lei	salirebbe	sarebbe	salito,a		**salga** !
noi	saliremmo	saremmo	saliti,e	saliamo !	
voi	salireste	sareste	saliti,e	salite !	
loro	salirebbero	sarebbero	saliti,e		**salgano** !

MODO GERUNDIO / MODO INFINITO / MODO PARTICIPIO

MODO GERUNDIO *Semplice*	*Composto*	MODO INFINITO *Semplice*	*Composto*	MODO PARTICIPIO *Presente*	*Passato*
salendo	essendo salito,...	salire	essere salito,...	**saliente** (salente)	salito,...

Nota: *si usa l'ausiliare «avere» quando il verbo viene usato transitivamente. Es. Ho salito le scale di corsa.*

SAPERE to know - savoir - wissen - saber/conocer

MODO INDICATIVO

Presente		*Imperfetto*	*Passato prossimo*		*Trapassato pross.*	
io	**so**	sapevo	ho	saputo	avevo	saputo
tu	**sai**	sapevi	hai	saputo	avevi	saputo
lui,lei	**sa**	sapeva	ha	saputo	aveva	saputo
noi	**sappiamo**	sapevamo	abbiamo	saputo	avevamo	saputo
voi	sapete	sapevate	avete	saputo	avevate	saputo
loro	**sanno**	sapevano	hanno	saputo	avevano	saputo

Futuro sempl.		*Futuro comp.*		*Passato remoto*	*Trapassato rem.*	
io	**saprò**	avrò	saputo	**seppi**	ebbi	saputo
tu	**saprai**	avrai	saputo	sapesti	avesti	saputo
lui,lei	**saprà**	avrà	saputo	**seppe**	ebbe	saputo
noi	**sapremo**	avremo	saputo	sapemmo	avemmo	saputo
voi	**saprete**	avrete	saputo	sapeste	aveste	saputo
loro	**sapranno**	avranno	saputo	**seppero**	ebbero	saputo

MODO CONGIUNTIVO

Presente		*Imperfetto*	*Passato*		*Trapassato*	
io	**sappia**	sapessi	abbia	saputo	avessi	saputo
tu	**sappia**	sapessi	abbia	saputo	avessi	saputo
lui,lei	**sappia**	sapesse	abbia	saputo	avesse	saputo
noi	**sappiamo**	sapessimo	abbiamo	saputo	avessimo	saputo
voi	**sappiate**	sapeste	abbiate	saputo	aveste	saputo
loro	**sappiano**	sapessero	abbiano	saputo	avessero	saputo

MODO CONDIZIONALE / MODO IMPERATIVO

Semplice		*Composto*		*Diretto*	*Indiretto*
io	**saprei**	avrei	saputo		
tu	**sapresti**	avresti	saputo	**sappi** !	
lui,lei	**saprebbe**	avrebbe	saputo		**sappia** !
noi	**sapremmo**	avremmo	saputo	**sappiamo** !	
voi	**sapreste**	avreste	saputo	**sappiate** !	
loro	**saprebbero**	avrebbero	saputo		**sappiano** !

MODO GERUNDIO

Semplice	*Composto*
sapendo	avendo saputo

MODO INFINITO

Semplice	*Composto*
sapere	avere saputo

MODO PARTICIPIO

Presente	*Passato*
sapiente	saputo

SCEGLIERE
to choose - choisir - wählen - escoger/elegir

MODO INDICATIVO

	Presente	*Imperfetto*	*Passato prossimo*		*Trapassato pross.*	
io	**scelgo**	sceglievo	ho	**scelto**	avevo	**scelto**
tu	**scegli**	sceglievi	hai	**scelto**	avevi	**scelto**
lui,lei	sceglie	sceglieva	ha	**scelto**	aveva	**scelto**
noi	**scegliamo**	sceglievamo	abbiamo	**scelto**	avevamo	**scelto**
voi	scegliete	sceglievate	avete	**scelto**	avevate	**scelto**
loro	**scelgono**	sceglievano	hanno	**scelto**	avevano	**scelto**

	Futuro sempl.	*Futuro comp.*		*Passato remoto*	*Trapassato rem.*	
io	sceglierò	avrò	**scelto**	**scelsi**	ebbi	**scelto**
tu	sceglierai	avrai	**scelto**	scegliesti	avesti	**scelto**
lui,lei	sceglierà	avrà	**scelto**	**scelse**	ebbe	**scelto**
noi	sceglieremo	avremo	**scelto**	scegliemmo	avemmo	**scelto**
voi	sceglierete	avrete	**scelto**	sceglieste	aveste	**scelto**
loro	sceglieranno	avranno	**scelto**	**scelsero**	ebbero	**scelto**

MODO CONGIUNTIVO

	Presente	*Imperfetto*	*Passato*		*Trapassato*	
io	**scelga**	scegliessi	abbia	**scelto**	avessi	**scelto**
tu	**scelga**	scegliessi	abbia	**scelto**	avessi	**scelto**
lui,lei	**scelga**	scegliesse	abbia	**scelto**	avesse	**scelto**
noi	**scegliamo**	scegliessimo	abbiamo	**scelto**	avessimo	**scelto**
voi	**scegliate**	sceglieste	abbiate	**scelto**	aveste	**scelto**
loro	**scelgano**	scegliessero	abbiano	**scelto**	avessero	**scelto**

MODO CONDIZIONALE / MODO IMPERATIVO

	Semplice	*Composto*		*Diretto*	*Indiretto*
io	sceglierei	avrei	**scelto**		
tu	sceglieresti	avresti	**scelto**	**scegli** !	
lui,lei	sceglierebbe	avrebbe	**scelto**		**scelga** !
noi	sceglieremmo	avremmo	**scelto**	**scegliamo** !	
voi	scegliereste	avreste	**scelto**	scegliete !	
loro	sceglierebbero	avrebbero	**scelto**		**scelgano** !

MODO GERUNDIO / MODO INFINITO / MODO PARTICIPIO

GERUNDIO *Semplice*	GERUNDIO *Composto*	INFINITO *Semplice*	INFINITO *Composto*	PARTICIPIO *Presente*	PARTICIPIO *Passato*
scegliendo	avendo **scelto**	scegliere	avere **scelto**	scegliente	**scelto**

SCENDERE

to go down/to get out - descendre - aus-heruntersteigen - bajar

MODO INDICATIVO

	Presente	*Imperfetto*	*Passato prossimo*		*Trapassato pross.*	
io	scendo	scendevo	sono	**sceso,a**	ero	**sceso,a**
tu	scendi	scendevi	sei	**sceso,a**	eri	**sceso,a**
lui,lei	scende	scendeva	è	**sceso,a**	era	**sceso,a**
noi	scendiamo	scendevamo	siamo	**scesi,e**	eravamo	**scesi,e**
voi	scendete	scendevate	siete	**scesi,e**	eravate	**scesi,e**
loro	scendono	scendevano	sono	**scesi,e**	erano	**scesi,e**

	Futuro sempl.	*Futuro comp.*		*Passato remoto*	*Trapassato rem.*	
io	scenderò	sarò	**sceso,a**	**scesi**	fui	**sceso,a**
tu	scenderai	sarai	**sceso,a**	scendesti	fosti	**sceso,a**
lui,lei	scenderà	sarà	**sceso,a**	**scese**	fu	**sceso,a**
noi	scenderemo	saremo	**scesi,e**	scendemmo	fummo	**scesi,e**
voi	scenderete	sarete	**scesi,e**	scendeste	foste	**scesi,e**
loro	scenderanno	saranno	**scesi,e**	**scesero**	furono	**scesi,e**

MODO CONGIUNTIVO

	Presente	*Imperfetto*	*Passato*		*Trapassato*	
io	scenda	scendessi	sia	**sceso,a**	fossi	**sceso,a**
tu	scenda	scendessi	sia	**sceso,a**	fossi	**sceso,a**
lui,lei	scenda	scendesse	sia	**sceso,a**	fosse	**sceso,a**
noi	scendiamo	scendessimo	siamo	**scesi,e**	fossimo	**scesi,e**
voi	scendiate	scendeste	siate	**scesi,e**	foste	**scesi,e**
loro	scendano	scendessero	siano	**scesi,e**	fossero	**scesi,e**

MODO CONDIZIONALE

	Semplice	*Composto*	
io	scenderei	sarei	**sceso,a**
tu	scenderesti	saresti	**sceso,a**
lui,lei	scenderebbe	sarebbe	**sceso,a**
noi	scenderemmo	saremmo	**scesi,e**
voi	scendereste	sareste	**scesi,e**
loro	scenderebbero	sarebbero	**scesi,e**

MODO IMPERATIVO

Diretto	*Indiretto*
scendi !	
	scenda !
scendiamo !	
scendete !	
	scendano !

MODO GERUNDIO

Semplice	*Composto*
scendendo	essendo **sceso,...**

MODO INFINITO

Semplice	*Composto*
scendere	essere **sceso,...**

MODO PARTICIPIO

Presente	*Passato*
scendente	**sceso,...**

Nota: *si usa l'ausiliare «avere» quando il verbo viene usato transitivamente. Es. Ho sceso le scale di corsa.*

SCINDERE

to divide - scinder/séparer - trennen - separar/escindir

MODO INDICATIVO

Presente		Imperfetto	Passato prossimo		Trapassato pross.	
io	scindo	scindevo	ho	**scisso**	avevo	**scisso**
tu	scindi	scindevi	hai	**scisso**	avevi	**scisso**
lui,lei	scinde	scindeva	ha	**scisso**	aveva	**scisso**
noi	scindiamo	scindevamo	abbiamo	**scisso**	avevamo	**scisso**
voi	scindete	scindevate	avete	**scisso**	avevate	**scisso**
loro	scindono	scindevano	hanno	**scisso**	avevano	**scisso**

Futuro sempl.		Futuro comp.		Passato remoto	Trapassato rem.	
io	scinderò	avrò	**scisso**	**scissi**	ebbi	**scisso**
tu	scinderai	avrai	**scisso**	scindesti	avesti	**scisso**
lui,lei	scinderà	avrà	**scisso**	**scisse**	ebbe	**scisso**
noi	scinderemo	avremo	**scisso**	scindemmo	avemmo	**scisso**
voi	scinderete	avrete	**scisso**	scindeste	aveste	**scisso**
loro	scinderanno	avranno	**scisso**	**scissero**	ebbero	**scisso**

MODO CONGIUNTIVO

Presente		Imperfetto	Passato		Trapassato	
io	scinda	scindessi	abbia	**scisso**	avessi	**scisso**
tu	scinda	scindessi	abbia	**scisso**	avessi	**scisso**
lui,lei	scinda	scindesse	abbia	**scisso**	avesse	**scisso**
noi	scindiamo	scindessimo	abbiamo	**scisso**	avessimo	**scisso**
voi	scindiate	scindeste	abbiate	**scisso**	aveste	**scisso**
loro	scindano	scindessero	abbiano	**scisso**	avessero	**scisso**

MODO CONDIZIONALE

Semplice		Composto	
io	scinderei	avrei	**scisso**
tu	scinderesti	avresti	**scisso**
lui,lei	scinderebbe	avrebbe	**scisso**
noi	scinderemmo	avremmo	**scisso**
voi	scindereste	avreste	**scisso**
loro	scinderebbero	avrebbero	**scisso**

MODO IMPERATIVO

Diretto	Indiretto
scindi !	
	scinda !
scindiamo !	
scindete !	
	scindano !

MODO GERUNDIO

Semplice	Composto
scindendo	avendo **scisso**

MODO INFINITO

Semplice	Composto
scindere	avere **scisso**

MODO PARTICIPIO

Presente	Passato
scindente	**scisso**

SCIOGLIERE

to dissolve - délier/dissoudre - auflösen - disolver/diluir

MODO INDICATIVO

Presente		*Imperfetto*	*Passato prossimo*		*Trapassato pross.*	
io	**sciolgo**	scioglievo	ho	**sciolto**	avevo	**sciolto**
tu	**sciogli**	scioglievi	hai	**sciolto**	avevi	**sciolto**
lui,lei	scioglie	scioglieva	ha	**sciolto**	aveva	**sciolto**
noi	**sciogliamo**	scioglievamo	abbiamo	**sciolto**	avevamo	**sciolto**
voi	sciogliete	scioglievate	avete	**sciolto**	avevate	**sciolto**
loro	**sciolgono**	scioglievano	hanno	**sciolto**	avevano	**sciolto**

Futuro sempl.		*Futuro comp.*		*Passato remoto*	*Trapassato rem.*	
io	scioglierò	avrò	**sciolto**	**sciolsi**	ebbi	**sciolto**
tu	scioglierai	avrai	**sciolto**	sciogliesti	avesti	**sciolto**
lui,lei	scioglierà	avrà	**sciolto**	**sciolse**	ebbe	**sciolto**
noi	scioglieremo	avremo	**sciolto**	sciogliemmo	avemmo	**sciolto**
voi	scioglierete	avrete	**sciolto**	scioglieste	aveste	**sciolto**
loro	scioglieranno	avranno	**sciolto**	**sciolsero**	ebbero	**sciolto**

MODO CONGIUNTIVO

Presente		*Imperfetto*	*Passato*		*Trapassato*	
io	**sciolga**	sciogliessi	abbia	**sciolto**	avessi	**sciolto**
tu	**sciolga**	sciogliessi	abbia	**sciolto**	avessi	**sciolto**
lui,lei	**sciolga**	sciogliesse	abbia	**sciolto**	avesse	**sciolto**
noi	**sciogliamo**	sciogliessimo	abbiamo	**sciolto**	avessimo	**sciolto**
voi	**sciogliate**	scioglieste	abbiate	**sciolto**	aveste	**sciolto**
loro	**sciolgano**	sciogliessero	abbiano	**sciolto**	avessero	**sciolto**

MODO CONDIZIONALE

	Semplice	*Composto*	
io	scioglierei	avrei	**sciolto**
tu	scioglieresti	avresti	**sciolto**
lui,lei	scioglierebbe	avrebbe	**sciolto**
noi	scioglieremmo	avremmo	**sciolto**
voi	sciogliereste	avreste	**sciolto**
loro	scioglierebbero	avrebbero	**sciolto**

MODO IMPERATIVO

Diretto	*Indiretto*
sciogli !	
	sciolga !
sciogliamo !	
sciogliete !	
	sciolgano !

MODO GERUNDIO

Semplice	*Composto*
sciogliendo	avendo **sciolto**

MODO INFINITO

Semplice	*Composto*
sciogliere	avere **sciolto**

MODO PARTICIPIO

Presente	*Passato*
sciogliente	**sciolto**

SCRIVERE to write - écrire - schreiben - escribir

MODO INDICATIVO

	Presente	*Imperfetto*	*Passato prossimo*	*Trapassato pross.*
io	scrivo	scrivevo	ho **scritto**	avevo **scritto**
tu	scrivi	scrivevi	hai **scritto**	avevi **scritto**
lui,lei	scrive	scriveva	ha **scritto**	aveva **scritto**
noi	scriviamo	scrivevamo	abbiamo **scritto**	avevamo **scritto**
voi	scrivete	scrivevate	avete **scritto**	avevate **scritto**
loro	scrivono	scrivevano	hanno **scritto**	avevano **scritto**

	Futuro sempl.	*Futuro comp.*	*Passato remoto*	*Trapassato rem.*
io	scriverò	avrò **scritto**	**scrissi**	ebbi **scritto**
tu	scriverai	avrai **scritto**	scrivesti	avesti **scritto**
lui,lei	scriverà	avrà **scritto**	**scrisse**	ebbe **scritto**
noi	scriveremo	avremo **scritto**	scrivemmo	avemmo **scritto**
voi	scriverete	avrete **scritto**	scriveste	aveste **scritto**
loro	scriveranno	avranno **scritto**	**scrissero**	ebbero **scritto**

MODO CONGIUNTIVO

	Presente	*Imperfetto*	*Passato*	*Trapassato*
io	scriva	scrivessi	abbia **scritto**	avessi **scritto**
tu	scriva	scrivessi	abbia **scritto**	avessi **scritto**
lui,lei	scriva	scrivesse	abbia **scritto**	avesse **scritto**
noi	scriviamo	scrivessimo	abbiamo **scritto**	avessimo **scritto**
voi	scriviate	scriveste	abbiate **scritto**	aveste **scritto**
loro	scrivano	scrivessero	abbiano **scritto**	avessero **scritto**

MODO CONDIZIONALE / MODO IMPERATIVO

	Semplice	*Composto*	*Diretto*	*Indiretto*
io	scriverei	avrei **scritto**		
tu	scriveresti	avresti **scritto**	scrivi !	
lui,lei	scriverebbe	avrebbe **scritto**		scriva !
noi	scriveremmo	avremmo **scritto**	scriviamo !	
voi	scrivereste	avreste **scritto**	scrivete !	
loro	scriverebbero	avrebbero **scritto**		scrivano !

MODO GERUNDIO / MODO INFINITO / MODO PARTICIPIO

MODO GERUNDIO *Semplice*	MODO GERUNDIO *Composto*	MODO INFINITO *Semplice*	MODO INFINITO *Composto*	MODO PARTICIPIO *Presente*	MODO PARTICIPIO *Passato*
scrivendo	avendo **scritto**	scrivere	avere **scritto**	scrivente	**scritto**

SCUOTERE to shake - secouer - schütteln - sacudir/agitar

MODO INDICATIVO

	Presente	*Imperfetto*	*Passato prossimo*		*Trapassato pross.*	
io	scuoto	**scotevo**	ho	**scosso**	avevo	**scosso**
tu	scuoti	**scotevi**	hai	**scosso**	avevi	**scosso**
lui,lei	scuote	**scoteva**	ha	**scosso**	aveva	**scosso**
noi	**scotiamo**	**scotevamo**	abbiamo	**scosso**	avevamo	**scosso**
voi	**scotete**	**scotevate**	avete	**scosso**	avevate	**scosso**
loro	scuotono	**scotevano**	hanno	**scosso**	avevano	**scosso**

	Futuro sempl.	*Futuro comp.*		*Passato remoto*	*Trapassato rem.*	
io	**scoterò**	avrò	**scosso**	**scossi**	ebbi	**scosso**
tu	**scoterai**	avrai	**scosso**	**scotesti**	avesti	**scosso**
lui,lei	**scoterà**	avrà	**scosso**	**scosse**	ebbe	**scosso**
noi	**scoteremo**	avremo	**scosso**	**scotemmo**	avemmo	**scosso**
voi	**scoterete**	avrete	**scosso**	**scoteste**	aveste	**scosso**
loro	**scoteranno**	avranno	**scosso**	**scossero**	ebbero	**scosso**

MODO CONGIUNTIVO

	Presente	*Imperfetto*	*Passato*		*Trapassato*	
io	scuota	**scotessi**	abbia	**scosso**	avessi	**scosso**
tu	scuota	**scotessi**	abbia	**scosso**	avessi	**scosso**
lui,lei	scuota	**scotesse**	abbia	**scosso**	avesse	**scosso**
noi	**scotiamo**	**scotessimo**	abbiamo	**scosso**	avessimo	**scosso**
voi	**scotiate**	**scoteste**	abbiate	**scosso**	aveste	**scosso**
loro	scuotano	**scotessero**	abbiano	**scosso**	avessero	**scosso**

MODO CONDIZIONALE / MODO IMPERATIVO

	Semplice	*Composto*		*Diretto*	*Indiretto*
io	**scoterei**	avrei	**scosso**		
tu	**scoteresti**	avresti	**scosso**	scuoti !	
lui,lei	**scoterebbe**	avrebbe	**scosso**		scuota !
noi	**scoteremmo**	avremmo	**scosso**	**scotiamo** !	
voi	**scotereste**	avreste	**scosso**	**scotete** !	
loro	**scoterebbero**	avrebbero	**scosso**		scuotano !

MODO GERUNDIO / MODO INFINITO / MODO PARTICIPIO

MODO GERUNDIO *Semplice*	*Composto*	MODO INFINITO *Semplice*	*Composto*	MODO PARTICIPIO *Presente*	*Passato*
scotendo	avendo **scosso**	scuotere	avere **scosso**	**scotente**	**scosso**

SEDERE to sit - s'asseoir - sitzen - sentar

MODO INDICATIVO

	Presente	*Imperfetto*	*Passato prossimo*		*Trapassato pross.*	
io	**siedo**	sedevo	sono	seduto,a	ero	seduto,a
tu	**siedi**	sedevi	sei	seduto,a	eri	seduto,a
lui,lei	**siede**	sedeva	è	seduto,a	era	seduto,a
noi	sediamo	sedevamo	siamo	seduti,e	eravamo	seduti,e
voi	sedete	sedevate	siete	seduti,e	eravate	seduti,e
loro	**siedono**	sedevano	sono	seduti,e	erano	seduti,e

	Futuro sempl.	*Futuro comp.*		*Passato remoto*	*Trapassato rem.*	
io	sederò	sarò	seduto,a	sedei (-etti)	fui	seduto,a
tu	sederai	sarai	seduto,a	sedesti	fosti	seduto,a
lui,lei	sederà	sarà	seduto,a	sedé (-ette)	fu	seduto,a
noi	sederemo	saremo	seduti,e	sedemmo	fummo	seduti,e
voi	sederete	sarete	seduti,e	sedeste	foste	seduti,e
loro	sederanno	saranno	seduti,e	sederono (-ettero)	furono	seduti,e

MODO CONGIUNTIVO

	Presente	*Imperfetto*	*Passato*		*Trapassato*	
io	**sieda**	sedessi	sia	seduto,a	fossi	seduto,a
tu	**sieda**	sedessi	sia	seduto,a	fossi	seduto,a
lui,lei	**sieda**	sedesse	sia	seduto,a	fosse	seduto,a
noi	sediamo	sedessimo	siamo	seduti,e	fossimo	seduti,e
voi	sediate	sedeste	siate	seduti,e	foste	seduti,e
loro	**siedano**	sedessero	siano	seduti,e	fossero	seduti,e

MODO CONDIZIONALE / MODO IMPERATIVO

	Semplice	*Composto*		*Diretto*	*Indiretto*
io	sederei	sarei	seduto,a		
tu	sederesti	saresti	seduto,a	**siedi** !	
lui,lei	sederebbe	sarebbe	seduto,a		**sieda** !
noi	sederemmo	saremmo	seduti,e	sediamo !	(**segga**) !
voi	sedereste	sareste	seduti,e	sedete !	
loro	sederebbero	sarebbero	seduti,e		**siedano** ! (**seggano**) !

MODO GERUNDIO / MODO INFINITO / MODO PARTICIPIO

MODO GERUNDIO *Semplice*	*Composto*	MODO INFINITO *Semplice*	*Composto*	MODO PARTICIPIO *Presente*	*Passato*
sedendo	essendo seduto,...	sedere	essere seduto,...	sedente	seduto,...

SOFFRIRE to suffer - souffrir - leiden - sufrir

MODO INDICATIVO

Presente		*Imperfetto*	*Passato prossimo*		*Trapassato pross.*	
io	soffro	soffrivo	ho	**sofferto**	avevo	**sofferto**
tu	soffri	soffrivi	hai	**sofferto**	avevi	**sofferto**
lui,lei	soffre	soffriva	ha	**sofferto**	aveva	**sofferto**
noi	soffriamo	soffrivamo	abbiamo	**sofferto**	avevamo	**sofferto**
voi	soffrite	soffrivate	avete	**sofferto**	avevate	**sofferto**
loro	soffrono	soffrivano	hanno	**sofferto**	avevano	**sofferto**

Futuro sempl.		*Futuro comp.*		*Passato remoto*	*Trapassato rem.*	
io	soffrirò	avrò	**sofferto**	soffrii	ebbi	**sofferto**
tu	soffrirai	avrai	**sofferto**	soffristi	avesti	**sofferto**
lui,lei	soffrirà	avrà	**sofferto**	soffrì	ebbe	**sofferto**
noi	soffriremo	avremo	**sofferto**	soffrimmo	avemmo	**sofferto**
voi	soffrirete	avrete	**sofferto**	soffriste	aveste	**sofferto**
loro	soffriranno	avranno	**sofferto**	soffrirono	ebbero	**sofferto**

MODO CONGIUNTIVO

Presente		*Imperfetto*	*Passato*		*Trapassato*	
io	soffra	soffrissi	abbia	**sofferto**	avessi	**sofferto**
tu	soffra	soffrissi	abbia	**sofferto**	avessi	**sofferto**
lui,lei	soffra	soffrisse	abbia	**sofferto**	avesse	**sofferto**
noi	soffriamo	soffrissimo	abbiamo	**sofferto**	avessimo	**sofferto**
voi	soffriate	soffriste	abbiate	**sofferto**	aveste	**sofferto**
loro	soffrano	soffrissero	abbiano	**sofferto**	avessero	**sofferto**

MODO CONDIZIONALE

Semplice		*Composto*	
io	soffrirei	avrei	**sofferto**
tu	soffriresti	avresti	**sofferto**
lui,lei	soffrirebbe	avrebbe	**sofferto**
noi	soffriremmo	avremmo	**sofferto**
voi	soffrireste	avreste	**sofferto**
loro	soffrirebbero	avrebbero	**sofferto**

MODO IMPERATIVO

Diretto	*Indiretto*
soffri !	
	soffra !
soffriamo !	
soffrite !	
	soffrano !

MODO GERUNDIO

Semplice	*Composto*
soffrendo	avendo **sofferto**

MODO INFINITO

Semplice	*Composto*
soffrire	avere **sofferto**

MODO PARTICIPIO

Presente	*Passato*
sofferente (soffrente)	**sofferto**

SOSPENDERE
to suspend - suspendre - unterbrechen - suspender

MODO INDICATIVO

Presente		*Imperfetto*	*Passato prossimo*		*Trapassato pross.*	
io	sospendo	sospendevo	ho	**sospeso**	avevo	**sospeso**
tu	sospendi	sospendevi	hai	**sospeso**	avevi	**sospeso**
lui,lei	sospende	sospendeva	ha	**sospeso**	aveva	**sospeso**
noi	sospendiamo	sospendevamo	abbiamo	**sospeso**	avevamo	**sospeso**
voi	sospendete	sospendevate	avete	**sospeso**	avevate	**sospeso**
loro	sospendono	sospendevano	hanno	**sospeso**	avevano	**sospeso**

Futuro sempl.		*Futuro comp.*		*Passato remoto*	*Trapassato rem.*	
io	sospenderò	avrò	**sospeso**	**sospesi**	ebbi	**sospeso**
tu	sospenderai	avrai	**sospeso**	sospendesti	avesti	**sospeso**
lui,lei	sospenderà	avrà	**sospeso**	**sospese**	ebbe	**sospeso**
noi	sospenderemo	avremo	**sospeso**	sospendemmo	avemmo	**sospeso**
voi	sospenderete	avrete	**sospeso**	sospendeste	aveste	**sospeso**
loro	sospenderanno	avranno	**sospeso**	**sospesero**	ebbero	**sospeso**

MODO CONGIUNTIVO

Presente		*Imperfetto*	*Passato*		*Trapassato*	
io	sospenda	sospendessi	abbia	**sospeso**	avessi	**sospeso**
tu	sospenda	sospendessi	abbia	**sospeso**	avessi	**sospeso**
lui,lei	sospenda	sospendesse	abbia	**sospeso**	avesse	**sospeso**
noi	sospendiamo	sospendessimo	abbiamo	**sospeso**	avessimo	**sospeso**
voi	sospendiate	sospendeste	abbiate	**sospeso**	aveste	**sospeso**
loro	sospendano	sospendessero	abbiano	**sospeso**	avessero	**sospeso**

MODO CONDIZIONALE

Semplice		*Composto*	
io	sospenderei	avrei	**sospeso**
tu	sospenderesti	avresti	**sospeso**
lui,lei	sospenderebbe	avrebbe	**sospeso**
noi	sospenderemmo	avremmo	**sospeso**
voi	sospendereste	avreste	**sospeso**
loro	sospenderebbero	avrebbero	**sospeso**

MODO IMPERATIVO

Diretto	*Indiretto*
sospendi !	
	sospenda !
sospendiamo !	
sospendete !	
	sospendano !

MODO GERUNDIO

Semplice	*Composto*
sospendendo	avendo **sospeso**

MODO INFINITO

Semplice	*Composto*
sospendere	avere **sospeso**

MODO PARTICIPIO

Presente	*Passato*
sospendente	**sospeso**

SPARGERE
to scatter - répandre - austreuen/verbreiten - desparramar

MODO INDICATIVO

Presente		*Imperfetto*	*Passato prossimo*		*Trapassato pross.*	
io	spargo	spargevo	ho	**sparso**	avevo	**sparso**
tu	spargi	spargevi	hai	**sparso**	avevi	**sparso**
lui,lei	sparge	spargeva	ha	**sparso**	aveva	**sparso**
noi	spargiamo	spargevamo	abbiamo	**sparso**	avevamo	**sparso**
voi	spargete	spargevate	avete	**sparso**	avevate	**sparso**
loro	spargono	spargevano	hanno	**sparso**	avevano	**sparso**

Futuro sempl.		*Futuro comp.*		*Passato remoto*	*Trapassato rem.*	
io	spargerò	avrò	**sparso**	**sparsi**	ebbi	**sparso**
tu	spargerai	avrai	**sparso**	spargesti	avesti	**sparso**
lui,lei	spargerà	avrà	**sparso**	**sparse**	ebbe	**sparso**
noi	spargeremo	avremo	**sparso**	spargemmo	avemmo	**sparso**
voi	spargerete	avrete	**sparso**	spargeste	aveste	**sparso**
loro	spargeranno	avranno	**sparso**	**sparsero**	ebbero	**sparso**

MODO CONGIUNTIVO

Presente		*Imperfetto*	*Passato*		*Trapassato*	
io	sparga	spargessi	abbia	**sparso**	avessi	**sparso**
tu	sparga	spargessi	abbia	**sparso**	avessi	**sparso**
lui,lei	sparga	spargesse	abbia	**sparso**	avesse	**sparso**
noi	spargiamo	spargessimo	abbiamo	**sparso**	avessimo	**sparso**
voi	spargiate	spargeste	abbiate	**sparso**	aveste	**sparso**
loro	spargano	spargessero	abbiano	**sparso**	avessero	**sparso**

MODO CONDIZIONALE

Semplice		*Composto*	
io	spargerei	avrei	**sparso**
tu	spargeresti	avresti	**sparso**
lui,lei	spargerebbe	avrebbe	**sparso**
noi	spargeremmo	avremmo	**sparso**
voi	spargereste	avreste	**sparso**
loro	spargerebbero	avrebbero	**sparso**

MODO IMPERATIVO

Diretto	*Indiretto*
spargi !	
	sparga !
spargiamo !	
spargete !	
	spargano !

MODO GERUNDIO

Semplice	*Composto*
spargendo	avendo **sparso**

MODO INFINITO

Semplice	*Composto*
spargere	avere **sparso**

MODO PARTICIPIO

Presente	*Passato*
spargente	**sparso**

SPEGNERE to put out/to turn off - éteindre - auslöschen - apagar

MODO INDICATIVO

Presente		*Imperfetto*	*Passato prossimo*		*Trapassato pross.*	
io	**spengo**	spegnevo	ho	**spento**	avevo	**spento**
tu	spegni	spegnevi	hai	**spento**	avevi	**spento**
lui,lei	spegne	spegneva	ha	**spento**	aveva	**spento**
noi	spegniamo	spegnevamo	abbiamo	**spento**	avevamo	**spento**
voi	spegnete	spegnevate	avete	**spento**	avevate	**spento**
loro	**spengono**	spegnevano	hanno	**spento**	avevano	**spento**

Futuro sempl.		*Futuro comp.*		*Passato remoto*	*Trapassato rem.*	
io	spegnerò	avrò	**spento**	**spensi**	ebbi	**spento**
tu	spegnerai	avrai	**spento**	spegnesti	avesti	**spento**
lui,lei	spegnerà	avrà	**spento**	**spense**	ebbe	**spento**
noi	spegneremo	avremo	**spento**	spegnemmo	avemmo	**spento**
voi	spegnerete	avrete	**spento**	spegneste	aveste	**spento**
loro	spegneranno	avranno	**spento**	**spensero**	ebbero	**spento**

MODO CONGIUNTIVO

Presente		*Imperfetto*	*Passato*		*Trapassato*	
io	**spenga**	spegnessi	abbia	**spento**	avessi	**spento**
tu	**spenga**	spegnessi	abbia	**spento**	avessi	**spento**
lui,lei	**spenga**	spegnesse	abbia	**spento**	avesse	**spento**
noi	spegniamo	spegnessimo	abbiamo	**spento**	avessimo	**spento**
voi	spegniate	spegneste	abbiate	**spento**	aveste	**spento**
loro	**spengano**	spegnessero	abbiano	**spento**	avessero	**spento**

MODO CONDIZIONALE

Semplice		*Composto*	
io	spegnerei	avrei	**spento**
tu	spegneresti	avresti	**spento**
lui,lei	spegnerebbe	avrebbe	**spento**
noi	spegneremmo	avremmo	**spento**
voi	spegnereste	avreste	**spento**
loro	spegnerebbero	avrebbero	**spento**

MODO IMPERATIVO

Diretto	*Indiretto*
spegni !	
	spenga !
spegniamo !	
spegnete !	
	spengano !

MODO GERUNDIO

Semplice	*Composto*
spegnendo	avendo **spento**

MODO INFINITO

Semplice	*Composto*
spegnere	avere **spento**

MODO PARTICIPIO

Presente	*Passato*
spegnente	**spento**

SPENDERE

to spend - dépenser - ausgeben - gastar

MODO INDICATIVO

Presente		*Imperfetto*	*Passato prossimo*		*Trapassato pross.*	
io	spendo	spendevo	ho	**speso**	avevo	**speso**
tu	spendi	spendevi	hai	**speso**	avevi	**speso**
lui,lei	spende	spendeva	ha	**speso**	aveva	**speso**
noi	spendiamo	spendevamo	abbiamo	**speso**	avevamo	**speso**
voi	spendete	spendevate	avete	**speso**	avevate	**speso**
loro	spendono	spendevano	hanno	**speso**	avevano	**speso**

Futuro sempl.		*Futuro comp.*		*Passato remoto*	*Trapassato rem.*	
io	spenderò	avrò	**speso**	**spesi**	ebbi	**speso**
tu	spenderai	avrai	**speso**	spendesti	avesti	**speso**
lui,lei	spenderà	avrà	**speso**	**spese**	ebbe	**speso**
noi	spenderemo	avremo	**speso**	spendemmo	avemmo	**speso**
voi	spenderete	avrete	**speso**	spendeste	aveste	**speso**
loro	spenderanno	avranno	**speso**	**spesero**	ebbero	**speso**

MODO CONGIUNTIVO

Presente		*Imperfetto*	*Passato*		*Trapassato*	
io	spenda	spendessi	abbia	**speso**	avessi	**speso**
tu	spenda	spendessi	abbia	**speso**	avessi	**speso**
lui,lei	spenda	spendesse	abbia	**speso**	avesse	**speso**
noi	spendiamo	spendessimo	abbiamo	**speso**	avessimo	**speso**
voi	spendiate	spendeste	abbiate	**speso**	aveste	**speso**
loro	spendano	spendessero	abbiano	**speso**	avessero	**speso**

MODO CONDIZIONALE

Semplice		*Composto*	
io	spenderei	avrei	**speso**
tu	spenderesti	avresti	**speso**
lui,lei	spenderebbe	avrebbe	**speso**
noi	spenderemmo	avremmo	**speso**
voi	spendereste	avreste	**speso**
loro	spenderebbero	avrebbero	**speso**

MODO IMPERATIVO

Diretto	*Indiretto*
spendi !	
	spenda !
spendiamo !	
spendete !	
	spendano !

MODO GERUNDIO

Semplice	*Composto*
spendendo	avendo **speso**

MODO INFINITO

Semplice	*Composto*
spendere	avere **speso**

MODO PARTICIPIO

Presente	*Passato*
spendente	**speso**

SPINGERE to push - pousser - stoßen - empujar

MODO INDICATIVO

	Presente	*Imperfetto*	*Passato prossimo*	*Trapassato pross.*
io	spingo	spingevo	ho **spinto**	avevo **spinto**
tu	spingi	spingevi	hai **spinto**	avevi **spinto**
lui,lei	spinge	spingeva	ha **spinto**	aveva **spinto**
noi	spingiamo	spingevamo	abbiamo **spinto**	avevamo **spinto**
voi	spingete	spingevate	avete **spinto**	avevate **spinto**
loro	spingono	spingevano	hanno **spinto**	avevano **spinto**

	Futuro sempl.	*Futuro comp.*	*Passato remoto*	*Trapassato rem.*
io	spingerò	avrò **spinto**	**spinsi**	ebbi **spinto**
tu	spingerai	avrai **spinto**	spingesti	avesti **spinto**
lui,lei	spingerà	avrà **spinto**	**spinse**	ebbe **spinto**
noi	spingeremo	avremo **spinto**	spingemmo	avemmo **spinto**
voi	spingerete	avrete **spinto**	spingeste	aveste **spinto**
loro	spingeranno	avranno **spinto**	**spinsero**	ebbero **spinto**

MODO CONGIUNTIVO

	Presente	*Imperfetto*	*Passato*	*Trapassato*
io	spinga	spingessi	abbia **spinto**	avessi **spinto**
tu	spinga	spingessi	abbia **spinto**	avessi **spinto**
lui,lei	spinga	spingesse	abbia **spinto**	avesse **spinto**
noi	spingiamo	spingessimo	abbiamo **spinto**	avessimo **spinto**
voi	spingiate	spingeste	abbiate **spinto**	aveste **spinto**
loro	spingano	spingessero	abbiano **spinto**	avessero **spinto**

MODO CONDIZIONALE

	Semplice	*Composto*
io	spingerei	avrei **spinto**
tu	spingeresti	avresti **spinto**
lui,lei	spingerebbe	avrebbe **spinto**
noi	spingeremmo	avremmo **spinto**
voi	spingereste	avreste **spinto**
loro	spingerebbero	avrebbero **spinto**

MODO IMPERATIVO

Diretto	*Indiretto*
spingi !	
	spinga !
spingiamo !	
spingete !	
	spingano !

MODO GERUNDIO

Semplice	*Composto*
spingendo	avendo **spinto**

MODO INFINITO

Semplice	*Composto*
spingere	avere **spinto**

MODO PARTICIPIO

Presente	*Passato*
spingente	**spinto**

STARE to stay - rester/être - bleiben/sein - estar

MODO INDICATIVO

Presente		*Imperfetto*		*Passato prossimo*		*Trapassato pross.*	
io	sto	stavo		sono	stato,a	ero	stato,a
tu	**stai**	stavi		sei	stato,a	eri	stato,a
lui,lei	sta	stava		è	stato,a	era	stato,a
noi	stiamo	stavamo		siamo	stati,e	eravamo	stati,e
voi	state	stavate		siete	stati,e	eravate	stati,e
loro	**stanno**	stavano		sono	stati,e	erano	stati,e
Futuro sempl.		*Futuro comp.*		*Passato remoto*		*Trapassato rem.*	
io	**starò**	sarò	stato,a	**stetti**		fui	stato,a
tu	**starai**	sarai	stato,a	**stesti**		fosti	stato,a
lui,lei	**starà**	sarà	stato,a	**stette**		fu	stato,a
noi	**staremo**	saremo	stati,e	**stemmo**		fummo	stati,e
voi	**starete**	sarete	stati,e	**steste**		foste	stati,e
loro	**staranno**	saranno	stati,e	**stettero**		furono	stati,e

MODO CONGIUNTIVO

Presente		*Imperfetto*	*Passato*		*Trapassato*	
io	**stia**	**stessi**	sia	stato,a	fossi	stato,a
tu	**stia**	**stessi**	sia	stato,a	fossi	stato,a
lui,lei	**stia**	**stesse**	sia	stato,a	fosse	stato,a
noi	stiamo	**stessimo**	siamo	stati,e	fossimo	stati,e
voi	stiate	**steste**	siate	stati,e	foste	stati,e
loro	**stiano**	**stessero**	siano	stati,e	fossero	stati,e

MODO CONDIZIONALE / MODO IMPERATIVO

Semplice		*Composto*		*Diretto*	*Indiretto*
io	**starei**	sarei	stato,a		
tu	**staresti**	saresti	stato,a	**sta'** (**stai**) !	
lui,lei	**starebbe**	sarebbe	stato,a		**stia** !
noi	**staremmo**	saremmo	stati,e	stiamo !	
voi	**stareste**	sareste	stati,e	state !	
loro	**starebbero**	sarebbero	stati,e		**stiano** !

MODO GERUNDIO / MODO INFINITO / MODO PARTICIPIO

Semplice	*Composto*	*Semplice*	*Composto*	*Presente*	*Passato*
stando	essendo stato,...	stare	essere stato,...	stante	stato,...

STRINGERE to clasp - serrer - drücken - apretar

MODO INDICATIVO

	Presente	*Imperfetto*	*Passato prossimo*	*Trapassato pross.*
io	stringo	stringevo	ho **stretto**	avevo **stretto**
tu	stringi	stringevi	hai **stretto**	avevi **stretto**
lui,lei	stringe	stringeva	ha **stretto**	aveva **stretto**
noi	stringiamo	stringevamo	abbiamo **stretto**	avevamo **stretto**
voi	stringete	stringevate	avete **stretto**	avevate **stretto**
loro	stringono	stringevano	hanno **stretto**	avevano **stretto**

	Futuro sempl.	*Futuro comp.*	*Passato remoto*	*Trapassato rem.*
io	stringerò	avrò **stretto**	**strinsi**	ebbi **stretto**
tu	stringerai	avrai **stretto**	stringesti	avesti **stretto**
lui,lei	stringerà	avrà **stretto**	**strinse**	ebbe **stretto**
noi	stringeremo	avremo **stretto**	stringemmo	avemmo **stretto**
voi	stringerete	avrete **stretto**	stringeste	aveste **stretto**
loro	stringeranno	avranno **stretto**	**strinsero**	ebbero **stretto**

MODO CONGIUNTIVO

	Presente	*Imperfetto*	*Passato*	*Trapassato*
io	stringa	stringessi	abbia **stretto**	avessi **stretto**
tu	stringa	stringessi	abbia **stretto**	avessi **stretto**
lui,lei	stringa	stringesse	abbia **stretto**	avesse **stretto**
noi	stringiamo	stringessimo	abbiamo **stretto**	avessimo **stretto**
voi	stringiate	stringeste	abbiate **stretto**	aveste **stretto**
loro	stringano	stringessero	abbiano **stretto**	avessero **stretto**

MODO CONDIZIONALE

	Semplice	*Composto*
io	stringerei	avrei **stretto**
tu	stringeresti	avresti **stretto**
lui,lei	stringerebbe	avrebbe **stretto**
noi	stringeremmo	avremmo **stretto**
voi	stringereste	avreste **stretto**
loro	stringerebbero	avrebbero **stretto**

MODO IMPERATIVO

Diretto	*Indiretto*
stringi !	
	stringa !
stringiamo !	
stringete !	
	stringano !

MODO GERUNDIO

Semplice	*Composto*
stringendo	avendo **stretto**

MODO INFINITO

Semplice	*Composto*
stringere	avere **stretto**

MODO PARTICIPIO

Presente	*Passato*
stringente	**stretto**

SUCCEDERE
to happen - arriver - geschehen - suceder

MODO INDICATIVO

Presente	*Imperfetto*	*Passato prossimo*	*Trapassato pross.*
succede	succedeva	è **successo,a**	era **successo,a**
succedono	succedevano	sono **successi,e**	erano **successi,e**

Futuro sempl.	*Futuro comp.*	*Passato remoto*	*Trapassato rem.*
succederà	sarà **successo,a**	**successe**	fu **successo,a**
succederanno	saranno **successi,e**	**successero**	furono **successi,e**

MODO CONGIUNTIVO

Presente	*Imperfetto*	*Passato*	*Trapassato*
succeda	succedesse	sia **successo,a**	fosse **successo,a**
succedano	succedessero	siano **successi,e**	fossero **successi,e**

MODO CONDIZIONALE

Semplice	*Composto*
succederebbe	sarebbe **successo,a**
succederebbero	sarebbero **successi,e**

MODO IMPERATIVO

Diretto	*Indiretto*
-	-
-	-

MODO GERUNDIO

Semplice	*Composto*
succedendo	essendo **successo,...**

MODO INFINITO

Semplice	*Composto*
succedere	essere **successo,...**

MODO PARTICIPIO

Presente	*Passato*
-	**successo,...**

TACERE to silence/to be quiet - se taire - schweigen - acallar/callarse

MODO INDICATIVO

Presente		*Imperfetto*	*Passato prossimo*		*Trapassato pross.*	
io	**taccio**	tacevo	ho	**taciuto**	avevo	**taciuto**
tu	taci	tacevi	hai	**taciuto**	avevi	**taciuto**
lui,lei	tace	taceva	ha	**taciuto**	aveva	**taciuto**
noi	**tacciamo**	tacevamo	abbiamo	**taciuto**	avevamo	**taciuto**
voi	tacete	tacevate	avete	**taciuto**	avevate	**taciuto**
loro	**tacciono**	tacevano	hanno	**taciuto**	avevano	**taciuto**

Futuro sempl.		*Futuro comp.*		*Passato remoto*	*Trapassato rem.*	
io	tacerò	avrò	**taciuto**	**tacqui**	ebbi	**taciuto**
tu	tacerai	avrai	**taciuto**	tacesti	avesti	**taciuto**
lui,lei	tacerà	avrà	**taciuto**	**tacque**	ebbe	**taciuto**
noi	taceremo	avremo	**taciuto**	tacemmo	avemmo	**taciuto**
voi	tacerete	avrete	**taciuto**	taceste	aveste	**taciuto**
loro	taceranno	avranno	**taciuto**	**tacquero**	ebbero	**taciuto**

MODO CONGIUNTIVO

Presente		*Imperfetto*	*Passato*		*Trapassato*	
io	**taccia**	tacessi	abbia	**taciuto**	avessi	**taciuto**
tu	**taccia**	tacessi	abbia	**taciuto**	avessi	**taciuto**
lui,lei	**taccia**	tacesse	abbia	**taciuto**	avesse	**taciuto**
noi	**tacciamo**	tacessimo	abbiamo	**taciuto**	avessimo	**taciuto**
voi	**tacciate**	taceste	abbiate	**taciuto**	aveste	**taciuto**
loro	**tacciano**	tacessero	abbiano	**taciuto**	avessero	**taciuto**

MODO CONDIZIONALE

Semplice		*Composto*	
io	tacerei	avrei	**taciuto**
tu	taceresti	avresti	**taciuto**
lui,lei	tacerebbe	avrebbe	**taciuto**
noi	taceremmo	avremmo	**taciuto**
voi	tacereste	avreste	**taciuto**
loro	tacerebbero	avrebbero	**taciuto**

MODO IMPERATIVO

Diretto	*Indiretto*
taci !	
	taccia !
tacciamo !	
tacete !	
	tacciano !

MODO GERUNDIO

Semplice	*Composto*
tacendo	avendo **taciuto**

MODO INFINITO

Semplice	*Composto*
tacere	avere **taciuto**

MODO PARTICIPIO

Presente	*Passato*
tacente	**taciuto**

TENDERE to stretch - tendre - spannen - estirar/tender

MODO INDICATIVO

	Presente	*Imperfetto*	*Passato prossimo*		*Trapassato pross.*	
io	tendo	tendevo	ho	**teso**	avevo	**teso**
tu	tendi	tendevi	hai	**teso**	avevi	**teso**
lui,lei	tende	tendeva	ha	**teso**	aveva	**teso**
noi	tendiamo	tendevamo	abbiamo	**teso**	avevamo	**teso**
voi	tendete	tendevate	avete	**teso**	avevate	**teso**
loro	tendono	tendevano	hanno	**teso**	avevano	**teso**

	Futuro sempl.	*Futuro comp.*		*Passato remoto*	*Trapassato rem.*	
io	tenderò	avrò	**teso**	**tesi**	ebbi	**teso**
tu	tenderai	avrai	**teso**	tendesti	avesti	**teso**
lui,lei	tenderà	avrà	**teso**	**tese**	ebbe	**teso**
noi	tenderemo	avremo	**teso**	tendemmo	avemmo	**teso**
voi	tenderete	avrete	**teso**	tendeste	aveste	**teso**
loro	tenderanno	avranno	**teso**	**tesero**	ebbero	**teso**

MODO CONGIUNTIVO

	Presente	*Imperfetto*	*Passato*		*Trapassato*	
io	tenda	tendessi	abbia	**teso**	avessi	**teso**
tu	tenda	tendessi	abbia	**teso**	avessi	**teso**
lui,lei	tenda	tendesse	abbia	**teso**	avesse	**teso**
noi	tendiamo	tendessimo	abbiamo	**teso**	avessimo	**teso**
voi	tendiate	tendeste	abbiate	**teso**	aveste	**teso**
loro	tendano	tendessero	abbiano	**teso**	avessero	**teso**

MODO CONDIZIONALE / MODO IMPERATIVO

	Semplice	*Composto*		*Diretto*	*Indiretto*
io	tenderei	avrei	**teso**		
tu	tenderesti	avresti	**teso**	tendi !	
lui,lei	tenderebbe	avrebbe	**teso**		tenda !
noi	tenderemmo	avremmo	**teso**	tendiamo !	
voi	tendereste	avreste	**teso**	tendete !	
loro	tenderebbero	avrebbero	**teso**		tendano !

MODO GERUNDIO

Semplice	*Composto*
tendendo	avendo **teso**

MODO INFINITO

Semplice	*Composto*
tendere	avere **teso**

MODO PARTICIPIO

Presente	*Passato*
tendente	**teso**

TENERE to hold - tenir - halten - tener

MODO INDICATIVO

Presente		*Imperfetto*	*Passato prossimo*		*Trapassato pross.*	
io	**tengo**	tenevo	ho	tenuto	avevo	tenuto
tu	**tieni**	tenevi	hai	tenuto	avevi	tenuto
lui,lei	**tiene**	teneva	ha	tenuto	aveva	tenuto
noi	teniamo	tenevamo	abbiamo	tenuto	avevamo	tenuto
voi	tenete	tenevate	avete	tenuto	avevate	tenuto
loro	**tengono**	tenevano	hanno	tenuto	avevano	tenuto

Futuro sempl.		*Futuro comp.*		*Passato remoto*	*Trapassato rem.*	
io	**terrò**	avrò	tenuto	**tenni**	ebbi	tenuto
tu	**terrai**	avrai	tenuto	tenesti	avesti	tenuto
lui,lei	**terrà**	avrà	tenuto	**tenne**	ebbe	tenuto
noi	**terremo**	avremo	tenuto	tenemmo	avemmo	tenuto
voi	**terrete**	avrete	tenuto	teneste	aveste	tenuto
loro	**terranno**	avranno	tenuto	**tennero**	ebbero	tenuto

MODO CONGIUNTIVO

Presente		*Imperfetto*	*Passato*		*Trapassato*	
io	**tenga**	tenessi	abbia	tenuto	avessi	tenuto
tu	**tenga**	tenessi	abbia	tenuto	avessi	tenuto
lui,lei	**tenga**	tenesse	abbia	tenuto	avesse	tenuto
noi	teniamo	tenessimo	abbiamo	tenuto	avessimo	tenuto
voi	teniate	teneste	abbiate	tenuto	aveste	tenuto
loro	**tengano**	tenessero	abbiano	tenuto	avessero	tenuto

MODO CONDIZIONALE / MODO IMPERATIVO

Semplice		*Composto*		*Diretto*	*Indiretto*
io	**terrei**	avrei	tenuto		
tu	**terresti**	avresti	tenuto	**tieni** !	
lui,lei	**terrebbe**	avrebbe	tenuto		**tenga** !
noi	**terremmo**	avremmo	tenuto	teniamo !	
voi	**terreste**	avreste	tenuto	tenete !	
loro	**terrebbero**	avrebbero	tenuto		**tengano** !

MODO GERUNDIO

Semplice	*Composto*
tenendo	avendo tenuto

MODO INFINITO

Semplice	*Composto*
tenere	avere tenuto

MODO PARTICIPIO

Presente	*Passato*
tenente	tenuto

TINGERE to dye - teindre - färben - teñir

MODO INDICATIVO

Presente		*Imperfetto*	*Passato prossimo*		*Trapassato pross.*	
io	tingo	tingevo	ho	**tinto**	avevo	**tinto**
tu	tingi	tingevi	hai	**tinto**	avevi	**tinto**
lui,lei	tinge	tingeva	ha	**tinto**	aveva	**tinto**
noi	tingiamo	tingevamo	abbiamo	**tinto**	avevamo	**tinto**
voi	tingete	tingevate	avete	**tinto**	avevate	**tinto**
loro	tingono	tingevano	hanno	**tinto**	avevano	**tinto**

Futuro sempl.		*Futuro comp.*		*Passato remoto*	*Trapassato rem.*	
io	tingerò	avrò	**tinto**	**tinsi**	ebbi	**tinto**
tu	tingerai	avrai	**tinto**	tingesti	avesti	**tinto**
lui,lei	tingerà	avrà	**tinto**	**tinse**	ebbe	**tinto**
noi	tingeremo	avremo	**tinto**	tingemmo	avemmo	**tinto**
voi	tingerete	avrete	**tinto**	tingeste	aveste	**tinto**
loro	tingeranno	avranno	**tinto**	**tinsero**	ebbero	**tinto**

MODO CONGIUNTIVO

Presente		*Imperfetto*	*Passato*		*Trapassato*	
io	tinga	tingessi	abbia	**tinto**	avessi	**tinto**
tu	tinga	tingessi	abbia	**tinto**	avessi	**tinto**
lui,lei	tinga	tingesse	abbia	**tinto**	avesse	**tinto**
noi	tingiamo	tingessimo	abbiamo	**tinto**	avessimo	**tinto**
voi	tingiate	tingeste	abbiate	**tinto**	aveste	**tinto**
loro	tingano	tingessero	abbiano	**tinto**	avessero	**tinto**

MODO CONDIZIONALE / MODO IMPERATIVO

Semplice		*Composto*		*Diretto*	*Indiretto*
io	tingerei	avrei	**tinto**		
tu	tingeresti	avresti	**tinto**	tingi !	
lui,lei	tingerebbe	avrebbe	**tinto**		tinga !
noi	tingeremmo	avremmo	**tinto**	tingiamo !	
voi	tingereste	avreste	**tinto**	tingete !	
loro	tingerebbero	avrebbero	**tinto**		tingano !

MODO GERUNDIO / MODO INFINITO / MODO PARTICIPIO

Semplice	*Composto*	*Semplice*	*Composto*	*Presente*	*Passato*
tingendo	avendo **tinto**	tingere	avere **tinto**	tingente	**tinto**

TOGLIERE to remove/to take away - enlever - wegnehmen - quitar/sacar

MODO INDICATIVO

	Presente	*Imperfetto*	*Passato prossimo*		*Trapassato pross.*	
io	**tolgo**	toglievo	ho	**tolto**	avevo	**tolto**
tu	**togli**	toglievi	hai	**tolto**	avevi	**tolto**
lui,lei	toglie	toglieva	ha	**tolto**	aveva	**tolto**
noi	**togliamo**	toglievamo	abbiamo	**tolto**	avevamo	**tolto**
voi	togliete	toglievate	avete	**tolto**	avevate	**tolto**
loro	**tolgono**	toglievano	hanno	**tolto**	avevano	**tolto**

	Futuro sempl.	*Futuro comp.*		*Passato remoto*	*Trapassato rem.*	
io	toglierò	avrò	**tolto**	**tolsi**	ebbi	**tolto**
tu	toglierai	avrai	**tolto**	togliesti	avesti	**tolto**
lui,lei	toglierà	avrà	**tolto**	**tolse**	ebbe	**tolto**
noi	toglieremo	avremo	**tolto**	togliemmo	avemmo	**tolto**
voi	toglierete	avrete	**tolto**	toglieste	aveste	**tolto**
loro	toglieranno	avranno	**tolto**	**tolsero**	ebbero	**tolto**

MODO CONGIUNTIVO

	Presente	*Imperfetto*	*Passato*		*Trapassato*	
io	**tolga**	togliessi	abbia	**tolto**	avessi	**tolto**
tu	**tolga**	togliessi	abbia	**tolto**	avessi	**tolto**
lui,lei	**tolga**	togliesse	abbia	**tolto**	avesse	**tolto**
noi	**togliamo**	togliessimo	abbiamo	**tolto**	avessimo	**tolto**
voi	**togliate**	toglieste	abbiate	**tolto**	aveste	**tolto**
loro	**tolgano**	togliessero	abbiano	**tolto**	avessero	**tolto**

MODO CONDIZIONALE

	Semplice	*Composto*	
io	toglierei	avrei	**tolto**
tu	toglieresti	avresti	**tolto**
lui,lei	toglierebbe	avrebbe	**tolto**
noi	toglieremmo	avremmo	**tolto**
voi	togliereste	avreste	**tolto**
loro	toglierebbero	avrebbero	**tolto**

MODO IMPERATIVO

Diretto	*Indiretto*
togli !	
	tolga !
togliamo !	
togliete !	
	tolgano !

MODO GERUNDIO

Semplice	*Composto*
togliendo	avendo **tolto**

MODO INFINITO

Semplice	*Composto*
togliere	avere **tolto**

MODO PARTICIPIO

Presente	*Passato*
togliente	**tolto**

TRADURRE to translate - traduire - übersetzen - traducir

MODO INDICATIVO

	Presente	*Imperfetto*	*Passato prossimo*		*Trapassato pross.*	
io	**traduco**	**traducevo**	ho	**tradotto**	avevo	**tradotto**
tu	**traduci**	**traducevi**	hai	**tradotto**	avevi	**tradotto**
lui,lei	**traduce**	**traduceva**	ha	**tradotto**	aveva	**tradotto**
noi	**traduciamo**	**traducevamo**	abbiamo	**tradotto**	avevamo	**tradotto**
voi	**traducete**	**traducevate**	avete	**tradotto**	avevate	**tradotto**
loro	**traducono**	**traducevano**	hanno	**tradotto**	avevano	**tradotto**

	Futuro sempl.	*Futuro comp.*		*Passato remoto*	*Trapassato rem.*	
io	**tradurrò**	avrò	**tradotto**	**tradussi**	ebbi	**tradotto**
tu	**tradurrai**	avrai	**tradotto**	**traducesti**	avesti	**tradotto**
lui,lei	**tradurrà**	avrà	**tradotto**	**tradusse**	ebbe	**tradotto**
noi	**tradurremo**	avremo	**tradotto**	**traducemmo**	avemmo	**tradotto**
voi	**tradurrete**	avrete	**tradotto**	**traduceste**	aveste	**tradotto**
loro	**tradurranno**	avranno	**tradotto**	**tradussero**	ebbero	**tradotto**

MODO CONGIUNTIVO

	Presente	*Imperfetto*	*Passato*		*Trapassato*	
io	**traduca**	**traducessi**	abbia	**tradotto**	avessi	**tradotto**
tu	**traduca**	**traducessi**	abbia	**tradotto**	avessi	**tradotto**
lui,lei	**traduca**	**traducesse**	abbia	**tradotto**	avesse	**tradotto**
noi	**traduciamo**	**traducessimo**	abbiamo	**tradotto**	avessimo	**tradotto**
voi	**traduciate**	**traduceste**	abbiate	**tradotto**	aveste	**tradotto**
loro	**traducano**	**traducessero**	abbiano	**tradotto**	avessero	**tradotto**

MODO CONDIZIONALE / MODO IMPERATIVO

	Semplice	*Composto*		*Diretto*	*Indiretto*
io	**tradurrei**	avrei	**tradotto**		
tu	**tradurresti**	avresti	**tradotto**	**traduci** !	
lui,lei	**tradurrebbe**	avrebbe	**tradotto**		**traduca** !
noi	**tradurremmo**	avremmo	**tradotto**	**traduciamo** !	
voi	**tradurreste**	avreste	**tradotto**	**traducete** !	
loro	**tradurrebbero**	avrebbero	**tradotto**		**traducano** !

MODO GERUNDIO / MODO INFINITO / MODO PARTICIPIO

MODO GERUNDIO *Semplice*	MODO GERUNDIO *Composto*	MODO INFINITO *Semplice*	MODO INFINITO *Composto*	MODO PARTICIPIO *Presente*	MODO PARTICIPIO *Passato*
traducendo	avendo **tradotto**	tradurre	avere **tradotto**	**traducente**	**tradotto**

TRARRE to draw from/to pull - tirer - (heraus)ziehen - traer/sacar

MODO INDICATIVO

Presente		*Imperfetto*	*Passato prossimo*		*Trapassato pross.*	
io	**traggo**	**traevo**	ho	**tratto**	avevo	**tratto**
tu	**trai**	**traevi**	hai	**tratto**	avevi	**tratto**
lui,lei	**trae**	**traeva**	ha	**tratto**	aveva	**tratto**
noi	**traiamo**	**traevamo**	abbiamo	**tratto**	avevamo	**tratto**
voi	**traete**	**traevate**	avete	**tratto**	avevate	**tratto**
loro	**traggono**	**traevano**	hanno	**tratto**	avevano	**tratto**

Futuro sempl.		*Futuro comp.*		*Passato remoto*	*Trapassato rem.*	
io	**trarrò**	avrò	**tratto**	**trassi**	ebbi	**tratto**
tu	**trarrai**	avrai	**tratto**	**traesti**	avesti	**tratto**
lui,lei	**trarrà**	avrà	**tratto**	**trasse**	ebbe	**tratto**
noi	**trarremo**	avremo	**tratto**	**traemmo**	avemmo	**tratto**
voi	**trarrete**	avrete	**tratto**	**traeste**	aveste	**tratto**
loro	**trarranno**	avranno	**tratto**	**trassero**	ebbero	**tratto**

MODO CONGIUNTIVO

Presente		*Imperfetto*	*Passato*		*Trapassato*	
io	**tragga**	**traessi**	abbia	**tratto**	avessi	**tratto**
tu	**tragga**	**traessi**	abbia	**tratto**	avessi	**tratto**
lui,lei	**tragga**	**traesse**	abbia	**tratto**	avesse	**tratto**
noi	**traiamo**	**traessimo**	abbiamo	**tratto**	avessimo	**tratto**
voi	**traiate**	**traeste**	abbiate	**tratto**	aveste	**tratto**
loro	**traggano**	**traessero**	abbiano	**tratto**	avessero	**tratto**

MODO CONDIZIONALE

Semplice		*Composto*	
io	**trarrei**	avrei	**tratto**
tu	**trarresti**	avresti	**tratto**
lui,lei	**trarrebbe**	avrebbe	**tratto**
noi	**trarremmo**	avremmo	**tratto**
voi	**trarreste**	avreste	**tratto**
loro	**trarrebbero**	avrebbero	**tratto**

MODO IMPERATIVO

Diretto	*Indiretto*
trai !	
	tragga !
traiamo !	
traete !	
	traggano !

MODO GERUNDIO

Semplice	*Composto*
traendo	avendo **tratto**

MODO INFINITO

Semplice	*Composto*
trarre	avere **tratto**

MODO PARTICIPIO

Presente	*Passato*
traente	**tratto**

UCCIDERE
to kill - tuer - töten - matar

MODO INDICATIVO

Presente		Imperfetto	Passato prossimo		Trapassato pross.	
io	uccido	uccidevo	ho	**ucciso**	avevo	**ucciso**
tu	uccidi	uccidevi	hai	**ucciso**	avevi	**ucciso**
lui,lei	uccide	uccideva	ha	**ucciso**	aveva	**ucciso**
noi	uccidiamo	uccidevamo	abbiamo	**ucciso**	avevamo	**ucciso**
voi	uccidete	uccidevate	avete	**ucciso**	avevate	**ucciso**
loro	uccidono	uccidevano	hanno	**ucciso**	avevano	**ucciso**

Futuro sempl.		Futuro comp.		Passato remoto	Trapassato rem.	
io	ucciderò	avrò	**ucciso**	**uccisi**	ebbi	**ucciso**
tu	ucciderai	avrai	**ucciso**	uccidesti	avesti	**ucciso**
lui,lei	ucciderà	avrà	**ucciso**	**uccise**	ebbe	**ucciso**
noi	uccideremo	avremo	**ucciso**	uccidemmo	avemmo	**ucciso**
voi	ucciderete	avrete	**ucciso**	uccideste	aveste	**ucciso**
loro	uccideranno	avranno	**ucciso**	**uccisero**	ebbero	**ucciso**

MODO CONGIUNTIVO

Presente		Imperfetto	Passato		Trapassato	
io	uccida	uccidessi	abbia	**ucciso**	avessi	**ucciso**
tu	uccida	uccidessi	abbia	**ucciso**	avessi	**ucciso**
lui,lei	uccida	uccidesse	abbia	**ucciso**	avesse	**ucciso**
noi	uccidiamo	uccidessimo	abbiamo	**ucciso**	avessimo	**ucciso**
voi	uccidiate	uccideste	abbiate	**ucciso**	aveste	**ucciso**
loro	uccidano	uccidessero	abbiano	**ucciso**	avessero	**ucciso**

MODO CONDIZIONALE

Semplice		Composto	
io	ucciderei	avrei	**ucciso**
tu	uccideresti	avresti	**ucciso**
lui,lei	ucciderebbe	avrebbe	**ucciso**
noi	uccideremmo	avremmo	**ucciso**
voi	uccidereste	avreste	**ucciso**
loro	ucciderebbero	avrebbero	**ucciso**

MODO IMPERATIVO

Diretto	Indiretto
uccidi !	
	uccida !
uccidiamo !	
uccidete !	
	uccidano !

MODO GERUNDIO

Semplice	Composto
uccidendo	avendo **ucciso**

MODO INFINITO

Semplice	Composto
uccidere	avere **ucciso**

MODO PARTICIPIO

Presente	Passato
uccidente	**ucciso**

UDIRE to hear - entendre - hören - oír

MODO INDICATIVO

Presente		*Imperfetto*	*Passato prossimo*		*Trapassato pross.*	
io	**odo**	udivo	ho	udito	avevo	udito
tu	**odi**	udivi	hai	udito	avevi	udito
lui,lei	**ode**	udiva	ha	udito	aveva	udito
noi	udiamo	udivamo	abbiamo	udito	avevamo	udito
voi	udite	udivate	avete	udito	avevate	udito
loro	**odono**	udivano	hanno	udito	avevano	udito

Futuro sempl.		*Futuro comp.*		*Passato remoto*	*Trapassato rem.*	
io	udirò	avrò	udito	udii	ebbi	udito
tu	udirai	avrai	udito	udisti	avesti	udito
lui,lei	udirà	avrà	udito	udì	ebbe	udito
noi	udiremo	avremo	udito	udimmo	avemmo	udito
voi	udirete	avrete	udito	udiste	aveste	udito
loro	udiranno	avranno	udito	udirono	ebbero	udito

MODO CONGIUNTIVO

Presente		*Imperfetto*	*Passato*		*Trapassato*	
io	**oda**	udissi	abbia	udito	avessi	udito
tu	**oda**	udissi	abbia	udito	avessi	udito
lui,lei	**oda**	udisse	abbia	udito	avesse	udito
noi	udiamo	udissimo	abbiamo	udito	avessimo	udito
voi	udiate	udiste	abbiate	udito	aveste	udito
loro	**odano**	udissero	abbiano	udito	avessero	udito

MODO CONDIZIONALE

Semplice		*Composto*	
io	udirei	avrei	udito
tu	udiresti	avresti	udito
lui,lei	udirebbe	avrebbe	udito
noi	udiremmo	avremmo	udito
voi	udireste	avreste	udito
loro	udirebbero	avrebbero	udito

MODO IMPERATIVO

Diretto	*Indiretto*
odi !	
	oda !
udiamo !	
udite !	
	odano !

MODO GERUNDIO

Semplice	*Composto*
udendo	avendo udito

MODO INFINITO

Semplice	*Composto*
udire	avere udito

MODO PARTICIPIO

Presente	*Passato*
udente	udito

USCIRE
to leave - sortir - hinausgehen - salir

MODO INDICATIVO

Presente		Imperfetto	Passato prossimo		Trapassato pross.	
io	**esco**	uscivo	sono	uscito,a	ero	uscito,a
tu	**esci**	uscivi	sei	uscito,a	eri	uscito,a
lui,lei	**esce**	usciva	è	uscito,a	era	uscito,a
noi	usciamo	uscivamo	siamo	usciti,e	eravamo	usciti,e
voi	uscite	uscivate	siete	usciti,e	eravate	usciti,e
loro	**escono**	uscivano	sono	usciti,e	erano	usciti,e

Futuro sempl.		Futuro comp.		Passato remoto	Trapassato rem.	
io	uscirò	sarò	uscito,a	uscii	fui	uscito,a
tu	uscirai	sarai	uscito,a	uscisti	fosti	uscito,a
lui,lei	uscirà	sarà	uscito,a	uscì	fu	uscito,a
noi	usciremo	saremo	usciti,e	uscimmo	fummo	usciti,e
voi	uscirete	sarete	usciti,e	usciste	foste	usciti,e
loro	usciranno	saranno	usciti,e	uscirono	furono	usciti,e

MODO CONGIUNTIVO

Presente		Imperfetto	Passato		Trapassato	
io	**esca**	uscissi	sia	uscito,a	fossi	uscito,a
tu	**esca**	uscissi	sia	uscito,a	fossi	uscito,a
lui,lei	**esca**	uscisse	sia	uscito,a	fosse	uscito,a
noi	usciamo	uscissimo	siamo	usciti,e	fossimo	usciti,e
voi	usciate	usciste	siate	usciti,e	foste	usciti,e
loro	**escano**	uscissero	siano	usciti,e	fossero	usciti,e

MODO CONDIZIONALE

Semplice		Composto	
io	uscirei	sarei	uscito,a
tu	usciresti	saresti	uscito,a
lui,lei	uscirebbe	sarebbe	uscito,a
noi	usciremmo	saremmo	usciti,e
voi	uscireste	sareste	usciti,e
loro	uscirebbero	sarebbero	usciti,e

MODO IMPERATIVO

Diretto	Indiretto
esci !	
	esca !
usciamo !	
uscite !	
	escano !

MODO GERUNDIO

Semplice	Composto
uscendo	essendo uscito,...

MODO INFINITO

Semplice	Composto
uscire	essere uscito,...

MODO PARTICIPIO

Presente	Passato
uscente	uscito,...

VALERE

to be good/to be worth - valoir - gelten/wert sein - servir/ser útil/valer

MODO INDICATIVO

Presente		*Imperfetto*	*Passato prossimo*		*Trapassato pross.*	
io	**valgo**	valevo	sono	**valso,a**	ero	**valso,a**
tu	vali	valevi	sei	**valso,a**	eri	**valso,a**
lui,lei	vale	valeva	è	**valso,a**	era	**valso,a**
noi	valiamo	valevamo	siamo	**valsi,e**	eravamo	**valsi,e**
voi	valete	valevate	siete	**valsi,e**	eravate	**valsi,e**
loro	**valgono**	valevano	sono	**valsi,e**	erano	**valsi,e**

Futuro sempl.		*Futuro comp.*		*Passato remoto*	*Trapassato rem.*	
io	**varrò**	sarò	**valso,a**	**valsi**	fui	**valso,a**
tu	**varrai**	sarai	**valso,a**	valesti	fosti	**valso,a**
lui,lei	**varrà**	sarà	**valso,a**	**valse**	fu	**valso,a**
noi	**varremo**	saremo	**valsi,e**	valemmo	fummo	**valsi,e**
voi	**varrete**	sarete	**valsi,e**	valeste	foste	**valsi,e**
loro	**varranno**	saranno	**valsi,e**	**valsero**	furono	**valsi,e**

MODO CONGIUNTIVO

Presente		*Imperfetto*	*Passato*		*Trapassato*	
io	**valga**	valessi	sia	**valso,a**	fossi	**valso.a**
tu	**valga**	valessi	sia	**valso,a**	fossi	**valso.a**
lui,lei	**valga**	valesse	sia	**valso,a**	fosse	**valso.a**
noi	valiamo	valessimo	siamo	**valsi,e**	fossimo	**valsi.e**
voi	valiate	valeste	siate	**valsi,e**	foste	**valsi.e**
loro	**valgano**	valessero	siano	**valsi,e**	fossero	**valsi.e**

MODO CONDIZIONALE

Semplice		*Composto*	
io	**varrei**	sarei	**valso,a**
tu	**varresti**	saresti	**valso,a**
lui,lei	**varrebbe**	sarebbe	**valso,a**
noi	**varremmo**	saremmo	**valsi,e**
voi	**varreste**	sareste	**valsi,e**
loro	**varrebbero**	sarebbero	**valsi,e**

MODO IMPERATIVO

Diretto	*Indiretto*
–	
	–
–	
–	
	–

MODO GERUNDIO

Semplice	*Composto*
valendo	essendo **valso,...**

MODO INFINITO

Semplice	*Composto*
valere	essere **valso,...**

MODO PARTICIPIO

Presente	*Passato*
valente	**valso,...**

VEDERE to see - voir - sehen - ver

MODO INDICATIVO

Presente		*Imperfetto*	*Passato prossimo*		*Trapassato pross.*	
io	vedo	vedevo	ho	**visto**	avevo	**visto**
tu	vedi	vedevi	hai	**visto**	avevi	**visto**
lui,lei	vede	vedeva	ha	**visto**	aveva	**visto**
noi	vediamo	vedevamo	abbiamo	**visto**	avevamo	**visto**
voi	vedete	vedevate	avete	**visto**	avevate	**visto**
loro	vedono	vedevano	hanno	**visto**	avevano	**visto**

Futuro sempl.		*Futuro comp.*		*Passato remoto*	*Trapassato rem.*	
io	**vedrò**	avrò	**visto**	**vidi**	ebbi	**visto**
tu	**vedrai**	avrai	**visto**	vedesti	avesti	**visto**
lui,lei	**vedrà**	avrà	**visto**	**vide**	ebbe	**visto**
noi	**vedremo**	avremo	**visto**	vedemmo	avemmo	**visto**
voi	**vedrete**	avrete	**visto**	vedeste	aveste	**visto**
loro	**vedranno**	avranno	**visto**	**videro**	ebbero	**visto**

MODO CONGIUNTIVO

Presente		*Imperfetto*	*Passato*		*Trapassato*	
io	veda	vedessi	abbia	**visto**	avessi	**visto**
tu	veda	vedessi	abbia	**visto**	avessi	**visto**
lui,lei	veda	vedesse	abbia	**visto**	avesse	**visto**
noi	vediamo	vedessimo	abbiamo	**visto**	avessimo	**visto**
voi	vediate	vedeste	abbiate	**visto**	aveste	**visto**
loro	vedano	vedessero	abbiano	**visto**	avessero	**visto**

MODO CONDIZIONALE / MODO IMPERATIVO

Semplice		*Composto*		*Diretto*	*Indiretto*
io	**vedrei**	avrei	**visto**		
tu	**vedresti**	avresti	**visto**	vedi !	
lui,lei	**vedrebbe**	avrebbe	**visto**		veda !
noi	**vedremmo**	avremmo	**visto**	vediamo !	
voi	**vedreste**	avreste	**visto**	vedete !	
loro	**vedrebbero**	avrebbero	**visto**		vedano !

MODO GERUNDIO / MODO INFINITO / MODO PARTICIPIO

Gerundio *Semplice*	Gerundio *Composto*	Infinito *Semplice*	Infinito *Composto*	Participio *Presente*	Participio *Passato*
vedendo	avendo **visto**	vedere	avere **visto**	vedente	**visto**

Nota: *questo verbo ha un altro participio passato (regolare) «veduto», che però è meno usato. Es. Hai veduto Bruno l'altra sera?*

VENIRE to come - venir - kommen - venir

MODO INDICATIVO

	Presente	*Imperfetto*	*Passato prossimo*		*Trapassato pross.*	
io	**vengo**	venivo	sono	**venuto,a**	ero	**venuto,a**
tu	**vieni**	venivi	sei	**venuto,a**	eri	**venuto,a**
lui,lei	**viene**	veniva	è	**venuto,a**	era	**venuto,a**
noi	veniamo	venivamo	siamo	**venuti,e**	eravamo	**venuti,e**
voi	venite	venivate	siete	**venuti,e**	eravate	**venuti,e**
loro	**vengono**	venivano	sono	**venuti,e**	erano	**venuti,e**

	Futuro sempl.	*Futuro comp.*		*Passato remoto*	*Trapassato rem.*	
io	**verrò**	sarò	**venuto,a**	**venni**	fui	**venuto,a**
tu	**verrai**	sarai	**venuto,a**	venisti	fosti	**venuto,a**
lui,lei	**verrà**	sarà	**venuto,a**	**venne**	fu	**venuto,a**
noi	**verremo**	saremo	**venuti,e**	venimmo	fummo	**venuti,e**
voi	**verrete**	sarete	**venuti,e**	veniste	foste	**venuti,e**
loro	**verranno**	saranno	**venuti,e**	**vennero**	furono	**venuti,e**

MODO CONGIUNTIVO

	Presente	*Imperfetto*	*Passato*		*Trapassato*	
io	**venga**	venissi	sia	**venuto,a**	fossi	**venuto,a**
tu	**venga**	venissi	sia	**venuto,a**	fossi	**venuto,a**
lui,lei	**venga**	venisse	sia	**venuto,a**	fosse	**venuto,a**
noi	veniamo	venissimo	siamo	**venuti,e**	fossimo	**venuti,e**
voi	veniate	veniste	siate	**venuti,e**	foste	**venuti,e**
loro	**vengano**	venissero	siano	**venuti,e**	fossero	**venuti,e**

MODO CONDIZIONALE / MODO IMPERATIVO

	Semplice	*Composto*		*Diretto*	*Indiretto*
io	**verrei**	sarei	**venuto,a**		
tu	**verresti**	saresti	**venuto,a**	**vieni** !	
lui,lei	**verrebbe**	sarebbe	**venuto,a**		**venga** !
noi	**verremmo**	saremmo	**venuti,e**	veniamo !	
voi	**verreste**	sareste	**venuti,e**	venite !	
loro	**verrebbero**	sarebbero	**venuti,e**		**vengano** !

MODO GERUNDIO / MODO INFINITO / MODO PARTICIPIO

MODO GERUNDIO		MODO INFINITO		MODO PARTICIPIO	
Semplice	*Composto*	*Semplice*	*Composto*	*Presente*	*Passato*
venendo	essendo **venuto,...**	venire	essere **venuto,...**	**veniente**	**venuto,...**

VINCERE to win - gagner/vaincre - gewinnen/siegen - ganar/vencer

MODO INDICATIVO

	Presente	*Imperfetto*	*Passato prossimo*		*Trapassato pross.*	
io	vinco	vincevo	ho	**vinto**	avevo	**vinto**
tu	vinci	vincevi	hai	**vinto**	avevi	**vinto**
lui,lei	vince	vinceva	ha	**vinto**	aveva	**vinto**
noi	vinciamo	vincevamo	abbiamo	**vinto**	avevamo	**vinto**
voi	vincete	vincevate	avete	**vinto**	avevate	**vinto**
loro	vincono	vincevano	hanno	**vinto**	avevano	**vinto**

	Futuro sempl.	*Futuro comp.*		*Passato remoto*	*Trapassato rem.*	
io	vincerò	avrò	**vinto**	**vinsi**	ebbi	**vinto**
tu	vincerai	avrai	**vinto**	vincesti	avesti	**vinto**
lui,lei	vincerà	avrà	**vinto**	**vinse**	ebbe	**vinto**
noi	vinceremo	avremo	**vinto**	vincemmo	avemmo	**vinto**
voi	vincerete	avrete	**vinto**	vinceste	aveste	**vinto**
loro	vinceranno	avranno	**vinto**	**vinsero**	ebbero	**vinto**

MODO CONGIUNTIVO

	Presente	*Imperfetto*	*Passato*		*Trapassato*	
io	vinca	vincessi	abbia	**vinto**	avessi	**vinto**
tu	vinca	vincessi	abbia	**vinto**	avessi	**vinto**
lui,lei	vinca	vincesse	abbia	**vinto**	avesse	**vinto**
noi	vinciamo	vincessimo	abbiamo	**vinto**	avessimo	**vinto**
voi	vinciate	vinceste	abbiate	**vinto**	aveste	**vinto**
loro	vincano	vincessero	abbiano	**vinto**	avessero	**vinto**

MODO CONDIZIONALE / MODO IMPERATIVO

	Semplice	*Composto*		*Diretto*	*Indiretto*
io	vincerei	avrei	**vinto**		
tu	vinceresti	avresti	**vinto**	vinci !	
lui,lei	vincerebbe	avrebbe	**vinto**		vinca !
noi	vinceremmo	avremmo	**vinto**	vinciamo !	
voi	vincereste	avreste	**vinto**	vincete !	
loro	vincerebbero	avrebbero	**vinto**		vincano !

MODO GERUNDIO

Semplice	*Composto*
vincendo	avendo **vinto**

MODO INFINITO

Semplice	*Composto*
vincere	avere **vinto**

MODO PARTICIPIO

Presente	*Passato*
vincente	**vinto**

VIVERE to live - vivre - leben - vivir

MODO INDICATIVO

Presente		*Imperfetto*	*Passato prossimo*		*Trapassato pross.*	
io	vivo	vivevo	ho	**vissuto**	avevo	**vissuto**
tu	vivi	vivevi	hai	**vissuto**	avevi	**vissuto**
lui,lei	vive	viveva	ha	**vissuto**	aveva	**vissuto**
noi	viviamo	vivevamo	abbiamo	**vissuto**	avevamo	**vissuto**
voi	vivete	vivevate	avete	**vissuto**	avevate	**vissuto**
loro	vivono	vivevano	hanno	**vissuto**	avevano	**vissuto**

Futuro sempl.		*Futuro comp.*		*Passato remoto*	*Trapassato rem.*	
io	**vivrò**	avrò	**vissuto**	**vissi**	ebbi	**vissuto**
tu	**vivrai**	avrai	**vissuto**	vivesti	avesti	**vissuto**
lui,lei	**vivrà**	avrà	**vissuto**	**visse**	ebbe	**vissuto**
noi	**vivremo**	avremo	**vissuto**	vivemmo	avemmo	**vissuto**
voi	**vivrete**	avrete	**vissuto**	viveste	aveste	**vissuto**
loro	**vivranno**	avranno	**vissuto**	**vissero**	ebbero	**vissuto**

MODO CONGIUNTIVO

Presente		*Imperfetto*	*Passato*		*Trapassato*	
io	viva	vivessi	abbia	**vissuto**	avessi	**vissuto**
tu	viva	vivessi	abbia	**vissuto**	avessi	**vissuto**
lui,lei	viva	vivesse	abbia	**vissuto**	avesse	**vissuto**
noi	viviamo	vivessimo	abbiamo	**vissuto**	avessimo	**vissuto**
voi	viviate	viveste	abbiate	**vissuto**	aveste	**vissuto**
loro	vivano	vivessero	abbiano	**vissuto**	avessero	**vissuto**

MODO CONDIZIONALE / MODO IMPERATIVO

Semplice		*Composto*		*Diretto*	*Indiretto*
io	**vivrei**	avrei	**vissuto**		
tu	**vivresti**	avresti	**vissuto**	vivi !	
lui,lei	**vivrebbe**	avrebbe	**vissuto**		viva !
noi	**vivremmo**	avremmo	**vissuto**	viviamo !	
voi	**vivreste**	avreste	**vissuto**	vivete !	
loro	**vivrebbero**	avrebbero	**vissuto**		vivano !

MODO GERUNDIO / MODO INFINITO / MODO PARTICIPIO

Gerundio *Semplice*	Gerundio *Composto*	Infinito *Semplice*	Infinito *Composto*	Participio *Presente*	Participio *Passato*
vivendo	avendo **vissuto**	vivere	avere **vissuto**	vivente	**vissuto**

Nota: *Si può usare l'ausiliare «essere» quando il verbo non viene usato transitivamente. Es. Sono vissuto(a) per molti anni a Firenze.*

VOLERE to want - vouloir - wollen - querer

MODO INDICATIVO

Presente		*Imperfetto*	*Passato prossimo*		*Trapassato pross.*	
io	**voglio**	volevo	ho	voluto	avevo	voluto
tu	**vuoi**	volevi	hai	voluto	avevi	voluto
lui,lei	**vuole**	voleva	ha	voluto	aveva	voluto
noi	**vogliamo**	volevamo	abbiamo	voluto	avevamo	voluto
voi	volete	volevate	avete	voluto	avevate	voluto
loro	**vogliono**	volevano	hanno	voluto	avevano	voluto

Futuro sempl.		*Futuro comp.*		*Passato remoto*	*Trapassato rem.*	
io	**vorrò**	avrò	voluto	**volli**	ebbi	voluto
tu	**vorrai**	avrai	voluto	volesti	avesti	voluto
lui,lei	**vorrà**	avrà	voluto	**volle**	ebbe	voluto
noi	**vorremo**	avremo	voluto	volemmo	avemmo	voluto
voi	**vorrete**	avrete	voluto	voleste	aveste	voluto
loro	**vorranno**	avranno	voluto	**vollero**	ebbero	voluto

MODO CONGIUNTIVO

Presente		*Imperfetto*	*Passato*		*Trapassato*	
io	**voglia**	volessi	abbia	voluto	avessi	voluto
tu	**voglia**	volessi	abbia	voluto	avessi	voluto
lui,lei	**voglia**	volesse	abbia	voluto	avesse	voluto
noi	**vogliamo**	volessimo	abbiamo	voluto	avessimo	voluto
voi	**vogliate**	voleste	abbiate	voluto	aveste	voluto
loro	**vogliano**	volessero	abbiano	voluto	avessero	voluto

MODO CONDIZIONALE

Semplice		*Composto*	
io	**vorrei**	avrei	voluto
tu	**vorresti**	avresti	voluto
lui,lei	**vorrebbe**	avrebbe	voluto
noi	**vorremmo**	avremmo	voluto
voi	**vorreste**	avreste	voluto
loro	**vorrebbero**	avrebbero	voluto

MODO IMPERATIVO

Diretto	*Indiretto*
–	
	voglia !
vogliamo !	
vogliate !	
	vogliano !

MODO GERUNDIO

Semplice	*Composto*
volendo	avendo voluto

MODO INFINITO

Semplice	*Composto*
volere	avere voluto

MODO PARTICIPIO

Presente	*Passato*
volente	voluto

VOLGERE to turn - tourner - wenden - volver

MODO INDICATIVO

Presente		*Imperfetto*	*Passato prossimo*		*Trapassato pross.*	
io	volgo	volgevo	ho	**volto**	avevo	**volto**
tu	volgi	volgevi	hai	**volto**	avevi	**volto**
lui,lei	volge	volgeva	ha	**volto**	aveva	**volto**
noi	volgiamo	volgevamo	abbiamo	**volto**	avevamo	**volto**
voi	volgete	volgevate	avete	**volto**	avevate	**volto**
loro	volgono	volgevano	hanno	**volto**	avevano	**volto**

Futuro sempl.		*Futuro comp.*		*Passato remoto*	*Trapassato rem.*	
io	volgerò	avrò	**volto**	**volsi**	ebbi	**volto**
tu	volgerai	avrai	**volto**	volgesti	avesti	**volto**
lui,lei	volgerà	avrà	**volto**	**volse**	ebbe	**volto**
noi	volgeremo	avremo	**volto**	volgemmo	avemmo	**volto**
voi	volgerete	avrete	**volto**	volgeste	aveste	**volto**
loro	volgeranno	avranno	**volto**	**volsero**	ebbero	**volto**

MODO CONGIUNTIVO

Presente		*Imperfetto*	*Passato*		*Trapassato*	
io	volga	volgessi	abbia	**volto**	avessi	**volto**
tu	volga	volgessi	abbia	**volto**	avessi	**volto**
lui,lei	volga	volgesse	abbia	**volto**	avesse	**volto**
noi	volgiamo	volgessimo	abbiamo	**volto**	avessimo	**volto**
voi	volgiate	volgeste	abbiate	**volto**	aveste	**volto**
loro	volgano	volgessero	abbiano	**volto**	avessero	**volto**

MODO CONDIZIONALE / MODO IMPERATIVO

Semplice		*Composto*		*Diretto*	*Indiretto*
io	volgerei	avrei	**volto**		
tu	volgeresti	avresti	**volto**	volgi !	
lui,lei	volgerebbe	avrebbe	**volto**		volga !
noi	volgeremmo	avremmo	**volto**	volgiamo !	
voi	volgereste	avreste	**volto**	volgete !	
loro	volgerebbero	avrebbero	**volto**		volgano !

MODO GERUNDIO / MODO INFINITO / MODO PARTICIPIO

Semplice	*Composto*	*Semplice*	*Composto*	*Presente*	*Passato*
volgendo	avendo **volto**	volgere	avere **volto**	volgente	**volto**

Esercitazioni

Verbi regolari e irregolari

-livello elementare
-livello intermedio
-livello superiore

ESERCITAZIONI VERBI REGOLARI

Livello elementare (Indicativo Presente, Passato prossimo, Futuro semplice e composto)

Scegliere tra i seguenti verbi:
abitare, arrivare, aspettare, ballare, cambiare, credere, fuggire, guardare, imparare, incontrare.

1) Quando....................Helga dalla Svizzera? Come, non l'hai vista? È già qui e ora...............in Via Roma.
2) Donald,....................a usare i pronomi? Non ne sono sicuro, ma....................di sì.
3) Stamattina (noi)....................l'insegnante per dieci minuti.
4) (Tu)....................molto ieri sera in discoteca? Non ci sono andata, perché nel pomeriggio ....Paolo sull'autobus e siamo andati insieme a mangiare una pizza.
5) Il bandito....................dalla prigione ieri notte.
6) Ho letto sul giornale che tra pochi anni il clima sulla terra .... completamente. Si potrà persino nuotare e prendere il sole al Polo Nord. E tu ci....................? Allora sei proprio un ingenuo!
7) ....la lettera dal Brasile? Aspetta, adesso....................nella cassetta.
8) Questa città....................molto negli ultimi anni. Prima non c'era tutto questo traffico e la gente viveva più tranquillamente.
9) Quando (io)....................a parlare bene l'italiano, studierò un'altra lingua.
10) Basta,....................il momento di cambiare vita! Da domani mi alzerò presto, comincerò seriamente a studiare e, soprattutto,....................la TV il meno possibile.

Scegliere tra i seguenti verbi:
lavorare, parlare, partire, ricordare, rubare, sbattere, sentire, studiare, temere, trovare.

1) Poco fa (io)....................con Patrizia al telefono.
2) Da quanto tempo (tu)....................il francese? (Io) lo....................da sei mesi, ma ancora non lo....................bene.
3) Giovanna non....................dove....................questa canzone.
4) Marcello....................per Londra fra pochi giorni.
5) (Io) non....................più le mie chiavi; ....di averle perse.
6) Dopo che (io)....................con il meccanico, ti dirò il prezzo della riparazione.
7) (Tu) non....................puzza di bruciato? No, (io) non la.................... .
8) Ieri pomeriggio dei ladri....................dei quadri preziosi al museo d'arte moderna.
9) In Italia gli impiegati....................otto ore al giorno.
10) Federico è un maleducato: quando esce di casa....................sempre la porta.

Livello intermedio (Indicativo Imperfetto, Passato remoto, Trapassato pross.; Condizionale)

Scegliere tra i seguenti verbi:
aiutare, ascoltare, attraversare, chiamare, comprare, dormire, guidare, iniziare, invitare, mandare.

1) Quando arrivai nella sala del congresso, il professore....................già la conferenza.
2) Quando i miei genitori....................degli amici a cena, io ....mia madre a preparare il dolce.
3) Le cose....................a cambiare solo molti anni dopo che la guerra era finita.
4) Stamattina (loro)....................fino alle 11.00, se non fossero stati svegliati da una telefonata.
5) Per piacere, Signore, mi....................un taxi? Sono molto in ritardo.
6) La società....................un periodo di grandi trasformazioni nel campo culturale ed economico.
7) Telefonai ai miei zii per ringraziarli del pacco che mi.................... .
8) Mi meravigliai molto quando mi disse che non....................mai un'automobile in vita sua.
9) Durante la mia vacanza in Messico....................per mio padre un regalo bellissimo che mi costò solo pochi dollari.
10) Pensavi davvero che (io)....................fino alla fine tutti i tuoi stupidi discorsi?

Scegliere tra i seguenti verbi:
passare, prestare, ricevere, ripetere, salutare, sbagliare, servire, telefonare, vedere, visitare.

1) (Io)....................volentieri qualche giorno di vacanza in un posto tranquillo.
2) Quando ero in ospedale, il medico mi....................tutti i giorni e, uscendo, mi....................cordialmente.
3) Siccome (io) non....................Riccardo da molto tempo, decisi di telefonargli.
4) Marco, ti....................volentieri la bicicletta, ma purtroppo ha una ruota bucata.
5) Quando abitavo al centro, la macchina non mi....................quasi mai, perché potevo andare a scuola a piedi.
6) (Noi)....................completamente strada e fummo così costretti a consultare la carta stradale.
7) Nella lettera mia cugina mi scrisse che....................per darmi notizie più precise, ma fino ad ora non ho sentito niente.
8) Prima di partire (io)....................da Yoshi per salutarla, ma non la trovai in casa.
9) Alla fine della partita il giocatore....................molti applausi e, per ringraziare, ...il pubblico con un cenno della mano.
10) Il deputato....................in televisione il discorso che aveva già tenuto in Parlamento.

Livello superiore (Congiuntivo ,Imperativo, Gerundio)

Scegliere tra i seguenti verbi:
abbandonare, bastare, battere, consigliare, desiderare, eseguire, girare, ingrassare, interessare, pensare.

1) ....gli ordini che ti sono stati dati e....................con le proteste!
2) Non sapevo che intorno alla terra....................un numero imprecisato di satelliti.
3) Se ogni tanto....................i pugni sul tavolo, i tuoi superiori ti rispetterebbero di più.
4) Ti vedo preoccupato. A che cosa stai....................?
5) Mi sembra che Luca....................dopo il matrimonio; sarà perché ha smesso di praticare sport.
6) (Noi) non....................intorno al problema! Cerchiamo piuttosto di trovare una soluzione!
7) Trovo giusto che il Comune....................a tutti i cittadini di usare i mezzi pubblici al posto dell'auto privata.
8) Penso che per il suo compleanno Raffaella....................un altro bel disco di musica classica.
9) Se tu ti....................di più ai problemi di tuo figlio, non staresti qui a lamentarti della sua indifferenza.
10) Te l'ho già detto mille volte! ....questo progetto! È troppo difficile da realizzare.

Scegliere tra i seguenti verbi:
preparare, protestare, provare, rifiutare, riposare, scioperare, seguire, sperare, suonare, viaggiare.

1) ....che tutto vada bene, saremo da voi in serata.
2) Pare che oggi gli impiegati statali....................per protestare contro i recenti aumenti del costo della vita.
3) (Tu)....................a impegnarti un po' di più e vedrai che i risultati non tarderanno a venire.
4) Per utilizzare al meglio questo nuovo computer bisogna che Lei....................alla lettera le istruzioni.
5) Mi sarei offeso molto se tu....................la mia offerta.
6) Dicono che questo musicista, in un concerto tenutosi circa dieci anni fa, ...per più di tre ore, senza interruzione.
7) Se vuoi essere promosso,....................bene l'esame!
8) La legge finanziaria fu approvata, sebbene l'opposizione....................vivacemente.
9) ....in motocicletta è necessaria la massima concentrazione. Non ci si può distrarre un momento.
10) È ora di alzarsi, Carla. Sono le 11.00 e penso che tu....................abbastanza!

ESERCITAZIONI VERBI IRREGOLARI

Livello elementare (Indicativo Presente, Passato prossimo, Futuro semplice e composto)

Scegliere tra i seguenti verbi:
accendere, andare, aprire, avere, bere, chiedere, chiudere, dare, decidere, dire.

1) Mauro....................all'Università ogni mattina in autobus, ma domani ci....................a piedi.
2) Oggi all'Odeon (loro)....................un film che....................già qualche mese fa.
3) Luca non....................ancora una casa grande, ma quando l'....................ci inviterà tutti.
4) Ieri sera (io)....................troppo vino, perciò stasera non ne....................neanche un bicchiere.
5) Mercoledì scorso i negozi....................alle 9.00 del mattino e....................all'una.
6) Di solito a colazione (noi)....................solo un caffè.
7) Se (tu) non....................ancora a Francesca la verità, gliela....................io adesso.
8) Dopo che (lei)....................scusa a sua madre,....................la coscienza tranquilla.
9) (Tu) non....................ancora la TV? C'è il mio programma preferito.
10) Solo pochi giorni fa (io)....................dove (io)....................in vacanza l'estate prossima.

Scegliere tra i seguenti verbi:
dovere, essere, fare, leggere, mettere, morire, nascere, offrire, perdere, piacere.

1) Pasquale....................di Napoli, Oscar e Letizia....................di Venezia.
2) Stamane (io)....................molto tempo in banca: (io)....................una lunga fila allo sportello.
3) Nell'incidente aereo....................120 persone.
4) I miei compagni di classe mi....................di passare qualche giorno con loro in campagna.
5) Martedì prossimo (io)....................andare dal dentista, perché da una settimana mi ....male un dente.
6) Il romanzo che (io)....................recentemente, non mi....................molto.
7) Dove (tu)....................il barattolo del caffè? Non riesco a trovarlo.
8) Sandrine....................le lezioni, perché....................malata tutta la settimana.
9) Mayumi....................dalla voglia di rivedere il suo ragazzo.
10) (io)....................nel 1977 a Como, ma sono vissuto quasi sempre in Sicilia.

Scegliere tra i seguenti verbi:
potere, prendere, rendere, rimanere, rispondere, salire, sapere, scendere, scegliere, scrivere

1) Abbiamo chiamato più volte a casa sua, ma nessuno ci.................... .
2) (io) non....................telefonare a Carla, perché non....................il suo numero.
3) Ieri pomeriggio (noi)....................in albergo e....................alcune cartoline ai nostri amici.

4) Soltanto domani mattina Laura....................se....................venire con noi in campagna.
5) (Loro)....................l'autobus in Viale Petrarca e....................in Piazza del Duomo.
6) I signori Gaudenzi....................per il loro bambino un nome di origine latina.
7) Sergio non mi....................ancora i soldi che gli avevo prestato tempo fa.
8) Di solito (lui)....................in ascensore, mentre io....................a piedi per fare esercizio.
9) Quanto tempo (tu)....................ancora in Italia? (Io) ci....................fino a luglio.
10) Dopo che (lei) ....la medicina, si sentirà subito meglio.

Scegliere tra i seguenti verbi:
spegnere, spendere, stare, succedere, tenere, uscire, vedere, venire, vivere, volere.

1) L'anno scorso (io)....................troppi soldi, perciò quest'anno dovrò risparmiare.
2) Ogni giorno mio fratello....................di casa alle 8 e va al lavoro in bicicletta.
3) Quando (lei)....................in Inghilterra....................momenti molto felici con Claudio.
4) Perché (voi) non....................a teatro con noi ieri sera?
5) Il prossimo sabato (io)....................a trovarvi nella vostra casa di campagna.
6) Che cosa..................a Giulio? Non lo vediamo da tanto tempo.
7) Recentemente (noi)....................un bel film alla TV.
8) Stamattina, prima di uscire di casa, mio nipote non....................la luce in cucina.
9) Domani il professore di storia dell'Arte....................una lezione sul Rinascimento.
10) Stasera Sandra....................sicuramente rimanere a casa, perché ieri sera è rientrata molto tardi.

Livello intermedio (Indicativo Imperfetto, Passato remoto, Trapassato pross.; Condizionale)

Scegliere tra i seguenti verbi:
andare, avere, bere, concedere, conoscere, correre, dare, deludere, dire, dirigere.

1) Mio nonno....................ogni sera un bicchierino di grappa prima di andare a letto.
2) (Io)....................importanza a quell'episodio solo dopo molti anni che era successo.
3) Chi....................l'orchestra la sera della "prima"? Non lo so. Sono passati molti anni; ricordo solo che la sua direzione non mi piacque, mi....................molto.
4) Scusa, che cosa ....? Mi sono distratta un momento. Puoi ripetere?
5) (Loro) non risposero alle domande del giudice;....................solo di non avere mai conosciuto l'imputato
6) (Loro)....................la grande fortuna di trovarsi lontani dal luogo dell'incidente. Non.................... così il rischio di essere coinvolti.
7) Allora, andiamo a casa? Se non ti dispiace, io....................ancora una birra.
8) L'anno che feci quel lungo viaggio in Sud America....................molte persone con le quali sono ancora in contatto.

9) Tutti pensavano che il Governatore....................la grazia al condannato, ma non lo fece.
10) Quasi quasi....................a fare un bel giro in bici, invece di stare qui a studiare.

Scegliere tra i seguenti verbi:
discutere, dovere, essere, fare, leggere, mettere, muovere, offendere, offrire, perdere.

1) Non appena il presentatore ebbe finito di raccontare la barzelletta, tutti si....................a ridere.
2) L'architetto disse che....................del progetto il giorno dopo con i suoi collaboratori.
3) Invitammo alla festa anche la cugina di Renato, altrimenti si.................... .
4) Ti....................volentieri un passaggio, ma purtroppo sono già in ritardo.
5) Se io fossi al tuo posto....................già la pazienza.
6) Lui non....................in tempo a prendere il treno e dovette aspettare alla stazione più di un' ora.
7) Una maga mi....................la mano e mi disse che sarei vissuto a lungo.
8) Secondo me (tu)....................essere più gentile con i clienti.
9) Quando (noi)....................in vacanza a Capri, (noi)....................il bagno ogni giorno.
10) In quell'occasione il ministro non....................un dito per cercare di risolvere il problema.

Scegliere tra i seguenti verbi:
potere, produrre, proteggere, ridere, riflettere, rimanere, rispondere, rompere, scegliere, scrivere.

1) Tanti anni fa si....................automobili meno sicure di quelle di oggi.
2) (Lui)....................gli articoli più belli della sua carriera di giornalista quando era corrispondente in Giappone.
3) Pensavo che, dopo aver tanto studiato, tu....................alle domande con maggiore sicurezza.
4) Per favore, (tu)....................andare in banca a cambiare questo assegno?
5) Al negozio sono stati molto gentili. Non mi hanno fatto pagare le tre bottiglie di vino che mio figlio.................... .
6) Tutta la famiglia....................sotto choc per quello che era successo il giorno prima.
7) Le guardie del corpo....................il Presidente fino al suo arrivo all'aeroporto.
8) Ero certo che gli elettori....................come sindaco un uomo di grande esperienza e serietà.
9) Quando gli fu offerto quel lavoro (lui), ...a lungo prima di decidere.
10) Un giorno si presentò in ufficio con un ridicolo cappello e tutti.................... .

Scegliere tra i seguenti verbi :
soddisfare, soffrire, sospendere, stare, tradurre, volere, vedere, venire, vincere, vivere.

1) (Tu) non....................tanto, se avessi preso le medicine che il medico ti aveva prescritto.
2) ....fare di testa sua. Non accettò i consigli di nessuno.
3) Prima di partire, Andrea....................a casa nostra per salutarci.
4) Il Preside....................i due allievi a causa del loro cattivo comportamento.

5) Sapevamo che tu non.................... : il tuo avversario era troppo forte.
6) Mia sorella....................molto male durante tutto il periodo della gravidanza.
7) Alla polizia il testimone raccontò quello che....................il giorno della rapina.
8) Prima di stabilirmi in Europa....................molti anni nell'Africa centrale.
9) Ero certo che lo spettacolo....................le richieste del pubblico presente in sala.
10) Quando frequentavo l'Università, lavoravo per un editore e....................molti articoli dall'inglese allo spagnolo.

Livello superiore (Congiuntivo, Imperativo, Gerundio)

Scegliere tra i seguenti verbi:
andare, aprire, assumere, avere, bere, cogliere, coprire, crescere, dare, dire.

1) Pensavo che Luisa....................gli occhi e avesse capito i suoi errori.
2) (tu)....................via ! Dopo quello che hai fatto non voglio più vederti !
3) Se lui....................la verità, sarebbe stato tutto molto più semplice.
4) Pare che negli ultimi dieci anni....................troppi impiegati nell'amministrazione pubblica.
5) Ma che cosa vai....................? Questo non lo devi neppure pensare!
6) Se ti....................di più l'altra sera, oggi non avresti il raffreddore.
7) Spero che, questa volta, (tu) ....al volo l'occasione che ti si è presentata.
8) La prego, signor Ferrari,....................pazienza! Mi....................un po' di tempo per rifletterci!
9) Dicono che venerdì scorso Armando....................troppo. Ogni tanto gli capita di alzare un po' il gomito.
10) Non immaginavo che Suo figlio....................tanto in così pochi mesi, Signora.

Scegliere tra i seguenti verbi:
dovere, escludere, esprimere, essere, fare, giungere, insistere, nascondere, perdere, piacere.

1) Non pensavo che esistessero tante specie di insetti e che tutte....................così diverse l'una dall'altra.
2) Sono molto indecisi. Non sanno chi....................assumersi questa responsabilità.
3) Se lui si....................meglio nella mia lingua, forse avrei potuto capire bene quello che diceva.
4) Che cosa stavi....................quando ti abbiamo telefonato?
5) Non hai risolto il problema perché ti sei arreso subito. Se....................,saresti arrivato alla soluzione.
6) Fiammetta non è ancora arrivata. Che....................l'autobus?
7) È strano che dalla formazione....................il miglior giocatore.
8) Non immaginavo davvero che lui....................la verità anche ai suoi familiari.
9) Gli esperti ritengono che la pubblicità....................più ai bambini che agli adulti.
10) Tutti si congratularono con lei, nonostante....................al traguardo ben oltre la ventesima posizione.

Scegliere tra i seguenti verbi:
potere, prendere, produrre, reggere, ridurre, riempire, rimanere, salire, sapere, scegliere.

1) Speriamo che Maurizio....................ospitarmi a casa sua per un paio di giorni.
2) Signora,....................ancora un po' con noi! Ci faccia compagnia!
3) Non pensavo che quella decisione....................tali conseguenze negative.
4) È incredibile che quella donna....................il peso di un dolore così grande.
5) C'è un meccanico qui vicino? Chiedilo a Lorenzo, credo che lui lo.................... .
6) ....le spese per gli armamenti, si potrebbero destinare più fondi ai servizi sociali.
7) Non sapevo che Patrizia e Renzo....................di sposarsi in chiesa.
8) Mi dispiace che tu non....................sul serio quello che ti ho detto ieri.
9) Non voglio che il cane....................sul letto! Quante volte devo dirvelo?
10) Per favore, (Lei)....................i bicchieri agli ospiti!

Scegliere tra i seguenti verbi:
sedere, soffrire, spingere, stare, tenere, trarre, uccidere, uscire, valere, venire.

1) Il tuo ragionamento è giusto, ma credo che tu ne....................delle conclusioni sbagliate.
2) ....zitto un momento! Non vedi che sto cercando di concentrarmi?
3) È difficile che questo nuovo modello....................prima dell'autunno.
4) Nonostante....................molto lontano e dovesse affrontare tutte le mattine il traffico, non arrivò una sola volta in ritardo.
5) Che l'industrializzazione degli ultimi trent'anni....................molti ad abbandonare la campagna per lavorare nelle grandi fabbriche, è un fatto evidente.
6) Dopo l'intervento il dentista le chiese se....................molto.
7) Sembrava che, durante la lunga battaglia, molti soldati....................per errore dai loro stessi compagni.
8) Sono disposto a fare questo sacrificio, purché ne....................la pena.
9) Si dice che i prossimi giochi olimpici si....................in un Paese sudamericano.
10) Prego, Signora, non....................in piedi! Si....................qui al mio posto!

1. Livello elementare (Indicativo Presente, Passato prossimo, Futuro semplice)

■	1	2	■	3	4	5		6		■
7							■	8		9
10			■	11			12		■	
13			14		■	15			16	
■	17			■	18					
19	■			20	■	■				■
	■	■			■	21				
	■	22				■				■
23					■	■		■		■
24				■	25					■

Orizzontali:

1) Mario.....giocare a tennis molto bene. 3) Dove hai.....di andare in vacanza? 7) Se (io).....questo bicchiere, Lucia si arrabbierà certamente. 8) Paolo non.....venire con noi al mare. 10) Quando lavori o studi.....spesso il computer? 11) (io).....da te quando potrò. 13) Participio passato di «essere». 15)Quando.....famoso, ti ricorderai di me? 17) (io).....molto la buona cucina. 18) Di solito (io).....colazione alle otto. 21) Participio passato di «rompere». 22) Che nome.....Laura al suo bambino? 23) Gloria non è mai.....in Francia. 24) Mio padre.....il disordine. 25) Generalmente lavo e.....da solo tutti i miei vestiti.

Verticali:

1) Il vigile mi ha detto che la mia macchina.....in zona vietata. 2) (noi).....l'Italia, perciò ci torneremo l'anno prossimo. 3) Non voglio farlo, ma.....! 4) La seconda coniugazione dei verbi. 5) Appena ha saputo la notizia, è.....subito da lui. 6) È il contrario di «pulito». 9) È come «detesto». 12) Perché (tu) non mi.....un'altra storia? 14) Il contrario di «andata». 16) Se da sola non ce la fai, ti.....io. 19) A Roma abbiamo.....troppi soldi. 20) Quanti anni ha Francesca? Non lo so,.....trent'anni. 22) Perché (tu) non mi.....una mano?

2. Livello elementare (Indicativo Presente, Passato prossimo, Futuro semplice)

1		2	■	3		4		■	5	6		
7			8				■	9				■
	■	10					11	■			■	12
13					■			■			■	
	■			■	14	■	15				16	
■	17					18		■		■		
19				■	20			21		22		■
23		■	■	24					■			■
■	25				■	26						■
27							■	28			■	■

Orizzontali:

1) Come.....tuo fratello? 3) Il contrario di «piangi». 5) Ho paura, ho timore. 7) «Costa» al Futuro. 9) (loro) non.....riusciti a trovare una soluzione. 10) Ieri mi sono.....in farmacia: sono ingrassata di due chili. 13) (io).....che domani farà bel tempo. 15) Participio passato di «creare». 17) Quante ore (noi).....fermi all'aeroporto? 19) Per favore,.....aiutarmi a spostare quel mobile? 20) Oggi ho.....il pranzo, perché non avevo fame. 23) Se permette, Le.....del «tu». 24) Aida.....bene. Ha una bellissima voce. 25) Luigi è.....nel dicembre del 1993 a Firenze. 26) Participio passato di «decidere». 27) Chi..... il conto? 28) La seconda coniugazione dei verbi.

Verticali:

1) Il contrario di «salito». 2) (io).....l'autobus da dieci minuti. 3) Il contrario di «prestato». 4) Chi vi ha.....il mio indirizzo? 5) Patrizia è partita ieri e.....fra un mese. 6) Il contrario di «esce». 8) «Tieni» al Futuro. 11) Le sue richieste non sono state.....dall'assemblea. 12) Che cosa (tu).....fare stasera? 14) Questa valigia.....troppo. Non ce la faccio a portarla. 16) Paola, dove sono i miei occhiali? Non li..... 17) Renato.....la chitarra da dieci anni. 18) Come «spedisce» e «invia». 21) Chi....., acconsente (proverbio). 22) Participio passato di «tendere» (femminile plurale).

3. Livello intermedio (Indicativo Imperfetto, Passato remoto; Condizionale)

1		2				3		■	4			
	■		■	5				6				■
	■		7	■	■		■			■	8	9
10				11			■			12	■	
	■				■	■	13					
14	15					■			■		■	
		■	16						17			■
■		■			■	18						19
20					■	■		■			■	
21				■	22							
		■	■	23						■	■	■

Orizzontali:

1) «Dobbiamo» senza certezza. 4) Lo spettacolo.....più del previsto. 5) Non era mai soddisfatto della disposizione dei mobili. Li.....continuamente. 8) «È» al Passato remoto. 10) «Ebbi una pretesa». 13) «Stiro» al Passato remoto. 14) Se avessi più tempo (io).....ancora qualche giorno con te. 16) Il contrario di «uscivamo». 18) Mentre voi.....fuori, ha telefonato Sandra. 20) In quell'occasione l'aiuto di Antonio mi.....molti problemi. 21) Passato remoto di «rapire» (III^a^ persona singolare). 22) Quando noi.....in centro, uscivamo più spesso. 23) «Stavo andando».

Verticali:

1) Passato remoto di «disporre» (III^a^ persona singolare). 2) Jasmine non.....essere disturbata mentre lavorava. 3) «Morire» senza il «re». 4) Se il cameriere fosse più gentile (io), gli.....la mancia. 6) «Faceva un tentativo». 7) «Stai» al Condizionale. 9) Come «ascoltai» e «sentii». 11) «Fece un elenco». 12) «Stava tremando». 13) «Spara» all'Imperfetto. 15) Dopo una lunga ricerca (io).....le chiavi che avevo perso. 17) Quando (io).....quindici anni, vivevo ancora a Milano. 19) «Sono» Imperfetto. 20) Serena.....sicura di avere fatto la scelta migliore.

4. Livello intermedio (Indicativo Imperfetto, Passato remoto; Condizionale)

■	1		2	3			■	4			5	6	7		
8	■	9				■	10								■
	11	■	12						■	■	13				14
15		16			■	17				18		■		■	
19				■	■	■	20				■	21			
			■	■	22								■	■	
23			24			■	■		■	25				26	
	■			■	27						■		■		
	■	28				■	29								■
■	30						■		■	■	31				
32				■	33								■		■

Orizzontali:

1) «Delude» al Passato remoto. 4) Se (tu) fossi veramente malato,.....a letto. 9) Si.....e si accorse che era dimagrito molto. 10) È una città troppo grande, io non ci.....mai. 12) Quando stava a Cervinia, Paolo.....ogni giorno. 13) Quando lo vide, lo.....di baci. 15) (io).....la bicicletta e andai in centro. 17) (lui).....il suo primo romanzo alla memoria di sua madre. 19) Come «restituii». 20) Lui ci....., ma non ci salutò. 21) Io.....le valigie in fretta e chiamai un taxi. 22) Se lui mi provocasse, io.....sicuramente. 23) «Inseguii» senza l'inizio. 25) Come «finii». 27) Il contrario di «cominciava». 28) Si «fece la barba». 29) «Capite» all'Imperfetto. 30) «Favorisce» al Passato remoto. 31) .....da fare, perciò non sono venuto. 32) «Unisco» al Passato remoto. 33) I soldati.....il Paese e lo occuparono.

Verticali:

2) (io).....ad alta voce una poesia di Leopardi. 3) Il contrario di «entrò». 4) Spalancava la bocca per il sonno e per la noia. 5) «Sprecò» senza l'inizio. 6) (io).....sicuro di avere ragione. 7) Quando lo interrogarono, lui non.....che cosa rispondere. 8) Se vi foste informati meglio, ora.....che strada prendere. 10) Quando era piccola, Natalie.....paura del buio. 11) Jacopo non.....a quello che gli raccontai. 14) Il concerto.....con mezz'ora di ritardo. 16) «Esagero» al Passato remoto. 18) (io).....il suo nome nell'elenco telefonico, ma non lo trovai. 21) «Fisso» all'Imperfetto. 22) «Ferì» un'altra volta. 24) «Stavi usando». 26) Sapevo che tu.....ospiti e non ho voluto disturbarti.

5. Livello superiore (Congiuntivo, Imperativo, Gerundio, Infinito)

■	1	2		3		4		■	5	6	7			8	
9							■	10	■	11					■
12							■	13					■		14
			■	■	■		15		■			■	16		
17					18					■	19				
■			■	20						21			■		
■	22		23						■	24					
25		■		■	■			■	■			■	■		
	■	26			■	■	27				■	28	■	■	
29					■	30									
31								■	32						■

Orizzontali:

1) Non credevo che (loro).....tanta importanza a un episodio del genere. 5) È come «comprenda». 9) .....bene per la cerimonia! Non mettere quella brutta giacca! 11) Mi sembra che lui.....spesso la pazienza. 12) Parli!.....la Sua opinione! 13) (tu).....a casa per l'ora di cena! 17) Congiuntivo Imperfetto di «arrendere» (III^{a} persona singolare). 19) .....e sarete amati! 20) «Visitavi» al Congiuntivo. 22) Stia attento! Non vorrei che mi.....il vino sulla tovaglia nuova. 24) Domani mattina devo.....presto di casa. 25) .....via! Non ti voglio più vedere! 26) Come «adopera!» 27) .....pazienza! Non arrabbiarti! 29) Se voi.....ascolto a chi ha più esperienza di voi, non vi trovereste sempre nei guai. 30) «Fa' un intervento!» 31) È come «giungano». 32) Prego Signori, mangino e.....quanto desiderano.

Verticali:

1) (Lei) mi.....nei particolari ciò che ha visto! 2) «Mettere in mostra». 3).....sempre onesto nella vita, figlio mio! 4) «Avesse» un'altra volta. 6) Il contrario di «chiudi!» 7) Sarebbe molto meglio se tu.....di più ai fatti tuoi. 8) Come «succedere». 9) È come «guardi». 10) Se voi.....più attenti, non dovrei ripetere sempre le spiegazioni. 14) Sarei davvero uno stupido se.....a tutte le storie che racconti. 15) Può darsi che nell'Universo.....altre forme di vita. 16) .....come ti dico! Obbedisci! 18) Mi.....pure la valigia, Signora, l'aiuto io. 21) Accettare passivamente situazioni o imposizioni moleste. 23) Come «rimanga». 25) .....pure. Non ho più bisogno di Lei. 28) Ritengo che.....meglio così.

6. Livello superiore (Congiuntivo, Imperativo, Gerundio, Infinito)

1	2	3	4	■	5	6	7		8			■	9		10	
■	11										■	12		■		■
13					■			■		■	14					15
■				■	16					■	■			■		
17					■			■	■	18	■			■		
	■			■	19				20		21		■	22		
■	23			24				■				■	■			
■	■				■		■	25								
26					■	■	27						■			■
28								■	29			■	30		■	■
■	■	■	■	31					■		■	32				

Orizzontali:

1) Non so che cosa (lei).....facendo in questi giorni. 5) «Riprodurre», «trascrivere». 9) Come «debba». 11) Giuliano non vuole che tu lo.....mentre sta parlando. 12) Marta,.....attenzione a ciò che ti dico! 13) Se non ci vede bene, si.....gli occhiali! 14) Ti prego,.....Daniele da parte mia! 16) .....su quella poltrona e aspetta! 17) Il contrario di «perda» 19) Ci piacerebbe che tu.....con noi questa fine di settimana. 22) Per non inquinare e risparmiare (tu),.....la bicicletta! 23) Agite con il «re». 25) Non essere puntuali. 26) Vorrei che tu ogni tanto mi.....ragione. 27) Mettersi in mostra: farsi..... 28) Quando non capisci qualcosa, ...al tuo professore! 29) La terza coniugazione dei verbi. 31) Spero che Claudia non ce l'.....con me. 32) Come «proibisca».

Verticali:

2) Fa' attenzione! .....gli occhi aperti! 3) Non sapevo che tu ti.....di astronomia. 4) Mi creda, signora, se Lei.....il quadro su quella parete starebbe meglio. 6) Al ristorante,.....pure ciò che volete! 7) Se «avesse la possibilità». 8) Fa caldo. .....la finestra! 9) Quando hai finito di leggere il giornale, ...a me per favore! 10) Che cosa cambierebbe se tutti.....per il tuo partito? 12) Anna.....vedere che cosa hai comprato! 15) È come «recarsi». 17) Gino,.....in farmacia e comprami delle caramelle per la tosse! 18) «Avere un'esitazione». 20) Non so se lei.....ancora in quel quartiere. 21) Restare senza il «re». 22) Congiuntivo Imperfetto di «usare» (III^{a} persona singolare). 24) Mi raccomando, non correre e.....con prudenza! 30) «Parla!»

CHIAVI DELLE ESERCITAZIONI

VERBI REGOLARI

Livello elementare: 1) arriverà (arriva), abita; 2) hai imparato, credo; 3) abbiamo aspettato; 4) hai ballato, ho incontrato; 5) è fuggito; 6) cambierà, credi; 7) è arrivata, guardo; 8) è cambiata; 9) avrò imparato (imparerò); 10) è arrivato, guarderò.

1) ho parlato; 2) studi, studio, parlo; 3) ricorda, ha sentito; 4) partirà (parte); 5) trovo, temo; 6) avrò parlato; 7) senti, sento; 8) hanno rubato; 9) lavorano; 10) sbatte.

Livello intermedio: 1) aveva iniziato; 2) invitavano, aiutavo; 3) iniziarono; 4) avrebbero dormito; 5) chiamerebbe 6) attraversò (attraversava); 7) aveva mandato; 8) aveva guidato; 9) comprai; 10) avrei ascoltato.

1) avrei passato (passerei); 2) visitava, salutava; 3) vedevo; 4) presterei, (avrei prestato); 5) serviva; 6) sbagliammo; 7) avrebbe telefonato 8) passai; 9) ricevé (ricevette), salutò; 10) ripeté.

Livello superiore: 1) esegui, basta; 2) girasse; 3) battessi; 4) pensando; 5) sia ingrassato; 6) giriamo; 7) consigli, (abbia consigliato); 8) desideri; 9) interessassi; 10) abbandona.

1) sperando; 2) scioperino (abbiano scioperato); 3) prova; 4) segua; 5) avessi rifiutato; 6) abbia suonato; 7) prepara; 8) avesse protestato; 9) viaggiando; 10) abbia riposato.

VERBI IRREGOLARI

Livello elementare: 1) va, andrà; 2) danno, hanno dato; 3) ha, avrà; 4) ho bevuto, berrò; 5) hanno aperto, hanno chiuso; 6) beviamo; 7) hai detto, dico; 8) avrà chiesto, avrà; 9) hai acceso; 10) ho deciso, andrò.

1) è, sono; 2) ho perso, ho fatto; 3) sono morte; 4) hanno offerto; 5) dovrò, (devo) fa; 6) ho letto, è piaciuto; 7) hai messo; 8) ha perso, è stata; 9) muore; 10) sono nato(a).

1) ha risposto; 2) posso (ho potuto), so; 3) siamo rimasti, abbiamo scritto; 4) saprà, potrà; 5) hanno preso, sono scesi; 6) hanno scelto; 7) ha reso; 8) sale, salgo; 9) rimarrai, (rimani);rimarrò (rimango); 10) avrà preso.

1) ho speso; 2) esce; 3) è stata, ha vissuto; 4) siete venuti; 5) verrò; 6) è successo; 7) abbiamo visto; 8) ha spento; 9) terrà; 10) vorrà (vuole).

Livello intermedio: 1) beveva; 2) diedi (detti); 3) diresse, deluse; 4) dicevi; 5) dissero; 6) ebbero, corsero; 7) berrei; 8) conobbi; 9) avrebbe concesso; 10) andrei.

1) misero; 2) avrebbe discusso; 3) sarebbe offesa; 4) offrirei, (avrei offerto); 5) avrei perso; 6) fece; 7) lesse; 8) dovresti (avresti dovuto); 9) eravamo, facevamo; 10) mosse.

1) producevano; 2) scrisse; 3) avresti risposto (rispondessi); 4) potresti; 5) aveva rotto; 6) era rimasta (rimase); 7) protessero (proteggevano); 8) avrebbero scelto; 9) rifletté (riflesse); 10) risero.

1) avresti sofferto (soffriresti); 2) volle; 3) venne; 4) sospese; 5) avresti vinto; 6) stette; 7) aveva visto; 8) vissi (stetti); 9) avrebbe soddisfatto; 10) traducevo.

Livello superiore: 1) avesse aperto; 2) va' (vattene); 3) avesse detto; 4) siano stati assunti; 5) dicendo; 6) fossi coperto(a); 7) colga; 8) abbia, dia; 9) abbia bevuto; 10) fosse cresciuto.

1) fossero; 2) debba; 3) fosse espresso; 4) facendo; 5) avessi insistito; 6) abbia perso; 7) sia stato escluso; 8) avesse nascosto; 9) piaccia; 10) fosse giunta.

1) possa; 2) rimanga; 3) avesse prodotto, (avrebbe prodotto); 4) abbia retto; 5) sappia; 6) riducendo; 7) avessero scelto; 8) abbia preso; 9) salga; 10) riempia.

1) tragga (abbia tratto); 2) sta'; 3) esca; 4) stesse; 5) abbia spinto; 6) avesse sofferto; 7) fossero stati uccisi; 8) valga; 9) tengano (terranno); 10) stia, sieda.

CHIAVI DEI CRUCIVERBA

Cruciverba n. 1

Orizzontali: 1) sa; 3) deciso; 7) romperò; 8) può; 10) usi; 11) verrò; 13) stato; 15) sarai; 17) amo; 18) faccio; 21) rotto; 22) darà; 23) stata; 24) odia; 25) stiro.
Verticali: 1) sosta; 2) amiamo; 3) devo; 4) ere; 5) corsa; 6) sporcato; 9) odio; 12) racconti; 14) tornata; 16) aiuterò; 19) speso; 20) avrà; 22) dai.

Cruciverba n. 2

Orizzontali: 1) sta; 3) ridi; 5) temo; 7) costerà; 9) sono; 10) pesata; 13) spero; 15) creato; 17) staremo; 19) puoi; 20) saltato; 23) do; 24) canta; 25) nato; 26) deciso; 27) pagherà; 28) ere.
Verticali: 1) sceso; 2) aspetto; 3) reso; 4) dato; 5) tornerà; 6) entra; 8) terrai; 11) accolte; 12) vuoi; 14) pesa; 16) trovo; 17) suona; 18) manda; 21) tace; 22) tese.

Cruciverba n. 3

Orizzontali: 1) dovremmo; 4) durò; 5) spostava; 8) fu; 10) pretesi; 13) stirai; 14) starei; 16) entravamo; 18) eravate; 20) evitò; 21) rapì; 22) vivevamo; 23) andavo.
Verticali: 1) dispose; 2) voleva; 3) morì; 4) darei; 6) tentava; 7) staresti; 9) udii; 11) elencò; 12) tremava; 13) sparava; 15) trovai; 17) avevo; 19) ero; 20) era.

Cruciverba n. 4

Orizzontali: 1) deluse; 4) staresti; 9) pesò; 10) abiterei; 12) sciava; 13) coprì; 15) presi; 17) dedicò; 19) resi; 20) vide; 21) feci; 22) reagirei; 23) seguii; 25) cessai; 27) finiva; 28) rase; 29) capivate; 30) favorì; 31) avevo; 32) unii; 33) invasero.
Verticali: 2) lessi; 3) uscì; 4) sbadigliava; 5) recò; 6) ero; 7) seppe; 8) sapreste; 10) aveva; 11) credé; 14) iniziò; 16) esagerai; 18) cercai; 21) fissavo; 22) riferì; 24) usavi) 26) avevi.

Cruciverba n. 5

Orizzontali:1)dessero; 5) capisca; 9) vestiti; 11) perda; 12) esprima; 13) torna; 17) arrendesse; 19) amate; 20) visitassi; 22) versasse; 24) uscire; 25) va'; 26) usa; 27) abbi; 29) deste; 30) intervieni; 31) arrivino; 32) bevano.
Verticali:1) descriva; 2) esporre; 3) sii; 4) riavesse; 6) apri; 7) pensassi; 8) capitare; 9) veda; 10) steste; 14) credessi; 15) esistano; 16) fa'; 18) dia; 21) subire; 23) resti; 25) vada; 28) sia.

Cruciverba n. 6

Orizzontali: 1) stia; 5) copiare; 9) deva; 11) interrompa; 12) fa; 13) metta; 14) saluta; 16) siedi; 17) vinca; 19) passassi; 22) usa; 23) reagite; 25) ritardare; 26) dessi; 27) notare; 28) chiedilo; 29) ire; 31) abbia; 32) vieti.
Verticali: 2) tieni; 3) intendessi; 4) attaccasse; 6) ordinate; 7) potesse; 8) apri; 9) dallo; 10) votassero; 12) fammi; 15) andare; 17) va'; 18) esitare; 20) abiti; 21) stare; 22) usasse; 24) guida; 30) di'.

ELENCO DEI VERBI

A

ABBAGL*IARE*	to dazzle	éblouir	blenden	deslumbrar	24
ABBA*IARE*	to bark/bay	aboyer	bellen	ladrar	24
ABBANDONARE	to abandon	abandonner	im Stich lassen	abandonar	18
ABBASSARE	to lower	baisser	senken	bajar	18
ABBATTERE	to knock down	abattre	niederschlagen/fällen	abatir/derribar	19
ABBONARSI	to subscribe	s'abonner	abonnieren	subscribirse	18
ABBOTTONARE	to button	boutonner	zuknöpfen	abotonar/abrochar	18
ABBRAC*CIARE*	to embrace	embrasser	umarmen/umfassen	abrazar	30
ABBREV*IARE*	to shorten	abréger	kürzen	abreviar/acortar	24
ABBRONZARE	to tan	bronzer	braun werden	broncear	18
ABDI*CARE*	to abdicate	abdiquer	verzichten	abdicar	28
ABITARE	to live in	habiter	wohnen	vivir	18
ABITUARE	to accustom	habituer	gewöhnen	acostumbrar	18
ABOLIRE	to abolish	abolir	abschaffen	abolir	21
ABORTIRE	to abort	avorter	Fehlgeburt haben	abortar	21
ABUSARE	to abuse	abuser	mißbrauchen	abusar	18
ACCADERE	to happen	se passer	geschehen	suceder/acontecer	44
ACCANIRSI	to attack furiously	s'acharner	sich erbosen/verbissen	embestir	21
ACCAREZZARE	to caress	caresser	liebkosen	acariciar	18
ACCE*CARE*	to blind	aveugler	erblinden	cegar	28
ACCELERARE	to accelerate	accélérer	beschleunigen	acelerar	18
ACCENDERE	to light/put on	allumer	anzünden/anmachen	encender	34
ACCENNARE	to signal/hint/refer	faire signe	hinweisen	hacer señas/aludir	18
ACCERTARE	to ascertain	vérifier/établir	sicherstellen	averiguar	18
ACCETTARE	to accept	accepter	akzeptieren	aceptar	18
ACCINGERSI	to set about	s'apprêter	sich zu et. anschicken	disponerse	65
ACCLUDERE	to enclose	joindre/inclure	beifügen/beilegen	incluir	46
ACCOGLIERE	to receive	accueillir	aufnehmen	acoger/recibir	47
ACCOMODARSI	to sit down	s'installer/s'assoir	Platz nehmen	acomodarse	18
ACCOMPAGNARE	to accompany	accompagner	begleiten	acompañar	18
ACCONDISCENDERE	to condescend	condescendre	eingehen/nachgeben	condescender	131
ACCONSENTIRE	to consent	consentir	einwilligen	consentir	20
ACCONTENTARE	to please	contenter	befriedigen	agradar/complacer	18
ACCOPP*IARE*	to couple	accoupler	vereinigen/paaren	acoplar/unir	24
ACCOR*CIARE*	to shorten	raccourcir	verkürzen	acortar	30
ACCORDARE	to agree	accorder	bewilligen	acordar	18

ACCORGERSI	to realize	s'apercevoir	bemerken/sehen	darse cuenta de	35
ACCORRERE	to rush	accourir	herbeilaufen	apresurar/acudir	56
ACCOSTARE	to approach	approcher/aborder	näher kommen	acercarse	18
ACCRESCERE	to increase	accroître	vermehren	acrecentar	57
ACCUMULARE	to accumulate	accumuler	häufen	acumular	18
ACCUSARE	to accuse	accuser	anklagen	acusar	18
ACQUISTARE	to buy	acheter	kaufen	comprar	18
ADATTARSI	to adapt	s'adapter	sich anpassen	adaptar	18
ADDESTRARE	to train	dresser	abrichten	adiestrar	18
ADDOLCIRE	to sweeten	adoucir	süssen/mildern	endulzar	21
ADDOLORARE	to grieve/sadden	attrister	traurig machen	afligir	18
ADDOMESTI*CARE*	to tame	apprivoiser	zähmen	domesticar/amansar	28
ADDORMENTARE	to put to sleep	endormir	einschlafen	adormecer	18
ADEGUARE	to adjust	adapter	anpassen	ajustar/arreglar	18
ADERIRE	to adhere/support	adhérer	beitreten/haften	adherir	21
ADOPERARE	to use	utiliser	gebrauchen	usar/emplear	18
ADORARE	to adore	adorer	anbeten	adorar	18
ADOTTARE	to adopt	adopter	adoptieren	adoptar	18
ADUNARE	to assemble	rassembler	versammeln	reunir	18
AFFAC*CIARSI*	to go over/lean out	se pencher	hinaus lehnen	asomarse	30
AFFANNARSI	to worry	s'ensouffler/s'inquiéter	sich sorgen machen	inquietarse	18
AFFASCINARE	to charm	fasciner/ravir	faszinieren	fascinar/encantar	18
AFFATI*CARE*	to tire	fatiguer	ermüden	cansar/fatigar	28
AFFERMARE	to affirm	affirmer	behaupten	afirmar	18
AFFERRARE	to seize/catch	saisir	fassen	aferrar	18
AFFETTARE	to slice	couper en tranches	in Scheiben schneiden	filetear/rebanar	18
AFFEZIONARSI	to become fond of	s'attacher	Zuneigung fassen	aficionarse	18
AFFIDARE	to entrust	confier	anvertrauen	confiar	18
AFFIGGERE	to post	afficher	anschlagen	fijar/pegar	36
AFFITTARE	to let/rent	louer	mieten/vermieten	alquilar	18
AFFLIGGERE	to afflict	affliger/désoler	betrüben	afligir	84
AFFO*GARE*	to drown	noyer	ertrinken	ahogar	29
AFFOLLARE	to crowd	se presser/envahir	Menge bilden	abarrotar	18
AFFONDARE	to sink	enfoncer	versenken	hundir	18
AFFRETTARSI	to hurry	se hâter	sich beeilen	apresurarse	18
AFFRONTARE	to face	affronter	in Angriff nehmen	afrontar	18
AFFUMI*CARE*	to smoke/fill with s.m.	fumer/enfumer	(ein)räuchern	ahumar	28
AGGAN*CIARE*	to hook up	accrocher	einhängen	enganchar	30
AGGHIAC*CIARE*	to freeze	geler	gefrieren lassen	helar	30
AGGIORNARE	to bring up to date	mettre à jour	auf dem laufenden halten	poner al dìa	18

AGGIRARE	to go/get round	contourner	umgehen	rodear	18
AGGIUDI*CARE*	to award	adjuger	zuerkennen	adjudicar	28
AGGIUNGERE	to add	ajouter	hinzufügen	añadir/sumar	85
AGGIUSTARE	to adjust	ajuster	wieder errichten	ajustar	18
AGGRAPPARSI	to cling	s'accrocher	sich festhalten	pegarse	18
AGGRAVARE	to make worse	aggraver	verschärfen	agravar	18
AGGREDIRE	to assault	assaillir/agresser	überfallen	agredir	21
AGIRE	to act	agir	handeln	actuar/obrar	21
AGITARE	to agitate	agiter	aufregen	agitar	18
AGUZZARE	to sharpen	aiguiser	schärfen	aguzar	18
AIUTARE	to help	aider	helfen	ayudar	18
ALBEG*GIARE*	to dawn	se lever	dämmern/tagen	amanecer	31
ALIMENTARE	to feed	alimenter	nähren	alimentar	18
ALLAC*CIARE*	to lace/tie	lacer	verbinden	enlazar	30
ALLA*GARE*	to flood	inonder	überschwemmen	inundar	29
ALLAR*GARE*	to widen	élargir	erweitern	ensanchar	29
ALLARMARE	to alarm	alarmer	alarmieren	alarmar	18
ALLATTARE	to feed	allaiter	stillen/säugen	amanantar	18
ALLEARSI	to ally	s'allier	sich verbünden	aliarse	18
ALLEGGERIRE	to lighten	alléger	erleichtern	aligerar	21
ALLENARE	to train	entraîner	trainieren	entrenar	18
ALLESTIRE	to prepare	préparer/équiper	zurechtmachen	preparar	21
ALLEVARE	to rear	élever	aufziehen	criar/educar	18
ALLINEARE	to align	aligner	einreihen	alinear	18
ALLOG*GIARE*	to lodge/house	loger	wohnen	alojar	31
ALLONTANARE	to take away	éloigner	entfernen	alejar	18
ALLUDERE	to allude	faire allusion	anspielen	aludir	46
ALLUN*GARE*	to lengthen	allonger	verlängern	alargar	29
ALTERARE	to alter	altérer	entstellen	alterar	18
ALZARE	to lift (up)	lever	heben	alzar/levantar	18
AMARE	to love	aimer	lieben	amar/querer	18
AMBIENTARE	to acclimatize/set	acclimater/situer	akklimatisieren	aclimatar	18
AMMAESTRARE	to teach/train	instruire/dresser	lehren/abrichten	amaestrar	18
AMMALARSI	to get sick	tomber malade	krank werden	enfermar	18
AMMAZZARE	to kill	tuer	töten	matar	18
AMMETTERE	to admit	admettre	zulassen/zugeben	admitir	94
AMMINISTRARE	to manage/administer	administrer	verwalten	administrar	18
AMMIRARE	to admire	admirer	bewundern	admirar	18
AMMOBIL*IARE*	to furnish	meubler	möblieren	amueblar	24
AMMONIRE	to admonish	réprimander	zurechtweisen	amonestar	21

AMMUFFIRE	to go mouldy	moisir	schimmeln	enmohecer	21
AMPUTARE	to amputate	amputer	amputieren	amputar	18
AMPL*IARE*	to enlarge	agrandir	vergrößern	ampliar	24
AMPLIFI*CARE*	to amplify	amplifier	ausweiten	amplificar	28
ANALIZZARE	to analyse/test	analyser	analysieren	analizar	18
ANDARE	to go	aller	gehen	ir	37
ANIMARE	to animate	animer	beleben	animar	18
ANNAFF*IARE*	to water	arroser	gießen	regar	24
ANNE*GARE*	to drown	noyer	ertränken	ahogar	29
ANNERIRE	to blacken/darken	noircir	schwärzen	ennegrecer	21
ANNIENTARE	to annihilate	anéantir	vernichten	anonadar	18
ANNO*IARE*	to bore	ennuyer	langweilen	aburrir	24
ANNOTARE	to note	noter	notieren	anotar	18
ANNULLARE	to annul/cancel	annuler	annullieren	anular	18
ANNUN*CIARE*	to announce	annoncer	ankündigen	anunciar	30
ANNUSARE	to sniff/smell	flairer	beschnuppern	husmear	18
ANNUVOLARE	to cloud	obscurcir	bewölken	anublar/encapotar	18
ANSIMARE	to pant	haleter	keuchen	jadear	18
ANTEPORRE	to place/put before	placer avant	davor setzen	anteponer	110
ANTICIPARE	to put forward	anticiper	vorverlegen	anticipar	18
APPA*GARE*	to satisfy	satisfaire	befriedigen	satisfacer	29
APPARECCH*IARE*	to set the table	mettre la table	Tisch decken	poner la mesa	24
APPARIRE	to appear	apparaître	erscheinen	aparecer	48
APPARTARSI	to withdraw	s'écarter	sich absondern	apartarse	18
APPARTENERE	to belong	appartenir	an-zu-gehören	pertenecer	148
APPASSIONARSI	to be keen on	se passionner	sich begeistern	apasionarse	18
APPENDERE	to hang up	suspendre	aufhängen	colgar/suspender	38
APPESANTIRE	to make heavier	alourdir	schwerer machen	cargar/agravar	21
APPLAUDIRE	to clap	applaudir	beklatschen	aplaudir	20-21
APPLI*CARE*	to apply	appliquer	anwenden	aplicar	28
APPOG*GIARE*	to lean/support	appuyer	lehnen	apoyar	31
APPORRE	to affix	apposer	hinzufügen	pegar/fijar	110
APPRENDERE	to learn	apprendre	lernen/erfahren	aprender	112
APPREZZARE	to appreciate	apprécier	schätzen	apreciar	18
APPROFITTARE	to take adv. of	profiter	profitieren	aprovechar	18
APPROFONDIRE	to deepen/investigate	approfondir	austiefen	ahondar/profundizar	21
APPROVARE	to approve	approuver	billigen	aprobar	18
APRIRE	to open	ouvrir	öffnen	abrir	39
ARARE	to plough	labourer	pflügen	arar	18
ARBITRARE	to arbitrate/referee	arbitrer	beurteilen	arbitrar	18

ARCHIV*IARE*	to record/file	archiver	archivieren	archivar	24
ARDERE	to burn	brûler	glühen	quemar/arder	40
ARMARE	to arm	armer	bewaffnen	armar	18
ARRABB*IARSI*	to get angry	se fâcher	zornig werden	enfadarse	24
ARRAMPI*CARSI*	to climb up	grimper	klettern	escalar/trepar	28
ARRAN*GIARSI*	to manage	se débrouiller	durchkommen	arreglarse/apañarse	31
ARREDARE	to furnish	meubler	möblieren	amueblar	18
ARRENDERSI	to surrender	se rendre	sich ergeben	rendirse	118
ARRESTARE[1]	to arrest	arrêter	verhaften	detener/arrestar	18
ARRESTARE[2]	to halt	paralyser	anhalten	parar	18
ARRETRARE	to move back	reculer	zurückweichen	retroceder/recular	18
ARRICCHIRE	to enrich	enrichir	bereichern	enriquecer	21
ARRISCH*IARSI*	to risk	se risquer (à)	riskieren	arriesgar	24
ARRIVARE	to arrive	arriver	ankommen	llegar	18
ARROSSIRE	to blush	rougir	erröten	sonrojar/enrojecer	21
ARROSTIRE	to roast	rôtir	braten/rösten	asar/tostar	21
ARROTOLARE	to roll (up)	rouler	aufrollen	enrollar	18
ARROTONDARE	to round off	arrondir	abrunden	redondear	18
ARRUGGINIRE	to rust	rouiller	rosten	oxidar	21
ARRUOLARE	to enlist	enrôler	anwerben	reclutar	18
ARTICOLARE	to utter	articuler	artikulieren	articular	18
ASCIU*GARE*	to dry	sécher	trocknen	secar	29
ASCOLTARE	to listen	écouter	zuhören	escuchar	18
ASPETTARE	to wait	attendre	warten	esperar/aguardar	18
ASPIRARE	to aspire	aspirer	streben	aspirar	18
ASSAG*GIARE*	to taste	goûter	kosten	gustar/probar	31
ASSALIRE	to assail	assaillir	überfallen	asaltar	128
ASSASSINARE	to murder	assassiner	ermorden	asesinar	18
ASSED*IARE*	to besiege	assiéger	belagern	sitiar/asediar	24
ASSEGNARE	to assign	assigner	zuweisen	asignar	18
ASSENTARSI	to absent o.s.	s'absenter	sich entfernen	ausentarse	18
ASSICURARE	to assure	assurer	versichern	asegurar	18
ASSISTERE	to assist	assister	pflegen/beiwohnen	asistir	41
ASSOLVERE	to perform	s'acquitter (de)	freisprechen	absolver	125
ASSORBIRE	to absorb	absorber	absorbieren	absorber	20-21
ASSUEFARE	to inure/accustom	accoutumer	gewöhnen	acostumbrar	81
ASSUMERE[1]	to engage	engager	einstellen	asumir	42
ASSUMERE[2]	to assume	assumer	annehmen	asumir	42
ASTENERSI	to abstain	s'abstenir	sich enthalten	abstenerse	148
ATTAC*CARE*	to attack	attaquer	angreifen	atacar	28

ATTENDERE	to wait	attendre	erwarten	aguardar/esperar	147
ATTENTARE	to attempt	attenter	Anschlag verüben	atentar	18
ATTENUARE	to mitigate	atténuer	abschwächen	mitigar	18
ATTERRARE	to land	atterrir	landen	aterrizar	18
ATTINGERE	to draw/obtain	puiser/atteindre	schöpfen/erreichen	sacar	149
ATTIRARE	to attract	attirer	anziehen	atraer	18
ATTIVARE	to start up	activer	aktivieren	activar	18
ATTRARRE	to attract	attirer	anziehen	atraer	152
ATTRAVERSARE	to cross	traverser	durchqueren	cruzar/atraversar	18
ATTREZZARE	to equip	équiper	ausrüsten	equipar	18
ATTRIBUIRE	to attribute	attribuer	zuschreiben	atribuir	21
ATTUARE	to bring about	réaliser	ausführen	ejecutar/realizar	18
AUGURARE	to wish	souhaiter	wünschen	augurar	18
AUMENTARE	to increase	augmenter	vermehren	aumentar	18
AUTENTI*CARE*	to authenticate	authentifier	beglaubigen	autenticar	28
AUTORIZZARE	to authorize	autoriser	ermächtigen	autorizar	18
AVANZARE	to advance	avancer	vorankommen	avanzar	18
AVERE	to have	avoir	haben	haber/tener	12
AVVEDERSI	to become aware	s'apercevoir	merken	darse cuenta	157
AVVELENARE	to poison	empoisonner	vergiften	envenenar	18
AVVENIRE	to happen	arriver	geschehen	suceder/acontecer	158
AVVERTIRE	to warn	avertir	warnen	avisar/advertir	20
AVV*IARE*	to start	commencer	einleiten	comenzar/encaminar	25
AVVICINARE	to approach	approcher	nähern	acercar	18
AVVILIRE	to humiliate/mortify	avilir	demütigen	humillar	21
AVVISARE	to let know	avertir/prévenir	benachrichtigen	avisar	18
AVVOLGERE	to wrap	enrouler	umwickeln	envolver	16
AZIONARE	to start/operate	actionner	betätigen	accionar	1
AZZARDARE	to risk	risquer	wagen	arriesgar	1
AZZUFFARSI	to brawl	se battre	sich raufen	pelearse	1
B					
BA*CIARE*	to kiss	embrasser	küssen	besar	3
BADARE	to mind/take care of	s'occuper/veiller sur	hüten	cuidar/estar atento	1
BAGNARE	to wet	baigner	naß machen	mojar	1
BALBETTARE	to stammer	bégayer	stottern	tartamudear	1
BALLARE	to dance	danser	tanzen	bailar	1
BARARE	to cheat	tricher	schummeln	hacer trampa	1
BARCOLLARE	to stagger	chanceler	wanken	tambalearse	1
BASARE	to base	fonder/baser	stützen	basar	1
BASTARE	to be enough	suffir	genügen	bastar	1

BASTONARE	to beat/cane	batônner	verprügeln	apalear	18
BATTERE	to beat	battre	schlagen	batir	19
BATTEZZARE	to baptize	baptiser	taufen	bautizar	18
BEC*CARE*	to peck	becqueter	picken	picar	28
BELARE	to bleat	bêler	blöken	balar	18
BENDARE	to bandage	bander	verbinden	vendar	18
BENEDIRE*	to bless	bénir	segnen	bendecir	66
BERE	to drink	boire	trinken	beber	43
BESTEMM*IARE*	to blaspheme	blasphémer	fluchen	blasfemar	24
BIASIMARE	to blame	blâmer	tadeln	reprochar	18
BISBIGL*IARE*	to whisper	chuchoter	flüstern	susurrar/cuchichear	24
BISOGNARE	to be necessary	falloir	nötig sein/brauchen	necesitar	18
BISTIC*CIARE*	to quarrel	se disputer	zanken	reñir	30
BLOC*CARE*	to block	bloquer	absperren	bloquear	28
BOC*CIARE*[1]	to reject	rejeter	ablehnen	rechazar	30
BOC*CIARE*[2]	to fail	recaler/echouer	Sitzenbleiben	suspender	30
BOLLIRE	to boil	bouillir	kochen	hervir	20
BOMBARDARE	to bombard	bombarder	bombardieren	bombardear	18
BORBOTTARE	to grumble	bredouiller	murren	refunfuñar	18
BREVETTARE	to patent	breveter	patentieren	patentar	18
BRILLARE	to shine	briller	glänzen	brillar	18
BRINDARE	to toast/drink	porter un toast	anstoßen	brindar	18
BRONTOLARE	to grumble	grogner	brummen	refunfuñar	18
BRU*CIARE*	to burn	brûler	brennen	quemar	30
BU*CARE*	to bore/put a hole in	trouer	durchlöchern	agujerear/taladrar	28
BUSSARE	to knock	frapper	klopfen	llamar (a la puerta)	18
BUTTARE	to throw	jeter	werfen	tirar	18
C					
CAC*CIARE*	to hunt	chasser	jagen	cazar	30
CADERE	to fall	tomber	fallen	caer	44
CALARE	to lower/drop	descendre/baisser	sinken/senken	descender	18
CALCOLARE	to calculate	calculer	be-rechnen	calcular	18
CALMARE	to calm down	calmer	beruhigen	calmar	18
CALPESTARE	to trample on	piétiner	zertreten	pisar/pisotear	18
CALUNN*IARE*	to slander	calomnier	verleumden	calumniar	24
CAMB*IARE*	to change	changer	wechseln	cambiar	24
CAMMINARE	to walk	marcher	gehen	caminar	18
CAMPARE	to live	vivre/subsister	leben	subsistir	18
CANCELLARE	to erase	effacer	auslöschen	borrar	18
CANDIDARE	to stand for election	poser la candidature	kandidieren	presentar candidatura	18

CANTARE	to sing	chanter	singen	cantar	18
CAPIRE	to understand	comprendre	verstehen	comprender	21
CAPITARE	to happen	arriver	geschehen	suceder/pasar	18
CAPOVOLGERE	to turn over	renverser	umdrehen	volcar/poner al revés	162
CARI*CARE*	to load	charger	(be)laden	cargar	28
CAS*CARE*	to fall	tomber	fallen	caer	28
CASTRARE	to castrate/spay	châtrer	kastrieren	castrar	18
CATTURARE	to capture/arrest	capturer	festnehmen	capturar	18
CAUSARE	to cause	causer	verursachen	causar	18
CAVAL*CARE*	to ride	monter	reiten	cabalgar	28
CAVARE	to extract/take out	sortir	herausziehen	extraer	18
CEDERE	to yield	céder	nachgeben	ceder	19
CELEBRARE	to celebrate	célébrer	feiern	celebrar	18
CENARE	to dine/have dinner	dîner	zu Abend essen	cenar	18
CENTRARE	to hit the centre of	centrer	zentrieren	centrar	18
CER*CARE*	to look for	chercher	suchen	buscar	28
CERTIFI*CARE*	to certify	certifier	bestätigen	certificar	28
CESSARE	to stop/cease	cesser	aufhören	cesar	18
CHIACCHIERARE	to chat	bavarder	schwätzen	charlar	18
CHIAMARE	to call	appeler	rufen	llamar	18
CHIARIRE	to clear up	éclaircir	aufklären	aclarar	21
CHIEDERE	to ask	demander	fragen/bitten	pedir/preguntar	45
CHINARE	to bend/nod	baisser	beugen	inclinar	1
CHIUDERE	to close	fermer	schließen	cerrar	4
CINGERE	to encircle/surround	entourer	umgeben	ceñir	6
CIRCOLARE	to move/circulate	circuler	kreisen/fahren	circular	1
CIRCONDARE	to surround	entourer	umgeben	rodear/circundar	1
CIRCOSCRIVERE	to circumscribe	circonscrire	umschreiben	circunscribir	13
CITARE	to quote	citer	zitieren	citar	1
CIVILIZZARE	to civilize	civiliser	zivilisieren	civilizar	1
CLASSIFI*CARE*	to classify/be placed	classer	klassifizieren	clasificar	2
COABITARE	to live together	cohabiter	zs-wohnen	cohabitar	1
COCCOLARE	to pet/fondle	dorloter/choyer	hätscheln	mimar	1
COGLIERE	to pick/pluck	cueillir/saisir	pflücken/ergreifen	coger/tomar	4
COINCIDERE	to coincide	coïncider	zs-treffen	coincidir	12
COINVOLGERE	to involve	impliquer	hineinziehen	inmiscuir	16
COLARE	to filter/strain	filtrer/passer	durchsickern	colar/filtrar	1
COLLABORARE	to collaborate	collaborer	mitarbeiten	colaborar	1
COLLAUDARE	to test/try-out	vérifier/essayer	prüfen/testen	comprobar	1
COLLE*GARE*	to connect	relier	verbinden	conectar	2

COLLEZIONARE	to collect	collectionner	sammeln	coleccionar	18
COLMARE	to fill up (in)	combler	füllen	colmar	18
COLORARE	to colour	colorer	färben	colorear	18
COLPIRE	to hit/strike	frapper	treffen	pegar/golpear	21
COLTIVARE	to cultivate	cultiver	bestellen/pflegen	cultivar	18
COMANDARE	to order/command	commander	befehlen	comandar/mandar	18
COMBATTERE	to combat/fight	combattre	bekämpfen	combatir	19
COMBINARE	to combine	combiner	vereinbaren	combinar	18
COMIN*CIARE*	to begin/start	commencer	anfangen	comenzar	30
COMMEMORARE	to commemorate	commémorer	gedenken	conmemorar	18
COMMENTARE	to annotate	commenter	erläutern	comentar	18
COMMER*CIARE*	to trade	commercer	handeln	comerciar	30
COMMETTERE	to commit	commettre	begehen	cometer	94
COMMUOVERE	to move	émouvoir/toucher	rühren/bewegen	conmover	97
COMPARIRE	to appear	paraître	erscheinen	comparecer	48
COMPATIRE	to pity	plaindre	bemitleiden	compadecer	21
COMPENSARE	to compensate	compenser	kompensieren	compensar	18
COMPETERE**	to compete/be due	rivaliser (avec)	wetteifern	competir	19
COMPIACERE	to please	satisfaire	gefällig sein	complacer	106
COMPIANGERE	to pity	plaindre	beweinen	compadecer	107
COMPIERE	to carry out	accomplir	vollbringen	completar/cumplir	49
COMPILARE	to compile/draw	compiler	zs-stellen	compilar	18
COMPLETARE	to complete	compléter	vervollständigen	completar	18
COMPLI*CARE*	to complicate	compliquer	verkomplizieren	complicar	28
COMPORRE	to compose	composer	zusammensetzen	componer	110
COMPORTARSI	to behave	se conduire	sich betragen	comportarse	18
COMPRARE	to buy	acheter	kaufen	comprar	18
COMPRENDERE	to understand	comprendre	verstehen	comprender	112
COMPRIMERE	to compress/squeeze	comprimer	(zs-)drücken	comprimir	80
COMPROMETTERE	to compromise	compromettre	kompromittieren	comprometer	94
COMUNI*CARE*	to communicate	communiquer	mitteilen	comunicar	28
CONCEDERE	to grant/allow	accorder	gewähren	conceder	50
CONCENTRARE	to concentrate	concentrer	konzentrieren	concentrar	18
CONCEPIRE	to conceive	concevoir	begreifen	concebir	21
CONCIL*IARE*	to reconcile	concilier	versöhnen	conciliar	24
CONCLUDERE	to conclude	conclure	abschliessen	concluir	51
CONCORDARE	to agree/make agree	s'accorder	übereinstimmen	concordar	18
CONCORRERE	to compete	concourir	beitragen/zs-treffen	concurrir	56
CONDANNARE	to condemn	condamner	verurteilen	condenar	18
CONDIRE	to season	assaisonner	würzen	condimentar/sazonar	21

CONDIVIDERE	to share	partager	miteinender teilen	compartir	71
CONDIZIONARE	to make depend	conditionner	bedingen	condicionar	18
CONDONARE	to remit	remettre	verzeihen	condonar	18
CONDURRE	to lead	conduire	führen	conducir	52
CONFERIRE	to confer	conférer	verleihen	conferir	21
CONFERMARE	to confirm	confirmer	bestätigen	confirmar	18
CONFESSARE	to confess	confesser	gestehen	confesar	18
CONFEZIONARE	to pack/make up	confectionner	anfertigen	confeccionar	18
CONFIDARE	to confide	confier	anvertrauen	confiar	18
CONFINARE	to border/confine	confiner	angrenzen	confinar	18
CONFONDERE	to confuse	confondre	verwirren	confundir	83
CONFORTARE	to comfort	réconforter	trösten	reconfortar/consolar	18
CONFRONTARE	to compare	confronter	gegenüberstellen	comparar	18
CONGEDARE	to dismiss	congédier	entlassen	despedir	18
CONGELARE	to freeze	geler	einfrieren	congelar	18
CONGIUNGERE	to join	joindre	verbinden	conjuntar	85
CONGRATULARSI	to congratulate	féliciter	gratulieren	congratular	18
CON*IARE*	to coin	forger	prägen	acuñar	24
CONIU*GARE*	to conjugate	conjuguer	konjugieren	conjugar	29
CONOSCERE	to know	connaître	kennen	conocer	53
CONQUISTARE	to conquer	conquérir	erobern	conquistar	18
CONSACRARE	to consecrate	consacrer	weihen	consagrar	18
CONSEGNARE	to deliver	consigner	übergeben	entregar	18
CONSEGUIRE	to attain/result	remporter/résulter	erzielen/daraus folgen	conseguir/lograr	20
CONSENTIRE	to allow	permettre	erlauben	consentir	20
CONSERVARE	to preserve	conserver	aufbewahren	preservar/conservar	18
CONSIDERARE	to consider	considérer	erwägen	considerar	18
CONSIGL*IARE*	to advise	conseiller	raten	aconsejar	24
CONSISTERE	to consist	consister	bestehen	consistir	4
CONSOLARE	to console	consoler	trösten	consolar	1
CONSOLIDARE	to consolidate	consolider	festigen	consolidar	18
CONSTATARE	to ascertain	constater	festellen	constatar	1
CONSULTARE	to consult	consulter	zu Rate ziehen	consultar	1
CONSUMARE	to consume	consommer	verbrauchen	consumir	1
CONTA*GIARE*	to infect	contaminer	anstecken	contagiar	3
CONTARE	to count	compter	zählen	contar	1
CONTEMPLARE	to contemplate	contempler	betrachten	contemplar	1
CONTENDERE	to dispute/contest	disputer/contester	streiten/streitig machen	disputar	14
CONTENERE	to contain	contenir	enthalten	contener	14
CONTENTARE	to please	contenter	befriedigen	contentar	1

CONTESTARE	to contest	contester	bestreiten	contestar	18
CONTINUARE	to continue/go on	continuer	fortsetzen	continuar	18
CONTRABBANDARE	to smuggle	faire la contrebande	schmuggeln	hacer contrabando	18
CONTRACCAMB*IARE*	to return/reciprocate	rendre	zurückzahlen	corresponder	24
CONTRADDIRE*	to contradict	contredire	widersprechen	contradecir	66
CONTRAFFARE	to forge	contrefaire	nachmachen	falsear	81
CONTRAPPORRE	to oppose	opposer	entgegensetzen-stellen	oponer	110
CONTRARRE	to contract	contracter	zs-ziehen	contraer	152
CONTRASTARE	to contrast	contrarier	entgegenwirken	contrastar	18
CONTRATTARE	to bargain	négocier	verhandeln	contratar	18
CONTRIBUIRE	to contribute	contribuer	beitragen	contribuir	21
CONTROLLARE	to control	contrôler	kontrollieren	controlar	18
CONVENIRE	to be convenient/agree	convenir	abmachen/passen	convenir	158
CONVERSARE	to converse/talk	converser	sich unterhalten	conversar	18
CONVERTIRE	to convert	convertir	konvertieren	convertir	20
CONVINCERE	to convince	convaincre	überzeugen	convencer	159
CONVIVERE	to cohabit	vivre avec	zusammenleben	convivir	160
CONVO*CARE*	to convene/convoke	convoquer	einberufen	convocar	28
COP*IARE*	to copy	copier	kopieren	copiar	24
COPRIRE	to cover	couvrir	decken	cubrir	54
CORI*CARSI*	to go to bed/lie down	se coucher	sich hinlegen	acostarse	28
CORREGGERE	to correct	corriger	korrigieren	corregir	55
CORRERE	to run	courir	laufen	correr	56
CORRISPONDERE	to correspond	correspondre	entsprechen	corresponder	126
CORRODERE	to corrode	corroder	zerfressen/ätzen	corroer	79
CORROMPERE	to corrupt	corrompre	bestechen	corromper	127
CORTEG*GIARE*	to court	courtiser	den Hof machen	cortejar	31
COSPIRARE	to conspire	conspirer	sich verschwören	conspirar	18
COSTARE	to cost	coûter	kosten	costar	18
COSTITUIRE	to constitute/form	constituer	bilden	constituir	21
COSTRINGERE	to force/oblige	contraindre/forcer	zwingen	obligar/forzar	144
COSTRUIRE	to build	construire	bauen	construir	21
COVARE	to sit on/brood	couver	ausbrüten/hegen	empollar/encubar	18
CREARE	to create	créer	erschaffen	crear	18
CREDERE	to believe	croire	glauben	creer	19
CREPARE[1]	to die	crever	krepieren	morir	18
CREPARE[2]	to crack	se fendre	bersten	rajar/agrietar	18
CRESCERE	to grow	croître	wachsen	crecer	57
CRITI*CARE*	to criticize	critiquer	kritisieren	criticar	28
CROCIFIGGERE	to crucify	crucifier	kreuzigen	crucificar	36

CROLLARE	to collapse	crouler	einstürzen	derrumbar	18
CUCINARE	to cook	cuisiner	kochen	cocinar	18
CUCIRE	to sew	coudre	nähen	coser	58
CULLARE	to rock/dandle	bercer	wiegen	mecer	18
CULMINARE	to culminate	culminer	gipfeln	culminar	18
CUOCERE	to cook	cuire	kochen	cocer	5
CURARE	to take care of	soigner	behandeln	curar	1
CURIOSARE	to look about curiously	fureter	neugierig zuschauen	curiosear	18
CURVARE	to bend/curve	courber	krümmen/biegen	curvar	1
CUSTODIRE	to guard/keep	garder	bewachen	custodiar	2
D					
DANNARE	to damn	damner	verdammen	condenar	18
DANNEG*GIARE*	to damage	endommager	beschädigen	dañar/averiar	3
DANZARE	to dance	danser	tanzen	danzar	1
DARE	to give	donner	geben	dar	6
DATARE	to date	dater	datieren	datar	1
DATTILOGRAFARE	to typewrite	dactylographier	maschineschreiben	mecanografiar	1
DECADERE	to decline	déchoir	verfallen	decaer	4
DECIDERE	to decide	décider	entscheiden	decidir	6
DECIFRARE	to decipher/decode	déchiffrer	entziffern	descifrar	1
DECLINARE	to decline	décliner	deklinieren	declinar	1
DECOLLARE	to take/blast off	décoller	abheben	despegar	1
DECOMPORRE	to decompose	décomposer	zerlegen	descomponer	11
DECORARE	to decorate	décorer	schmücken	decorar	1
DECORRERE	to become effective	avoir effet depuis	gelten ab	transcurrir	5
DECRESCERE	to decrease	décroître	abnehmen	decrecer/disminuir	5
DECRETARE	to decree/order	décréter	verordnen	decretar	1
DEDI*CARE*	to dedicate	dédier	widmen	dedicar	2
DEDURRE	to deduce/deduct	déduire	folgern	deducir	15
DEFE*CARE*	to defecate	déféquer	Kot ausscheiden	defecar	2
DEFINIRE	to define	définir	definieren	definir	2
DEFORMARE	to deform	déformer	verformen	deformar	1
DEGENERARE	to degenerate	dégénérer	entarten	degenerar	1
DEGNARE	to deign	daigner	würdigen	dignarse	1
DEGRADARE	to degrade	dégrader	degradieren	degradar	1
DELE*GARE*	to delegate	déléguer	delegieren	delegar	2
DELINEARE	to outline	tracer	umreißen	delinear	1
DELIRARE	to be delirious/rave	délirer	phantasieren	delirar	1
DELUDERE	to disappoint	décevoir	enttäuschen	desilusionar	6
DEMOLIRE	to demolish	démolir	abreißen/zerstören	demoler	2

DEMORALIZZARE	to demoralize	démoraliser	zersetzen	desmoralizar	18
DENOMINARE	to call/name	nommer	(be)nennen	denominar	18
DENUDARE	to strip/undress	dénuder	entkleiden	desnudar	18
DENUN*CIARE*	to denounce	dénoncer	anzeigen	denunciar	30
DEPILARE	to depilate	épiler	enthaaren	depilar	18
DEPORRE	to put/lay down	déposer	ablegen	deponer	110
DEPORTARE	to deport	déporter	deportieren	deportar	18
DEPOSITARE	to deposit/leave	déposer	hinterlegen	depositar	18
DEPRIMERSI	to get depressed	se décourager	niederschlagen	deprimirse	80
DEPURARE	to purify	dépurer	reinigen	depurar	18
DERIDERE	to mock	se moquer	auslachen	mofarse	121
DERIVARE	to be derived/derive	dériver/provenir	abstammen	derivar	18
DERUBARE	to rob	voler	stehlen	robar	18
DESCRIVERE	to describe	décrire	beschreiben	describir	134
DESIDERARE	to wish	désirer	wünschen	desear	18
DESISTERE	to desist	se désister	ablassen	desistir	77
DESTARE	to wake up/arouse	réveiller/éveiller	wecken	despertar	18
DESTINARE	to destine	destiner	bestimmen	destinar	18
DESUMERE	to deduce	déduire	folgern	inferir/deducir	42
DETENERE	to hold	détenir	halten	detener	148
DETERMINARE	to define/determine	déterminer	festlegen	determinar	18
DETESTARE	to detest	détester	verabscheuen	detestar	18
DETRARRE	to deduct	déduire	abziehen	descontar	152
DETTARE	to dictate	dicter	diktieren	dictar	18
DEV*IARE*	to deviate	détourner	ablenken	desviar	25
DIALO*GARE*	to converse	dialoguer	sich unterhalten	conversar	29
DIBATTERE	to debate	débattre	erörten	debatir	19
DICHIARARE	to declare	déclarer	erklären	declarar	18
DIFENDERE	to defend	défendre	verteidigen	defender	63
DIFFAMARE	to defame	diffamer	verleumden	difamar	18
DIFFIDARE	to mistrust/warn	se méfier	mißtrauen	desconfiar	18
DIFFONDERE	to diffuse/spread	diffuser	verbreiten	difundir	83
DIGERIRE	to digest	digérer	verdauen	digerir	21
DIGIUNARE	to fast/go hungry	jeûner	fasten	ayunar	18
DILA*GARE*	to flood/spread	déborder	überschwemmen	propagarse	29
DILATARE	to dilate	dilater	weiten	dilatar	18
DILEGUARSI	to vanish/disappear	disparaître	verschwinden	disipar	18
DILETTARSI	to delight	s'amuser	sich ergötzen	deleitar	18
DILUV*IARE*	to pour	pleuvoir à verse	in Strömen regnen	diluviar	24
DIMAGRIRE	to lose weight	maigrir	dünner werden	adelgazar	21

DIMENTI*CARE*	to forget	oublier	vergessen	olvidar	28
DIMETTERE	to remove/dismiss	congédier/renvoyer	absetzen	dimitir	94
DIMEZZARE	to cut in half	couper en deux	halbieren	dividir en dos	18
DIMINUIRE	to lessen	diminuer	vermindern	disminuir	21
DIMOSTRARE	to show	démontrer/prouver	beweisen	demostrar	18
DIPENDERE	to depend	dépendre	abhängen	depender	64
DIPINGERE	to paint	peindre	malen	pintar	65
DIRADARE	to thin (out)/disperse	dissiper/éclaircir	lichten	aclarar/espaciar	18
DIRE	to say	dire	sagen	decir	66
DIRIGERE	to direct/conduct	diriger	leiten/dirigieren	dirigir	67
DIROTTARE	to divert/hijack	dérouter/détourner	vom Kurs abkommen	desviar	18
DISAPPROVARE	to disapprove	désapprouver	mißbilligen	desaprobar	18
DISARMARE	to disarm	désarmer	entwaffnen	desarmar	18
DISCENDERE	to descend/get off	descendre	aussteigen	descender	13
DISCOLPARE	to justify	disculper	entlasten	disculpar	18
DISCORRERE	to talk	discourir/parler	reden	platicar	56
DISCUTERE	to discuss	discuter	diskutieren	discutir	68
DISDIRE*	to cancel/retract	décommander	aufheben/absagen	desdecir	66
DISEGNARE	to draw	dessiner	zeichnen	dibujar	18
DISEREDARE	to disinherit	déshériter	enterben	desheredar	18
DISERTARE	to desert	déserter	desertieren	desertar	18
DISFARE*	to undo	défaire	auflösen	deshacer	8
DISILLUDERE	to disillusion	désillusionner	enttäuschen	desilusionar	8
DISINFETTARE	to disinfect	désinfecter	desinfizieren	desinfectar	18
DISINTEGRARE	to disintegrate	désintégrer	zersetzen	desintegrar	18
DISINTERESSARSI	to take no interest in	se désinteresser	kein Interesse haben	desinteresarse	1
DISONORARE	to dishonour	déshonorer	entehren	deshonrar	1
DISORDINARE	to disorder	mettre en désordre	in Unordnung bringen	desordenar	1
DISPERARE	to despair	désespérer	verzweifeln	desesperar	1
DISPERDERE	to scatter/disperse	disperser	zerstreuen	dispersar	10
DISPIACERE	to displease	regretter	leid tun	desagradar	10
DISPORRE	to arrange/dispose	disposer/placer	anordnen	disponer	11
DISPREZZARE	to despise	mépriser	verachten	despreciar	1
DISPUTARE	to dispute	disputer	erörtern/streiten	disputar	1
DISSANGUARSI	to bleed copiously	perdre tout son sang	ausbluten	desangrarse	1
DISSENTIRE	to disagree	ne pas être d'accord	nicht übereinstimmen	disentir	20
DISSETARE	to quench the thirst of	désaltérer	den Durst löschen	apagar la sed	1
DISSIPARE	to dissipate	dissiper	verschwenden	disipar	1
DISSOLVERE	to dissolve	dissoudre	auflösen	disolver	12
DISSUADERE	to dissuade	dissuader	abraten	disuadir	11

DISTAC*CARE*	to detach/separate	détacher	ablösen	destacar	28
DISTENDERE[1]	to stretch	étendre	ausstrecken	extender	147
DISTENDERE[2]	to relax	détendre	entspannen	relajar	147
DISTINGUERE	to distinguish	distinguer	unterscheiden	distinguir	69
DISTOGLIERE	to dissuade	dissuader	ablenken	distraer/disuadir	150
DISTRARRE	to distract	distraire	ablenken	distraer	152
DISTRIBUIRE	to distribute/deliver	distribuer	verteilen	distribuir	21
DISTRUGGERE	to destroy	détruire	zerstören	destruir	70
DISTURBARE	to disturb	déranger	stören	molestar	18
DISUBBIDIRE	to disobey	désobéir	nicht gehorchen	desobedecer	21
DIVENIRE	to become	devenir	werden	hacerse/volverse	158
DIVENTARE	to become	devenir	werden	hacerse/volverse	18
DIVERTIRE	to entertain/amuse	amuser	amüsieren	divertir	20
DIVIDERE	to divide	diviser/partager	teilen	dividir	71
DIVORARE	to devour	dévorer	verschlingen	devorar	18
DIVORZ*IARE*	to divorce	divorcer	sich scheiden lassen	divorciar	24
DIVUL*GARE*	to make known	divulguer	verbreiten	divulgar	29
DOCUMENTARE	to document	documenter	belegen	documentar	18
DOLERSI	to be sorry/regret	être désolé/regretter	betrübt sein	dolerse	72
DOMANDARE	to ask	demander	fragen	pedir/preguntar	18
DOMARE	to tame	dompter	bändigen	amansar/domar	18
DOMINARE	to dominate	dominer	beherrschen	dominar	18
DONARE	to give/present	donner	schenken	regalar/donar	18
DONDOLARE	to rock/swing	balancer	schaukeln	balancear	18
DOPP*IARE*[1]	to double	doubler	verdoppeln	doblar	24
DOPP*IARE*[2]	to dub	doubler	synchronisieren	doblar	24
DORMIRE	to sleep	dormir	schlafen	dormir	20
DOVERE	to must/have to	devoir	müssen/sollen	deber/haber de	73
DRAMMATIZZARE	to dramatize	dramatiser	dramatisieren	dramatizar	18
DRO*GARE*[1]	to season	épicer	würzen	sazonar	29
DRO*GARE*[2]	to drug	droguer	Rauschgift geben	drogar/narcotizar	29
DUBITARE	to doubt	douter	zweifeln	dudar	18
DUPLI*CARE*	to duplicate	doubler	eine Kopie anfertigen	duplicar	28
DURARE	to last	durer	dauern	durar	18
E					
ECCELLERE	to excel	exceller	hervorragen	sobresalir	74
ECCITARE	to excite	exciter	erregen	excitar	18
EDIFI*CARE*	to build/erect	édifier	auf-bauen	edificar	28
EDU*CARE*	to educate	éduquer	erziehen	educar	28
EFFETTUARE	to effect	effectuer	ausführen	efectuar	18

ELABORARE	to elaborate	élaborer	ausarbeiten	elaborar	18
ELEGGERE	to elect	élire	wählen	elegir	93
ELEMOSINARE	to beg/ask alms	mendier	betteln	mendigar	18
ELEN*CARE*	to list	dresser une liste	auflisten	hacer un elenco	28
ELEVARE	to elevate	élever	erheben	elevar	18
ELIMINARE	to eliminate	éliminer	beseitigen	eliminar	18
ELUDERE	to elude	éluder	umgehen	eludir	62
EMANARE	to emanate	émaner	ausstrahlen	emanar	18
EMANCIPARE	to emancipate	émanciper	emanzipieren	emancipar	18
EMARGINARE	to outcast	émarger	ausgrenzen	marginar	18
EMERGERE	to emerge	émerger	auftauchen	emerger	75
EMETTERE	to emit	émettre	ausstoßen	emitir	94
EMIGRARE	to emigrate	émigrer	auswandern	emigrar	18
EMOZIONARE	to move/touch	émotionner	bewegen	emocionar	18
ENTRARE	to enter	entrer	eintreten	entrar	18
ENTUSIASMARE	to arouse enthusiasm	enthousiasmer	begeistern	entusiasmar	18
EQUILIBRARE	to balance	équilibrer	ausgleichen	equilibrar	18
EQUIVO*CARE*	to mistake	se méprendre	sich irren	equivocar	28
EREDITARE	to inherit	hériter	erben	heredar	18
ERIGERE	to erect/raise	ériger	errichten	erigir	67
ERRARE[1]	to wander	errer	umherirren	errar	18
ERRARE[2]	to be mistaken	se tromper	sich irren	fallar	18
ERUTTARE	to erupt	eructer	(aus)speien	eructar	18
ESAGERARE	to exaggerate	exagérer	übertreiben	exagerar	18
ESALTARE	to exalt	exalter	verherrlichen	exaltar	18
ESAMINARE	to examine	examiner	prüfen	examinar	18
ESASPERARE	to exasperate	exaspérer	nerven	exasperar/irritar	18
ESAUDIRE	to grant	exaucer	erhören	acoger	21
ESAURIRE	to exhaust	épuiser	erschöpfen	agotar	21
ESCLAMARE	to exclaim	s'écrier	ausrufen	exclamar	18
ESCLUDERE	to exclude	exclure	ausschließen	excluir	76
ESEGUIRE	to execute	exécuter	ausführen	ejecutar	20
ESERCITARE	to exercise	exercer	ausüben	ejercitar	18
ESIBIRE	to show/exhibit	exhiber	vorweisen	exhibir	21
ESIGERE**	to require/demand	exiger	verlangen	exigir/requerir	19
ESIL*IARE*	to exile	exiler	verbannen	exiliar	24
ESISTERE	to exist	exister	existieren	existir	77
ESITARE	to hesitate	hésiter	zögern	vacilar	18
ESORTARE	to exhort	exhorter	ermahnen	exhortar	18
ESPANDERE**	to spread	étendre	erweitern	expandir	19

ESPELLERE	to expel	expulser	des Landes verweisen	expeler	78
ESPLODERE	to explode	exploser	explodieren	estallar/explotar	79
ESPLORARE	to explore/scout	explorer	erforschen	explorar	18
ESPORRE	to show/expose	exposer	ausstellen	exponer	110
ESPORTARE	to export	exporter	exportieren	exportar	18
ESPRIMERE	to express	exprimer	ausdrücken	expresar	80
ESPROPR*IARE*	to expropriate	exproprier	enteignen	expropriar	24
ESSERE	to be	être	sein	ser	13
ESTENDERE	to extend	étendre	ausdehnen	extender	147
ESTINGUERE	to extinguish	éteindre	löschen	extinguir	69
ESTRARRE[1]	to extract	extraire	herausziehen	extraer	152
ESTRARRE[2]	to draw	tirer (au sort)	auslosen	extraer	152
ESTRARRE[3]	to mine/quarry	extraire	extrahieren	extraer	152
ESULTARE	to exult	exulter	jubeln	exultar	18
EVADERE	to escape/evade	s'évader	ausbrechen	evadir	115
EVIDENZ*IARE*	to point out	mettre en évidence	herausstellen	evidenciar	24
EVITARE	to avoid	éviter	vermeiden	evitar	18
EVO*CARE*	to evoke	évoquer	wachrufen	evocar	28
EVOLVERE*	to evolve	évoluer	entwickeln	evolucionar	125
F					
FABBRI*CARE*	to build/make	fabriquer	schaffen	fabricar	28
FACILITARE	to facilitate	faciliter	erleichtern	facilitar	18
FALLIRE	to fail	échouer/faire faillite	scheitern	fallar	21
FALSIFI*CARE*	to fake/forge	falsifier	verfälschen	falsificar	28
FANTASTI*CARE*	to daydream	rêvasser (à)	phantasieren	fantasear	28
FARE	to do/make	faire	machen	hacer	81
FASC*IARE*	to bandage	bander	verbinden	fajar/vendar	24
FATI*CARE*	to toil/have difficulty	peiner	Mühe haben	afanar	28
FAVORIRE	to favour	favoriser	begünstigen	favorecer	21
FECONDARE	to fertilize	féconder	befruchten	fecundar	18
FELICITARSI	to congratulate	féliciter	beglückwünschen	congratularse	18
FERIRE	to wound	blesser	verletzen	herir	21
FERMARE	to stop/arrest	arrêter	anhalten	parar	18
FESTEG*GIARE*	to celebrate	fêter	feiern	celebrar	31
FIC*CARE*	to stick/thrust	fourrer	stecken	meter	28
FIDANZARSI	to get engaged	se fiancer	sich verloben	prometerse	18
FIDARSI	to trust	avoir confiance	trauen	confiar/fiarse	18
FIGURARSI	to imagine	se figurer	sich vorstellen	figurarse	18
FILARE	to spin	filer	spinnen	hilar	18
FILTRARE	to filter	filtrer	filtern	filtrar	18

FINANZ*IARE*	to finance	financer	finanzieren	financiar	24
FINGERE	to pretend	feindre	vortäuschen	fingir	82
FINIRE	to finish	finir	beendigen	acabar	21
FIORIRE	to flower/bloom	fleurir	blühen	florecer	21
FIRMARE	to sign	signer	unterschreiben	firmar	18
FISCH*IARE*	to whistle	siffler	pfeifen	silbar	24
FISSARE	to fix	fixer	festsetzen	fijar	18
FIUTARE	to smell	flairer	riechen	husmear	18
FONDARE	to found	fonder	gründen	fundar	18
FONDERE	to melt	fondre	schmelzen	fundir/derretir	83
FORARE	to pierce/make a hole in	percer	durchlöchern	agujerear	18
FORMARE	to form	former	formen	formar	18
FORMULARE	to express	formuler	formulieren	formular	18
FORNI*CARE*	to fornicate	forniquer	unzuchttreiben	fornicar	28
FORNIRE	to supply	fournir	liefern	proveer	21
FORZARE	to force	forcer	zwingen	forzar/obligar	18
FOTOGRAFARE	to take a photo	photographier	photographieren	fotografiar	18
FRAINTENDERE	to misunderstand	mal comprendre	mißverstehen	malentender	147
FRATTURARSI	to break	fracturer	sich brechen	romperse	18
FRE*GARE*	to rub/scrub	frotter	reiben	fregar/frotar	29
FRENARE	to brake	freiner	bremsen	frenar	18
FREQUENTARE	to frequent/attend	fréquenter	verkehren	frecuentar	18
FRIGGERE	to fry	frire	braten	freír	84
FRU*GARE*	to search	fouiller	durchkramen	rebuscar/hurgar	29
FRUSTARE	to whip/lash	fouetter	peitschen	azotar/fustigar	18
FRUSTRARE	to frustrate	frustrer	enttäuschen	frustrar	18
FRUTTARE	to fruit	fructifier	fruchten	fructificar	18
FUCILARE	to shoot	fusiller	erschießen	fusilar	18
FUGGIRE	to run away	fuir	fliehen	huir/fugarse	20
FULMINARE	to strike/electrocute	foudroyer	blitzen	fulminar	18
FUMARE	to smoke	fumer	rauchen	fumar	18
FUNZIONARE	to function/act	fonctionner	funktionieren	funcionar	18
G					
GALLEG*GIARE*	to float	flotter	obenauf schwimmen	flotar	31
GALOPPARE	to gallop	galoper	galoppieren	galopar	18
GARANTIRE	to warrant	garantir	garantieren	garantizar	21
GAREG*GIARE*	to compete	rivaliser	wetteifern	competir	31
GELARE	to freeze	geler	gefrieren	helar	18
GENERALIZZARE	to generalize	généraliser	verallgemeinern	generalizar	18
GENERARE	to give birth to	engendrer	erzeugen	engendrar/generar	18

GESTIRE	to manage	gérer	führen	administrar	21
GETTARE	to throw	jeter	werfen	tirar	18
GHIAC*CIARE*	to freeze/ice	glacer	vereisen	congelar	30
GIACERE	to lie	être étendu	liegen	yacer	106
GIO*CARE*	to play	jouer	spielen	jugar	28
GIOVARE	to be useful/benefit	être utile/servir	nützen	ser útil	18
GIRARE	to turn	tourner	drehen	girar	18
GIUDI*CARE*	to judge	juger	urteilen	juzgar	28
GIUNGERE	to arrive/reach	joindre	erreichen	llegar/arribar	85
GIURARE	to swear	jurer	schwören	jurar	18
GIUSTIFI*CARE*	to justify	justifier	rechtfertigen	justificar	28
GIUSTIZ*IARE*	to execute	éxecuter	hinrichten	ajusticiar	24
GODERE	to enjoy	jouir	genießen	gozar	86
GONF*IARE*	to blow up	gonfler	aufblasen	inflar/hinchar	24
GOVERNARE	to govern/rule	gouverner	regieren	gobernar	18
GRADIRE	to wish/like	agréer/apprécier	wünschen	gustar	21
GRAFF*IARE*	to scratch	égratigner	kratzen	arañar	24
GRANDINARE	to hail	grêler	hageln	granizar	18
GRATTARE	to scratch	gratter	kratzen	rascar	18
GRATTU*GIARE*	to grate	râper	reiben	rallar	31
GRAZ*IARE*	to pardon/reprieve	gracier	begnadigen	agraciar	24
GRIDARE	to cry/shout	crier	schreien	gritar/llorar	18
GUADAGNARE	to earn	gagner	verdienen	ganar	18
GUARDARE	to look at	regarder	schauen	mirar	18
GUARIRE	to heal/recover	guérir	heilen	sanar/curar	21
GUARNIRE[1]	to decorate	garnir	verzieren	decorar	21
GUARNIRE[2]	to garnish	garnir	garnieren	guarnecer	21
GUASTARE	to break	abîmer	verderben	estropear	18
GUIDARE	to drive	conduire	fahren	conducir	18
GUSTARE	to taste	goûter	kosten	gustar/probar	18
I					
IDEARE	to think out-up	concevoir	ausdenken	idear	18
IDENTIFI*CARE*	to identify	identifier	identifizieren	identificar	28
IGNORARE	to ignore	ignorer	nicht wissen	ignorar	18
ILLUDERE	to deceive	tromper/abuser	betrügen	ilusionar/embaucar	87
ILLUMINARE	to light	illuminer/éclairer	erleuchten	iluminar	18
ILLUSTRARE	to illustrate	illustrer	erläutern	ilustrar	18
IMBALLARE	to pack	emballer	verpacken	embalar	18
IMBARAZZARE	to embarrass	embarasser	verlegen machen	embarazar	18
IMBAR*CARE*	to embark	embarquer	einschiffen	embarcar	28

IMBIAN*CARE*	to whiten	blanchir	weißen	blanquear	28
IMBOTTIRE	to stuff/pad	rembourrer	polstern	embutir	21
IMBROGL*IARE*	to cheat/tangle	embrouiller	verwickeln	embrollar	24
IMBU*CARE*	to post/mail	poster	einwerfen	echar al buzón	28
IMITARE	to imitate	imiter	imitieren	imitar	18
IMMAGINARE	to imagine	imaginer	vorstellen	imaginar	18
IMMERGERE	to immerse/dip	immerger	eintauchen	sumergir	88
IMMETTERE	to let in/introduce	introduire	einführen	introducir	94
IMMISCH*IARSI*	to meddle with	se mêler	sich einmischen	inmiscuirse	24
IMPADRONIRSI	to take possession	s'emparer	sich bemächtigen	apoderarse	21
IMPALLIDIRE	to pale	pâlir	erbleichen	palidecer	21
IMPARARE	to learn	apprendre	lernen	aprender	18
IMPASTARE	to knead	pétrir	kneten	amasar	18
IMPAURIRE	to frighten	effrayer	erschrecken	espantar	21
IMPAZZIRE	to go mad	devenir fou (folle)	verrückt werden	enloquecer	21
IMPEDIRE	to prevent	empêcher	verhindern	impedir	21
IMPEGNARE	to pawn/pledge	engager	verpfänden	empeñar	18
IMPERSONARE[1]	to personify	personnifier	verkörpern	personificar	18
IMPERSONARE[2]	to play	incarner le rôle de	darstellen	interpretar	18
IMPIANTARE	to install/set up	installer	anlegen	implantar	18
IMPIC*CARE*	to hang	pendre	aufhängen	ahorcar	28
IMPIC*CIARSI*	to meddle	se mêler	sich einmischen	inmiscuirse	30
IMPIE*GARE*	to employ	employer	anwenden/anstellen	emplear	29
IMPLORARE	to implore	implorer	flehen	implorar/suplicar	18
IMPORRE	to impose	imposer	auferlegen	imponer	110
IMPORTARE[1]	to import	importer	importieren	importar	18
IMPORTARE[2]	to care	importer	wichtig sein	importar	18
IMPOSTARE[1]	to post	poster	einstecken	echar al correo	18
IMPOSTARE[2]	to get	poser	genau formulieren	plantear	18
IMPOVERIRSI	to grow poor	s'appauvrir	verarmen	empobrecer	21
IMPRESSIONARE[1]	to strike/impress	impressionner	beeindrucken	impresionar	18
IMPRESSIONARE[2]	to expose	impressionner	belichten	impresionar	18
IMPRIGIONARE	to imprison	emprisonner	ins Gefängnis werfen	aprisionar	18
IMPRIMERE	to impress	imprimer	drücken	imprimir	80
IMPROVVISARE	to improvise	improviser	improvisieren	improvisar	18
INAUGURARE	to inaugurate	inaugurer	einweihen	inaugurar	18
INCAMMINARSI	to set out-off	s'acheminer	s. auf den Weg machen	encaminarse	18
INCANTARE	to enchant	charmer	bezaubern	encantar	18
INCARCERARE	to incarcerate	incarcérer	einsperren	encarcelar	18
INCARI*CARE*	to charge	charger	beauftragen	encargar	28

INCARTARE	to wrap in paper	envelopper	einwickeln	envolver	18
INCASSARE[1]	to pack	encaisser	in Kisten packen	encajar/empotrar	18
INCASSARE[2]	to cash	encaisser	kassieren	cobrar	18
INCASTRARE	to fit/fix	emboîter/encastrer	hineinsetzen	encajar/bloquear	18
INCATENARE	to chain up	enchaîner	verketten	encadenar	18
INCEND*IARE*	to fire/burn	incendier	in Brand stecken	incendiar	24
INCHINARSI	to bow (down)	s'incliner	sich verneigen	inclinarse	18
INCIAMPARE	to stumble	trébucher (sur)	stolpern	tropezar	18
INCIDERE[1]	to record	enregistrer	aufnehmen	incidir	121
INCIDERE[2]	to engrave	graver	(ein)gravieren	grabar	121
INCITARE	to incite	inciter	anregen	incitar	18
INCLINARE	to tilt/incline	incliner/pencher	neigen	inclinar	18
INCLUDERE	to include	inclure	einschließen	incluir	46
INCOLLARE	to stick	coller	kleben	pegar/encolar	18
INCOLPARE	to blame	inculper	beschuldigen	inculpar	18
INCONTRARE	to meet	rencontrer	begegnen	encontrar	18
INCORAG*GIARE*	to encourage	encourager	ermutigen	animar/alentar	31
INCORNI*CIARE*	to frame	encadrer	einrahmen	enmarcar	30
INCORONARE	to crown	couronner	krönen	coronar	18
INCORRERE	to incur	encourir	begehen	incurrir	56
INCRIMINARE	to indict	incriminer	beschuldigen	incriminar	18
INCRO*CIARE*	to cross	croiser	kreuzen	cruzar	30
INCURIOSIRE	to make curious	intriguer	neugierig machen	despertar curiosidad	21
INCUTERE	to command/frighten	inspirer/en imposer	einflößen	inspirar/imponer	89
INDA*GARE*	to investigate	enquêter	untersuchen	indagar	29
INDEBITARSI	to get into debt	s'endetter	sich verschulden	endeudarse	18
INDEBOLIRE	to weaken	affaiblir	schwächen	debilitar	21
INDI*CARE*	to indicate	indiquer	zeigen	indicar	28
INDIETREG*GIARE*	to retreat	reculer	zurückweichen	retroceder	31
INDIGNARE	to make indignant	indigner	entrüsten	indignar	18
INDIRE[1]*	to proclaim	ouvrir q.c.	einberufen	convocar	66
INDIRE[2]*	to hold	fixer	anberaumen	convocar	66
INDIRIZZARE	to direct/address	adresser	adressieren	dirigir/encaminar	18
INDIVIDUARE	to individualize	caractériser/repérer	bestimmen	individuar	18
INDOSSARE	to wear	endosser	anziehen	ponerse	18
INDOVINARE	to guess	deviner	raten	adivinar	18
INDU*GIARE*	to linger (over)	hésiter	zögern	demorarse	31
INDURRE	to induce	induire	dazu bringen	inducir	151
INFASTIDIRE	to annoy/bother	ennuyer/énerver	belästigen	fastidiar	21
INFIAMMARE	to kindle/inflame	enflammer	entzünden	inflamar	18

INFILARE	to put into/thread	enfiler	einfädeln	enhebrar/ensartar	18
INFLIGGERE	to inflict	infliger	verhängen	infligir	36
INFLUENZARE	to influence	influencer	beeinflußen	influenciar	18
INFLUIRE	to influence	influer	Einfluß haben	influir	21
INFONDERE	to instil	inspirer	einflößen	infundir	83
INFORMARE	to inform	informer	informieren	informar	18
INFORTUNARSI	to be injured	avoir un accident	verunglücken	accidentarse	18
INFUR*IARSI*	to get angry	s'emporter	wütend werden	enfurecerse	24
INGANNARE	to deceive/cheat	tromper	betrügen	engañar	18
INGEGNARSI	to do one's best	s'ingénier	sein bestes geben	ingeniarse	18
INGELOSIRE	to make jealous	rendre jaloux	eifersüchtig machen	poner celoso	21
INGESSARE	to plaster	plâtrer	(ein)gipsen	enyesar/escayolar	18
INGHIOTTIRE	to swallow	avaler	hinunterschlucken	engullir/ingerir	20-21
INGINOCCH*IARSI*	to kneel down	s'agenouiller	niederknien	arrodillarse	24
INGO*IARE*	to gulp/swallow	avaler	verschlucken	tragar	24
INGOMBRARE	to encumber	encombrer	versperren	estorbar	18
INGRANDIRE	to enlarge	agrandir	vergrößern	agrandar	21
INGRASSARE	to fatten	engraisser	fett werden	engordar	18
INGROSSARE	to swell	grossir	dick machen	engrosar	18
INIBIRE	to inhibit	inhiber	untersagen	inhibir	21
INIETTARE	to inject	injecter	spritzen	inyectar	18
INIZ*IARE*	to begin/start	commencer	anfangen	comenzar	24
INNALZARE	to raise/put up	élever	erheben	elevar/levantar	18
INNAMORARE	to charm/enamour	charmer/enchanter	verliebt machen	enamorar	18
INNERVOSIRE	to make nervous	énerver	nervös machen	poner nervioso	21
INOLTRARE	to send/forward	envoyer/transmettre	weiterbefördern	presentar/tramitar	18
INQUIETARE	to worry/disquiet	inquiéter	beunruhigen	inquietar	18
INQUINARE	to pollute	polluer	verschmutzen	contaminar	18
INSED*IARE*	to install	installer	einsetzen	instalar	24
INSEGNARE	to teach	enseigner	lehren	enseñar	18
INSEGUIRE	to pursue	poursuivre	verfolgen	perseguir	20
INSERIRE	to insert/fit	insérer	einfügen	insertar	2
INSID*IARE*	to lay snares for	tendre des pièges	gefährden	insidiar	2
INSINUARE	to insinuate	insinuer	insinuieren	insinuar	18
INSISTERE	to insist	insister	bestehen auf	insistir	9
INSORGERE	to rise	s'insurger	sich auflehnen	sublevarse	10
INSOSPETTIRE	to make suspicious	éveiller soupçons	argwöhnisch machen	inspirar sospechas	2
INSULTARE	to insult	insulter	beleidigen	insultar	18
INTASARE	to stop up	engorger	verstopfen	atascar/cegar	1
INTAS*CARE*	to pocket	empocher	einstecken	embolsar	2

INTENDERE[1]	to understand	comprendre	verstehen	comprender	147
INTENDERE[2]	to intend	entendre	vernehmen	entender	147
INTENSIFI*CARE*	to intensify	intensifier	verstärken	intensificar	28
INTERESSARE	to interest	intéresser	interessieren	interesar	18
INTERPRETARE[1]	to interpret	interpréter	interpretieren	interpretar	18
INTERPRETARE[2]	to star	interpréter	darstellen	interpretar	18
INTERRO*GARE*	to interrogate	interroger	ausfragen	interrogar	29
INTERROMPERE	to interrupt/stop	interrompre	unterbrechen	interrumpir	127
INTERVENIRE	to intervene	intervenir	eingreifen	intervenir	158
INTERVISTARE	to interview	interviewer	interviewen	entrevistar	18
INTIMARE	to order	intimer l'ordre	befehlen	intimar	18
INTIMIDIRE	to make timid	intimider	einschüchtern	intimidar	21
INTIMORIRE	to intimidate	effrayer	verängstigen	intimidar	21
INTINGERE	to dip	tremper	eintunken	embeber	149
INTITOLARE	to entitle/name	donner un titre	betiteln	titular	18
INTONARE	to strike up/tune	entonner/accorder	an-stimmen	entonar/afinar	18
INTOSSI*CARE*	to poison	intoxiquer	vergiften	intoxicar	28
INTRAL*CIARE*	to hold up	entraver	behindern	estorbar	30
INTRAPRENDERE	to undertake	entreprendre	unternehmen	emprender	112
INTRATTENERE	to entertain	entretenir	unterhalten	entretener	148
INTRAVEDERE	to glimpse	entrevoir	flüchtig erblicken	entrever	157
INTREC*CIARE*	to intertwine	entrelacer	verflechten	entrelazar	30
INTRODURRE	to introduce	introduire	einführen	introducir	91
INTROMETTERSI	to interfere	s'entremettre	sich einmischen	entrometerse	94
INTUIRE	to intuit/realize	avoir l'intuition	erahnen	intuir	21
INUMIDIRE	to dampen	humecter	anfeuchten	humedecer	21
INVADERE	to invade	envahir	eindringen	invadir	92
INVECCH*IARE*	to age/make old	vieillir	alt werden	envejecer	24
INVENTARE	to invent	inventer	erfinden	inventar	18
INVERTIRE	to invert	inverser/invertir	umkehren/vertauschen	invertir	20
INVESTI*GARE*	to investigate	enquêter/rechercher	untersuchen	investigar	29
INVESTIRE[1]	to invest	investir	investieren	invertir	20
INVESTIRE[2]	to run down-over	heurter	anfahren	atropellar	20
INV*IARE*	to send	envoyer	senden	enviar	25
INVID*IARE*	to envy	envier	beneiden	envidiar	24
INVITARE	to invite	inviter	einladen	invitar	18
INVO*CARE*	to invoke/call for	invoquer	anrufen	invocar	28
INZUPPARE	to soak	tremper	einweichen	empapar	18
IPNOTIZZARE	to hypnotize	hypnotiser	hypnotisieren	hipnotizar	18
IRRAD*IARE*	to irradiate/spread	rayonner/diffuser	ausstrahlen	irradiar	24

IRRI*GARE*	to irrigate	irriguer	bewässern	irrigar	29
IRRITARE	to irritate	agacer	reizen/ärgern	irritar	18
ISCRIVERE	to enrol/register	inscrire	einschreiben	inscribir	134
ISOLARE	to isolate	isoler	isolieren	aislar/separar	18
ISPIRARE	to inspire	inspirer	erwecken	inspirar	18
ISTITUIRE	to institute	instituer	gründen	instituir	21
ISTRUIRE	to teach	instruire	belehren	instruir	21
L					
LACRIMARE	to water/shed tears	larmoyer	tränen	llorar/lagrimear	18
LAGNARSI	to complain	se plaindre	sich beklagen	quejarse	18
LAMENTARSI	to complain	se plaindre	sich beklagen	quejarse	18
LAN*CIARE*	to throw	lancer	schleudern	lanzar	30
LASC*IARE*	to leave	laisser/quitter	lassen	dejar/abandonar	24
LAUREARE	to confer a degree	donner une "Laurea"	Magister machen	licenciar (Univ.)	18
LAVARE	to wash	laver	waschen	lavar	18
LAVORARE	to work	travailler	arbeiten	trabajar	18
LEC*CARE*	to lick	lécher	lecken	lamer	28
LE*GARE*	to tie/fasten	lier	binden	atar	29
LEGGERE	to read	lire	lesen	leer	93
LEGITTIMARE	to legitimate	légitimer	legitimieren	legitimar	18
LESSARE	to boil/poach	faire bouillir	kochen/sieden	hervir/cocer	18
LEVARE	to raise/lift	lever	heben	levantar	18
LIBERALIZZARE	to liberalize	libéraliser	liberalisieren	liberalizar	18
LIBERARE	to free	libérer	befreien	liberar/librar	18
LICENZ*IARE*	to dismiss	licencier	entlassen	despedir/expulsar	24
LIEVITARE	to rise/leaven	lever	aufgehen	fermentar	18
LIMITARE	to limit	limiter	einschränken	limitar	18
LIN*CIARE*	to lynch	lyncher	lynchen	linchar	30
LIQUIDARE	to liquidate/pay off	liquider	liquidieren	liquidar	18
LITI*GARE*	to argue	se disputer/quereller	streiten	pelear	29
LIVELLARE	to level	niveler	nivellieren	nivelar	18
LODARE	to praise/commend	louer	loben	alabar	1
LOTTARE	to struggle	lutter	kämpfen	luchar	1
LUCCI*CARE*	to twinkle	scintiller/briller	glitzen	brillar	2
LUCIDARE	to polish/wax	astiquer/cirer	putzen/wachsen	dar brillo/lustrar	1
LUSIN*GARE*	to allure/be gratified	flatter	locken/schmeicheln	lisonjear	2
M					
MACCH*IARE*	to stain/spot	tacher	beflecken	manchar	2
MACINARE	to grind	moudre	mahlen	moler	1
MALEDIRE*	to damn/curse	maudir	verfluchen	maldecir	6

MALTRATTARE	to mistreat/misure	maltraiter	mißhandeln	maltratar	18
MAN*CARE*	to miss/be lacking	manquer	fehlen	faltar	28
MANDARE	to send	envoyer	schicken	mandar	18
MANEG*GIARE*	to handle	manier	handhaben	manejar	31
MAN*GIARE*	to eat	manger	essen	comer	31
MANIFESTARE	to show/manifest	manifester	sich zeigen	manifestar	18
MANIPOLARE	to manipulate/doctor	manipuler	umgehen mit	manipular	18
MANOMETTERE	to tamper with	altérer	fälschen	manumitir	94
MANOVRARE	to manoeuvre	manoeuvrer	betätigen	maniobrar	18
MANTENERE	to maintain	maintenir	erhalten	mantener	148
MAR*CARE*	to mark	marquer	markieren	marcar	28
MAR*CIARE*	to march	marcher	schreiten	marchar	30
MARCIRE	to go bad	pourrir	faulen	pudrir/marchitar	21
MARTELLARE	to hammer	marteler	hämmern	martillar	18
MASCHERARE	to mask/hide	masquer	maskieren	enmascarar	18
MASSACRARE	to massacre	massacrer	hinschlachten	hacer estragos	18
MASSAG*GIARE*	to massage	masser	massieren	dar masajes	31
MASTI*CARE*	to chew	mâcher	kauen	masticar	28
MATURARE	to mature	mûrir	reifen	madurar	18
MEDI*CARE*	to medicate/dress	soigner/panser	verarzten	medicar	28
MEDITARE	to meditate	méditer	meditieren	meditar	18
MENDI*CARE*	to beg	mendier	betteln	mendigar	28
MENTIRE	to lie	mentir	lügen	mentir	20-21
MERAVIGL*IARE*	to amaze	étonner	verwundern	maravillar	24
MERITARE	to deserve	mériter	verdienen	merecer	18
MESCOLARE	to mix	mélanger	mischen	mezclar	18
METTERE	to put	mettre	setzen	poner/colocar/meter	94
MIAGOLARE	to miaow	miauler	miauen	maullar	18
MIETERE	to harvest	moissonner	mähen	segar	19
MIGLIORARE	to improve	améliorer	verbessern	mejorar	18
MILITARE[1]	to militate	militer	in Partei aktiv sein	militar	18
MILITARE[2]	to be a soldier	servir/combattre	Wehrdienst leisten	ser militar	18
MIMETIZZARE	to camouflage/mimic	camoufler	tarnen	mimetizar	18
MINAC*CIARE*	to menace	menacer	drohen/bedrohen	amenazar	30
MIRARE	to aim	viser	zielen	apuntar	18
MISCH*IARE*	to mix	mêler	mischen	mezclar	24
MISURARE	to measure	mesurer	messen	medir	18
MITI*GARE*	to mitigate	mitiger	mildern	mitigar	29
MODELLARE	to model	modeler	modellieren/formen	modelar	18
MODERARE	to moderate	modérer	mäßigen	moderar	18

MODIFI*CARE*	to modify	modifier	(ab-um-ver)ändern	modificar	28
MOLLARE	to let go	lâcher	loslassen	soltar/aflojar	18
MOLTIPLI*CARE*	to multiply	multiplier	vermehren	multiplicar	28
MONOPOLIZZARE	to monopolize	monopoliser	monopolisieren	monopolizar	18
MONTARE	to go up	monter	steigen	montar	18
MORDERE	to bite	mordre	beißen	morder	95
MORIRE	to die	mourir	sterben	morir	96
MORMORARE	to murmur	murmurer	murmeln	murmurar	18
MORSI*CARE*	to nibble	mordre	beißen/stechen	mordisquear	28
MORTIFI*CARE*	to mortify	mortifier	demütigen	mortificar	28
MOSTRARE	to show	montrer	zeigen	mostrar	18
MOZZARE	to cut off/short	couper/trancher	abschneiden	cortar/truncar	18
MUGGIRE	to moo/low	mugir	muhen	mugir	20-2
MULTARE	to fine	infliger une amende	Bußgeld auferlegen	multar	18
MUNGERE	to milk	traire	melken	ordeñar	85
MUOVERE	to move	mouvoir	bewegen	mover	97
MURARE	to wall up	murer	mauern	tapiar/amurallar	18
MUSI*CARE*	to set to music	mettre en musique	vertonen	musicar	28
MUTARE	to change	changer	ändern/wechseln	mutar	18
MUTILARE	to mutilate	mutiler	verstümmeln	mutilar	18
N					
NARRARE	to narrate	raconter	erzählen	narrar	18
NASCERE	to be born	naître	geboren werden	nacer	98
NASCONDERE	to hide	cacher	verstecken	esconder	99
NAUFRA*GARE*[1]	to be wrecked	échouer	Schiffbruch erleiden	naufragar	29
NAUFRA*GARE*[2]	to be shipwrecked	faire naufrage	auflaufen	naufragar	29
NAUSEARE	to nauseate	dégoûter	anekeln	repugnar	18
NAVI*GARE*	to sail/navigate	naviguer	mit Schiff befahren	navegar	29
NECESSITARE	to need/be necessary	avoir besoin	benötigen	necesitar	18
NE*GARE*	to deny	nier	verneinen	negar	29
NEGOZ*IARE*	to negotiate	négocier	verhandeln	negociar	24
NEVI*CARE*	to snow	neiger	schneien	nevar	28
NITRIRE	to neigh	hennir	wiehern	relinchar	2
NOLEG*GIARE*	to rent	louer	mieten/vermieten	alquilar	3
NOMINARE	to mention	nommer	nennen	nominar	1
NOTARE	to notice	remarquer	bemerken	notar	1
NUMERARE	to number	numéroter	numerieren	numerar	1
NUOCERE	to harm	nuire	schaden	dañar/perjudicar	10
NUOTARE	to swim	nager	schwimmen	nadar	1
NUTRIRE	to nourish	nourrir	nähren	nutrir	20-2

O

OBBEDIRE	to obey	obéir	befolgen	obedecer	21
OBBLI*GARE*	to oblige	obliger	verpflichen	obligar	29
OCCORRERE	to need	falloir/avoir besoin	brauchen	ser necesario	56
OCCUPARE	to occupy	occuper	besetzen	ocupar	18
OD*IARE*	to hate	haïr	hassen	odiar	24
ODORARE	to smell	sentir	riechen	oler	18
OFFENDERE	to insult	offenser	beleidigen	ofender	101
OFFRIRE	to offer	offrir	anbieten	ofrecer	102
OFFUS*CARE*	to dim	assombrir/brouiller	verdunkeln	ofuscar	28
OLTRAG*GIARE*	to outrage	outrager	beschimpfen	ultrajar	31
OLTREPASSARE	to go beyond	dépasser	überschreiten	sobrepasar	18
OMETTERE	to omit	omettre	auslassen	omitir	94
ONDEG*GIARE*	to wave/waver	ondoyer	wogen	ondear	31
ONORARE	to honour	honorer	ehren	honrar	18
OPERARE	to operate	opérer	handeln/operieren	operar	18
OPPORRE	to oppose	opposer	entgegenstellen	oponer	110
OPPRIMERE	to oppress/burden	oppresser	beklemmen	oprimir	80
ORDINARE[1]	to order	ordonner	befehlen	ordenar/mandar	18
ORDINARE[2]	to tidy	mettre en ordre	ordnen	ordenar/organizar	18
ORGANIZZARE	to organize	organiser	organisieren	organizar	18
ORIENTARE	to orient(ate)	orienter	orientieren	orientar	18
ORIGINARE	to originate	faire naître	erzeugen	originar	18
ORNARE	to adorn	orner	verzieren	adornar	18
OSARE	to dare	oser	wagen	osar	18
OSCILLARE	to oscillate	osciller	schwanken	oscilar	18
OSCURARE	to darken	obscurcir	verdunkeln	oscurecer	18
OSPITARE	to give hospitality to	accueillir	zu Gast haben	hospedar	18
OSSERVARE	to observe	observer	beobachten	observar	18
OSSESSIONARE	to obsess	obséder	quälen	obsesionar	18
OSTACOLARE	to obstruct	entraver	hemmen	obstaculecer	18
OSTENTARE	to show off/boast of	afficher/étaler	zur Schau stellen	ostentar	18
OSTINARSI	to be obstinate	s'obstiner	beharren	obstinarse	18
OTTENERE	to obtain	obtenir	erhalten	obtener	148
OZ*IARE*	to idle	paresser	müßiggehen	holgazanear	24

P

PA*GARE*	to pay	payer	zahlen	pagar	29
PALPITARE	to palpitate	palpiter	zucken	palpitar	18
PARAGONARE	to compare	comparer	vergleichen	parangonar	18
PARARE	to save/deck	parer/orner	schützen/schmücken	parar	18

PARCHEG*GIARE*	to park	garer	parken	aparcar	31
PAREG*GIARE*	to level/equal/tie	égaliser/niveler	gleichmachen	igualar	31
PARERE	to seem	paraître	scheinen	parecer	103
PARLARE	to speak	parler	sprechen	hablar	18
PARTECIPARE	to take part in	participer	teilnehmen	participar	18
PARTEG*GIARE*	to take sides with	prendre parti	Partei ergreifen	ser partidario de	31
PARTIRE	to leave/depart	partir	abreisen	partir/marchar	20
PARTORIRE	to give birth to	accoucher	gebären	parir	21
PASCOLARE	to graze	paître	weiden	pacer	18
PASSARE	to pass/go by	passer	vorbeigehen	pasar	18
PASSEG*GIARE*	to walk	se promener	spazieren	pasear/caminar	31
PASTIC*CIARE*	to mess up	gribuiller/fabriquer	schmieren/anstellen	hacer chapuzas	30
PATIRE	to suffer	souffrir	leiden	sufrir/padecer	21
PATTINARE	to skate	patiner	Schlitt (...) laufen	patinar	18
PAZIENTARE	to be patient	patienter	Geduld haben	tener paciencia	18
PEC*CARE*	to sin/lack	pécher	sündigen	pecar	28
PEDALARE	to pedal	pédaler	in Pedale treten	pedalear	1
PEDINARE	to tail	filer/suivre	beschatten	espiar/seguir	1
PEGGIORARE	to worsen	empirer	verschlechtern	empeorar	1
PELARE	to peel	dépouiller/peler	enthäuten/schälen	pelar	1
PENARE	to suffer	peiner	leiden/sich plagen	penar	1
PENETRARE	to penetrate	pénétrer	durchdringen	penetrar	1
PENSARE	to think	penser	denken	pensar	1
PENTIRSI	to regret	se repentir/regretter	bereuen	arrepentirse	2
PERCORRERE	to cover	parcourir	durchlaufen	recorrer	5
PERCUOTERE	to strike	frapper	schlagen	pegar/golpear	13
PERDERE	to lose	perdre	verlieren	perder	10
PERDONARE	to forgive	pardonner	verzeihen	perdonar	1
PERFEZIONARE	to make perfect	perfectionner	vervollkommnen	perfeccionar	1
PERLUSTRARE	to patrol	explorer	auskundschaften	explorar/inspeccionar	1
PERMETTERE	to allow	permettre	erlauben	permitir	9
PERNOTTARE	to stay overnight	passer la nuit	übernachten	pernoctar	1
PERQUISIRE	to search	perquisitionner	durchsuchen	registrar/inspeccionar	2
PERSEGUIRE	to pursue	poursuivre	verfolgen	perseguir	2
PERSISTERE	to persist	persister	andauern/anhalten	persistir	4
PERSUADERE	to convince	persuader	überzeugen	persuadir	10
PERVADERE	to pervade	envahir	erfüllen	invadir	9
PERVENIRE	to arrive/reach s.th.	parvenir	gelangen	llegar a/alcanzar	15
PESARE	to weigh	peser	wiegen	pesar	1
PES*CARE*	to fish	pêcher	fischen	pescar	2

PESTARE	to crush/beat/step	piler/taper	zerstampfen/treten	pisar/golpear	18
PETTINARE	to do the hair of	peigner	kämmen	peinar	18
PIACERE	to like	plaire	gefallen	gustar	106
PIALLARE	to plane	raboter	hobeln	cepillar	18
PIANGERE	to cry	pleurer	weinen	llorar	107
PIANTARE	to plant	planter	pflanzen	plantar	18
PIAZZARE	to place/market	placer	aufstellen	colocar/emplazar	18
PICCH*IARE*	to hit/thrash	battre	schlagen	pegar/golpear	24
PIE*GARE*	to fold/bend	plier	falten/biegen	plegar/doblar	29
PI*GIARE*	to press	fouler/écraser	drücken	apretar	31
PIGL*IARE*	to take	prendre	nehmen	tomar/coger	24
PILOTARE	to pilot/drive	piloter	führen/steuern	pilotar	18
PIOVERE	to rain	pleuvoir	regnen	llover	108
PIZZI*CARE*	to pinch/sting	pincer	kneifen	picar/pellizcar	28
POG*GIARE*	to lean/put	poser	(an)lehnen	apoyarse	31
POLEMIZZARE	to argue	polémiquer	polemisieren	polemizar	18
POMPARE	to pump	pomper	pumpen	bombear	18
POPOLARE	to people	peupler	bevölkern	poblar	18
POPPARE	to suck	téter	lutschen	mamar	18
PORGERE	to give	tendre	reichen	dar/regalar/presentar	109
PORRE	to put/place	mettre	legen/stellen	poner	110
PORTARE	to bring	porter	bringen	traer/llevar	18
POSARE	to put down	poser	setzen	posar	18
POSSEDERE	to own	posséder	besitzen	poseer	136
POSTEG*GIARE*	to park	garer	parken	estacionar	31
POTARE	to prune/trim	tailler	beschneiden	podar	18
POTERE	can	pouvoir	können	poder	111
PRANZARE	to lunch	déjeuner	mittagessen	almorzar/comer	18
PRATI*CARE*	to practise	pratiquer	ausüben	practicar/ejercer	28
PRECEDERE	to precede	précéder	vorangehen	preceder	19
PRECIPITARE	to fall headlong	précipiter	stürzen	precipitar	18
PRECISARE	to specify	préciser	präzisieren	precisar	18
PRECLUDERE	to preclude	barrer	verhindern	impedir	46
PREDESTINARE	to (pre)destine	prédestiner	prädestinieren	predestinar	18
PREDI*CARE*	to preach	prêcher	predigen	predicar	28
PREDILIGERE	to prefer	préférer	bevorzugen	preferir	67
PREDIRE	to foretell	prédire	voraussagen	predecir	66
PREDISPORRE	to arrange	prédisposer	vorbereiten	predisponer	110
PREFERIRE	to prefer	préférer	vorziehen	preferir	21
PREFIGGERE	to settle (in advance)	préfixer	ausmachen	prefijar	36

Italian	English	French	German	Spanish	No.
PRE*GARE*	to pray	prier	bitten/beten	orar/rezar	29
PRE*GIARE*	to esteem	estimer	achten	valorar/estimar	31
PRELEVARE	to take/withdraw	prélever	abheben/entnehmen	retirar/sacar	18
PRELUDERE	to prelude	annoncer	vorangehen	preludiar/anticipar	46
PREMEDITARE	to premeditate	préméditer	im voraus überlegen	premeditar	18
PREMERE	to press	presser	drücken	pulsar	19
PREMETTERE	to premise	faire précéder (de)	vorausschicken	anteponer	94
PREM*IARE*	to reward	décerner un prix	prämieren	premiar	24
PREMUNIRE	to forearm	prémunir	schützen	precaver/prevenir	21
PRENDERE	to take	prendre	nehmen	tomar/coger	112
PRENOTARE	to reserve	réserver	reservieren	reservar	18
PREOCCUPARE	to worry	préoccuper	beunruhigen	preocupar	18
PREPARARE	to prepare	préparer	vorbereiten	preparar	18
PREPORRE	to place before	placer avant	voransetzen	poner previamente	110
PRESCINDERE	to leave out of consideration	faire abstraction (de)	absehen	prescindir	132
PRESCRIVERE	to prescribe	prescrire	vorschreiben	prescribir	134
PRESENTARE	to introduce/present	présenter	vorstellen	presentar	18
PRESERVARE	to preserve	préserver	bewahren	preservar	18
PRESTABILIRE	to pre-arrange	établir à l'avance	vorher bestimmen	prestablecer/prefijar	21
PRESTARE	to lend	prêter	leihen	prestar	18
PRESUMERE	to presume	présumer	vermuten	presumir	42
PRESUPPORRE	to presuppose	présumer/supposer	voraussetzen	presuponer	110
PRETENDERE	to require	prétendre/exiger	verlangen	requerir/pretender	147
PREVALERE	to prevail	prévaloir	überwiegen	prevalecer	156
PREVEDERE *	to foresee	prévoir	voraussehen	prever	157
PREVENIRE	to prevent	prévenir	vorbeugen	prevenir	158
PRIVARE	to deprive	priver	berauben	privar	18
PRIVATIZZARE	to privatize	privatiser	privatisieren	privatizar	18
PRIVILE*GIARE*	to grant a privilege to	privilégier	privilegieren	privilegiar	31
PROCEDERE	to proceed	procéder	vorgehen	proceder	19
PROCESSARE	to try/trial	poursuivre en justice	prozessieren	procesar	18
PROCLAMARE	to proclaim	proclamer	ausrufen	proclamar	18
PROCURARE	to procure	procurer	besorgen/verschaffen	procurar	18
PRODURRE	to produce	produire	erzeugen	producir	113
PROFANARE	to profane	profaner	entheiligen	profanar	18
PROFESSARE	to profess	professer	bekennen	profesar	18
PROFUMARE	to perfume	parfumer	parfümieren	perfumar	18
PROGETTARE	to plan	projeter	planen	planear/proyectar	18
PROGRAMMARE	to program/plan	programmer	programmieren	programar	18
PROGREDIRE	to improve/progress	faire des progrès	vorankommen	progresar	21

PROIBIRE	to forbid	défendre/interdire	verbieten	prohibir	21
PROIETTARE	to project/screen	projeter	vorführen/projizieren	proyectar	18
PROLUN*GARE*	to lengthen	prolonger	verlängern	prolongar	29
PROMETTERE	to promise	promettre	versprechen	prometer	94
PROMUOVERE	to promote	promouvoir	fördern	promover	97
PRONUN*CIARE*	to pronounce	prononcer	aussprechen	pronunciar	30
PROPAGANDARE	to advertise	faire de la publicité	werben	hacer propaganda	18
PROPA*GARE*	to propagate	propager	verbreiten	propagar	29
PROPORRE	to propose	proposer	vorschlagen	proponer	110
PROSCIU*GARE*	to drain/dry up	assécher	austrocknen	desaguar/secar	29
PROSEGUIRE	to carry on	poursuivre	fortsetzen	proseguir	20
PROSTITUIRSI	to prostitute o.s.	se prostituer	sich prostituieren	prostituirse	21
PROTEGGERE	to protect	protéger	schützen	proteger	114
PROTESTARE	to protest	protester	protestieren	protestar	18
PROTRARRE	to protract	prolonger/différer	hinaus zögern	prorrogar/postergar	152
PROVARE	to try	essayer/prouver	versuchen	probar	18
PROVENIRE	to come from	venir/provenir	abstammen	provenir	158
PROVO*CARE*	to provoke	provoquer	hervoruffen	provocar	28
PROVVEDERE*	to provide	pourvoir	beschaffen/sorgen	proveer	157
PRUDERE**	to itch	démanger	jucken	picar	19
PUBBLI*CARE*	to publish	publier	veröffentlichen	publicar	28
PUGNALARE	to stab	poignarder	erdolchen	apuñalar	18
PULIRE	to clean	nettoyer	putzen	limpiar	21
PUNGERE	to sting/prickle	piquer	stechen	punzar/picar	85
PUNIRE	to punish	punir	strafen	castigar	21
PUNTARE[1]	to plant/point	appuyer	stemmen/richten	puntuar	18
PUNTARE[2]	to bet	miser	setzen	apostar	18
PUR*GARE*	to give a laxative to	purger	reinigen	purgar	29
PURIFI*CARE*	to purify	purifier	klären/reinigen	purificar	28
PUZZARE	to stink	sentir mauvais	stinken	apestar/oler mal	18
Q					
QUALIFI*CARE*	to qualify	qualifier	qualifizieren	calificar	28
QUERELARE	to sue	porter plainte	verklagen	querellar	18
QUIETARE	to calm	calmer	beruhigen	calmar	18
QUOTARE	to quote/esteem	coter	quotieren	cotizar	18
R					
RABBRIVIDIRE	to shiver	frissonner	schaudern	tiritar	21
RACCATTARE	to pick up	ramasser	aufheben	recoger	18
RACCHIUDERE	to enclose	renfermer	enthalten	encerrar	46
RACCOGLIERE	to pick up/gather	ramasser	sammeln	recoger/cosechar	47

RACCOMANDARE	to recommend	recommander	empfehlen	recomendar	18
RACCONTARE	to tell	raconter	erzählen	contar	18
RADDOPP*IARE*	to double	(re)doubler	verdoppeln	redoblar	24
RADDRIZZARE	to straighten	redresser	gerade machen	enderezar	18
RADERE	to shave	raser	rasieren	afeitar/rasurar	115
RADUNARE	to get together	rassembler/réunir	versammeln	reunir/juntar	18
RAFFIGURARE	to represent	représenter	darstellen	representar	18
RAFFORZARE	to fortify	renforcer	verstärken	reforzar	18
RAFFREDDARE	to cool	refroidir	abkühlen	enfriar	18
RAGGIUNGERE	to reach	atteindre	erreichen	alcanzar	85
RAGGRUPPARE	to group together	grouper	gruppieren	agrupar	18
RAGIONARE	to reason	raisonner	nachdenken	razonar	18
RALLEGRARSI	to be glad	se réjouir	sich freuen	alegrarse	18
RALLENTARE	to slow down	ralentir	verlangsamen	ralentizar	18
RAMMARI*CARSI*	to regret	regretter	betrübt sein	amargarse	28
RAMMENDARE	to mend	repriser	stopfen	remendar	18
RAMMENTARE	to remember	rappeler	erinnern	recordar	18
RANNICCH*IARSI*	to crouch	se blottir	sich zs kauern	acurrucarse	24
RAPIRE	to kidnap/abduct	ravir/kidnapper	entführen	robar/hurtar/raptar	21
RAPPRESENTARE	to represent	représenter	vertreten	representar	18
RASARE	to shave/trim	raser/tondre	rasieren/scheren	rasar	18
RASCH*IARE*	to scrape	racler/gratter	wegkratzen	rascar/raspar	24
RASSEGNARSI	to resign oneself	se résigner	sich abfinden	resignarse	18
RASSERENARSI	to clear up/cheer up	se rassérener	sich aufheitern	serenarse	18
RASSICURARE	to reassure	rassurer	versichern	tranquilizar/asegurar	18
RATTRISTARE	to sadden	rendre triste	betrüben	entristecer	18
RAVVEDERSI	to reform	se repentir	bereuen	enmendarse	157
REAGIRE	to react	réagir	reagieren	reaccionar	21
REALIZZARE	to realize	réaliser	verwirklichen	realizar	18
RECAPITARE	to deliver	remettre	zustellen	entregar/devolver	18
RE*CARSI*	to go to	aller/se rendre	sich begeben	conducirse	28
RECEDERE	to withdraw	reculer	zurückweichen	desistir	19
RECINTARE	to fence in	clôturer	einfrieden	recintar	18
RECITARE	to recite/play	réciter/jouer	vortragen/spielen	recitar	18
RECLAMARE	to complain	réclamer	fordern	reclamar	18
RECUPERARE	to recover/reclaim	récupérer	wiedererlangen	recuperar	18
REDIGERE	to draw up/write	rédiger	redigieren	redactar	116
REGALARE	to make a present	donner/offrir	schenken	regalar	18
REGGERE	to hold	supporter/soutenir	standhalten	regir	117
REGISTRARE	to record/register	enregistrer	registrieren	registrar	18

REGNARE	to reign	régner	regieren	reinar	18
REGOLARE	to regulate	régler	regeln	regular	18
REMARE	to row	ramer	rudern	remar	18
RENDERE	to return	rendre	zurückgeben	rendir	118
REPLI*CARE*[1]	to reply	répliquer/ajouter	erwidern	replicar	28
REPLI*CARE*[2]	to repeat	répéter	wiederholen	repetir	28
REPRIMERE	to repress	réprimer	unterdrücken	reprimir	119
REPUTARE	to think/regard	penser/considérer	erachten	reputar	18
RESISTERE	to resist	résister	widerstehen	resistir	41
RESPINGERE	to repel	repousser	ablehnen	rechazar	142
RESPIRARE	to breathe	respirer	atmen	respirar	18
RESTARE	to remain	rester	bleiben	quedar/quedarse	18
RESTAURARE	to restore	restaurer	restaurieren	restaurar	18
RESTITUIRE	to return	restituer	zurückgeben	devolver	21
RESTRINGERE	to reduce/take in	restreindre	enger machen	restringir	120
RETROCEDERE	to recede/reverse	reculer/reléguer	zurückweichen	retroceder	50
RIALZARE	to raise/increase	relever/hausser	erhöhen/steigern	realzar	18
RIANIMARE	to reanimate	ranimer	wiederbeleben	reanimar	18
RIASSUMERE	to summarize	résumer	zusammenfaßen	resumir	42
RIBADIRE	to rivet/clinch/confirm	confirmer/insister	vernieten/bestärken	confirmar	21
RIBELLARSI	to rebel against	se révolter	sich auflehnen	rebelarse	18
RICAMARE	to embroider	broder	sticken	bordar	18
RICAMB*IARE*	to return	rendre	erwidern	corresponder	24
RICAPITOLARE	to recapitulate	récapituler	zusammenfassen	resumir	18
RICATTARE	to blackmail	faire chanter (qqn)	erpressen	chantajear	18
RICAVARE	to draw from/gain	tirer/obtenir	gewinnen	sacar provecho	18
RICER*CARE*	to investigate	rechercher	forschen nach	investigar	28
RICEVERE	to receive	recevoir	erhalten	recibir	19
RICHIAMARE	to call again/rebuke	rappeler/réprimander	wieder rufen/rügen	volver a llamar	18
RICHIEDERE	to request	demander	fordern	volver a pedir/pedir	45
RICOMIN*CIARE*	to begin again	recommencer	wieder anfangen	reemprender	30
RICONOSCERE	to recognize	reconnaître	erkennen	reconocer	53
RICOP*IARE*	to recopy/copy	recopier	abschreiben	copiar	24
RICOPRIRE	to coat/hold/lavish	recouvrir	bedecken/bekleiden	recubrir	54
RICORDARE	to remember	se rappeler	erinnern	recordar	18
RICORRERE	to have recourse to	recourir	zurückgreifen	recurrir	56
RICOSTRUIRE	to rebuild	reconstruire	wieder aufbauen	reconstruir	21
RICOVERARE	to hospitalize	hospitaliser	einliefern	internar	18
RIDERE	to laugh	rire	lachen	reír	121
RIDIRE*	to find fault with	redire	einwenden	repetir	66

RIDURRE	to reduce	réduire	senken/reduzieren	reducir	12
RIEMPIRE	to fill up	remplir	füllen	rellenar	12
RIENTRARE	to come/go home	rentrer	heimkommen	regresar/retirarse	1
RIEVO*CARE*	to recall	évoquer	wieder wachrufen	revocar	2
RIFARE	to remake	refaire	erneuern	rehacer	8
RIFERIRE	to report	rapporter	berichten	dar cuenta de/referir	2
RIFINIRE	to finish off	achever/parfaire	vollenden	pulir	2
RIFIUTARE	to refuse	refuser	ablehnen	rehusar/rechazar	1
RIFLETTERE***	to think over	réfléchir	überlegen	reflexionar	1
RIFORMARE	to reform/reject	réformer	reformieren	reformar	1
RIFORNIRE	to supply	ravitailler	versehen	abastecer	2
RIFU*GIARSI*	to take refuge	se réfugier	sich flüchten	refugiarse	3
RIGIRARE	to turn (around)	retourner	umdrehen	rodear	1
RIGOVERNARE	to wash up	faire la vaisselle	abspülen	lavar los platos	1
RIGUARDARE[1]	to check	regarder	durchsehen	mirar	1
RIGUARDARE[2]	to concern	concerner	angehen	concernir/competer	1
RILASC*IARE*	to issue/release	relâcher/délivrer	freilassen/ausstellen	poner en libertad	2
RILASSARE	to relax	relaxer/détendre	entspannen	relajar	1
RILE*GARE*	to bind	relier	(ein)binden	encuadernar	2
RILEVARE	to point out	remarquer	bemerken	notar/remarcar	1
RIMANDARE	to postpone	renvoyer	verschieben	posponer	1
RIMANERE	to remain	rester	bleiben	quedar/quedarse	12
RIMBALZARE	to rebound	rebondir	abprallen	rebotar	1
RIMBOC*CARE*	to tuck/roll up	replier/reborder	hoch krempeln	remeter	2
RIMBORSARE	to reinburse	rembourser	zurückzahlen	reembolsar	1
RIMED*IARE*	to remedy/scrape up	remédier	abhelfen	remediar	2
RIMETTERE[1]	to replace	remettre	zurückstellen	reponer	9
RIMETTERE[2]	to vomit	vomir	erbrechen	vomitar	9
RIMONTARE	to remount/recover	remonter	aufholen	remontar	1
RIMPATR*IARE*	to send back home	rapatrier	heimkehren	repatriar	2
RIMPIANGERE	to regret	regretter	bedauern	añorar	10
RIMPROVERARE	to reproach	reprocher	vorwerfen	reprochar/regañar	1
RIMUOVERE	to remove	déplacer	entfernen	remover	9
RINASCERE	to be reborn	renaître	wiedergeboren werden	renacer	9
RINCARARE	to raise the price of	renchérir	verteuern	encarecer	1
RINCHIUDERE	to shut up	enfermer	einschließen	encerrar/recluir	4
RINCORRERE	to run after	poursuivre	nachlaufen	perseguir	5
RINCRESCERE	to mind/be sorry	regretter/ennuyer	leid tun	sentir/lamentar	5
RINFAC*CIARE*	to cast in s.o.'s teeth	reprocher	vorwerfen	reprender/reprochar	3
RINFORZARE	to strengthen	renforcer	verstärken	reforzar	1

RINFRES*CARE*	to cool/refresh	rafraîchir	abkühlen	refrescar	28
RINGH*IARE*	to growl	gronder	knurren	gruñir	24
RINGIOVANIRE	to rejuvenate	rajeunir	verjüngen	rejuvenecer	21
RINGRAZ*IARE*	to thank	remercier	danken	agradecer	24
RINNE*GARE*	to cast off	renier	verleugnen	renegar	29
RINNOVARE	to renew/change	renouveler	erneuern	renovar	18
RINTRAC*CIARE*	to find	retrouver	ausfindig machen	hallar	30
RINUN*CIARE*	to renounce	renoncer	verzichten	renunciar	30
RINVENIRE[1]	to find/recover	retrouver	auffinden	descubrir/hallar	158
RINVENIRE[2]	to recover consc.	reprendre connaiss.	wieder zu s. kommen	reanimarse	158
RINV*IARE*	to postpone	remettre	vertagen	aplazar/remitir	25
RIORDINARE	to put in order	ranger	neu ordnen	ordenar	18
RIPARARE	to repair	réparer	reparieren	reparar	18
RIPENSARE	to reflect	repenser	durchdenken	repensar	18
RIPETERE	to repeat	répéter	wiederholen	repetir	19
RIPIE*GARE*	to fold/fall back on	replier	zs-falten	replegarse	29
RIPORRE	to put back	remettre	wiederstellen	reponer	110
RIPORTARE	to bring/take back	rapporter	zurückbringen	raportar	18
RIPOSARE	to rest	se reposer	ausruhen	descansar	18
RIPRODURRE	to reproduce	reproduire	reproduzieren	reproducir	113
RIPULIRE	to clean up/out	nettoyer	säubern	limpiar	21
RISALIRE[1]	to go up again	remonter	wieder hinaufgehen	remontar	128
RISALIRE[2]	to date back to	remonter	zurückgehen	remontar	128
RISANARE	to cure/recover	guérir/assainir	heilen	curar/sanar	18
RISCALDARE	to heat	chauffer	wärmen	calentar	18
RISCATTARE	to ransom/redeem	racheter	loskaufen	rescatar	18
RISCH*IARE*	to risk	risquer	riskieren	arriesgar	24
RISCUOTERE	to collect	recouvrer	einnehmen	cobrar/recaudar	135
RISENTIRE	to hear/feel again	réentendre/ressentir	nochmals hören	oír de nuevo	20
RISENTIRSI	to take offence	se vexer	beleidigt sein	resentirse	20
RISERVARE	to reserve	réserver	reservieren	reservar	18
RISOLVERE	to solve	résoudre	lösen	resolver	125
RISPARM*IARE*	to save	épargner	sparen	ahorrar	24
RISPETTARE	to respect	respecter	achten	respetar	18
RISPLENDERE**	to shine	resplendir	glänzen	resplandecer	19
RISPONDERE	to answer	répondre	antworten	responder	126
RISTABILIRE	to re-establish	rétablir	wiederherstellen	restablecer	21
RISULTARE	to result	résulter	resultieren	resultar	18
RISUSCITARE	to resuscitate	ressusciter	auferwecken	resucitar	18
RITARDARE	to retard	tarder	sich verspäten	retardar	18

RITENERE	to hold/think	retenir/estimer	behalten/glauben	retener/considerar	148
RITIRARE	to collect	retirer	abholen	recoger	18
RITOC*CARE*	to touch up	retoucher	überarbeiten	retocar	28
RITORNARE	to return	revenir	zurückkehren	volver	18
RITRARRE	to portray	faire le portrait	porträtieren	retraer	152
RITROVARE	to find	retrouver	wiederfinden	encontrar	18
RIUNIRE	to join	réunir	versammeln	juntar/reunir	21
RIUSCIRE	to be able to	réussir	gelingen	lograr/conseguir	155
RIVALUTARE	to revalue/reevaluate	réévaluer/revaloriser	aufwerten	revalorizar	18
RIVEDERE	to look over	revoir	revidieren	revisar	157
RIVELARE	to reveal	révéler	offenbaren	revelar	18
RIVENDERE	to sell again/retail	revendre	wiederverkaufen	revender	19
RIVENDI*CARE*	to claim	revendiquer	fordern	reivindicar	28
RIVERIRE	to revere	présenter ses respects	hochachten	reverenciar	21
RIVESTIRE	to coat/line/hold	revêtir/tapisser	überziehen/bekleiden	revestir	20
RIVOLGERE	to turn/address	adresser	wenden	presentarse/dirigirse	162
RODERE	to gnaw/erode	ronger	nagen/zerfressen	roer	79
RODERSI	to be eaten up	se ronger	sich verzehren	corroerse	79
ROMPERE	to break	casser	brechen	romper	127
RONZARE	to buzz/go about	bourdonner/rôder	summen/schwirren	zumbar	18
ROTOLARE	to roll	rouler	rollen	rodar	18
ROVESC*IARE*	to pour out/spill	renverser	umdrehen	vaciar	24
ROVINARE	to ruin	ruiner	ruinieren	arruinar	18
RUBARE	to steal	voler	stehlen	robar	18
RUGGIRE	to roar	rugir	brüllen	rugir	21
RUOTARE	to rotate	tourner/rouler	s. drehen/rollen	rotar/dar vueltas	18
RUSSARE	to snore	ronfler	schnarchen	roncar	18
RUTTARE	to belch	roter	aufstoßen	eructar	18
S					
SABOTARE	to sabotage	saboter	sabotieren	sabotear	18
SACCHEG*GIARE*	to sack/rob	piller/saccager	plündern	saquear	31
SACRIFI*CARE*	to sacrifice	sacrifier	opfern	sacrificar	28
SALARE	to salt	saler	salzen	salar	18
SALDARE	to solder/settle	souder/régler	löten/begleichen	soldar/saldar	18
SALIRE	to go up/climb	monter	steigen	subir	128
SALPARE	to weigh/set sail	lever l'ancre	den Anker lichten	zarpar	18
SALTARE	to jump	sauter	springen	saltar	18
SALUTARE	to greet/say hello	saluer	grüßen	saludar/despedir	18
SALVARE	to save	sauver	retten	salvar	18
SANGUINARE	to bleed	saigner	bluten	sangrar	18

SAPERE	to know	savoir	wissen	saber/conocer	129
SAZ*IARE*	to satiate	rassasier	sättigen	saciar	24
SBADIGL*IARE*	to yawn	bâiller	gähnen	bostezar	24
SBAGL*IARE*	to make a mistake	se tromper	sich irren	errar/equivocarse	24
SBALLARE	to unpack/unbale	déballer	auspacken	desembalar	18
SBALORDIRE	to shock/astonish	ébahir/sidérer	betäuben	asombrar	21
SBANDARE	to skid/lean	faire une embardée	ins Schleudern geraten	desviarse	18
SBARAZZARE	to free	débarasser	freimachen	desembarazar	18
SBARAZZARSI	to get rid	se débarrasser	sich entledigen	desembarazarse	18
SBARBARE	to shave	raser	rasieren	afeitar	18
SBAR*CARE*	to land/unload	débarquer	landen	desembarcar	28
SBARRARE	to bolt/cross	barrer	versperren	cerrar el paso/obstruir	18
SBATTERE	to slam	claquer/battre	schlagen	golpear/batir	19
SBAVARE	to dribble/blur	baver	geifern	babear	18
SBIADIRE	to fade	décolorer	Farbe verlieren	decolorar/desteñir	21
SBIAN*CARE*	to whiten/blanch	blanchir/pâlir	weiß machen	blanquear	28
SBIGOTTIRE	to dismay/astonish	effrayer/affoler	bestürzen	pasmar	21
SBLOC*CARE*	to unblock	débloquer	freigeben	desbloquear	28
SBOC*CIARE*	to bloom/flower	s'épanouir	aufblühen	brotar/florecer	30
SBOTTONARE	to unbutton	déboutonner	aufknöpfen	desabotonar	18
SBRICIOLARE	to crumble	émietter	zerbröckeln	desmigajar	18
SBRI*GARE*	to expedite	expédier	erledigen	despachar/apresurar	29
SBRONZARSI	to get high	se soûler	sich betrinken	embriagarse	18
SBU*CARE*	to come out of	sortir	herauskommen	aparecer de repente	28
SBUC*CIARE*	to peel/scrape	éplucher	schälen	pelar/mondar	30
SBUFFARE	to snort/puff	souffler/soupirer	schnauben	resoplar	18
SCAC*CIARE*	to drive out/away	chasser	verjagen	expulsar/echar	30
SCADERE	to expire	expirer/échoir	verfallen	caducar	44
SCAGL*IARE*	to throw	lancer/jeter	schleudern	lanzar/tirar/arrojar	24
SCALARE	to climb	escalader	steigen	escalar	18
SCALDARE	to heat	chauffer	erwärmen	calentar	18
SCAMB*IARE*[1]	to exchange	échanger	austauschen	cambiar	24
SCAMB*IARE*[2]	to mistake	confondre	verwechseln	confundir	24
SCAMPARE	to survive/escape	sauver/échapper	retten/entrinnen	salvar/escapar	18
SCANDALIZZARE	to scandalize	scandaliser	empören	escandalizar	18
SCANSARE	to shift	déplacer	wegrücken	evitar	18
SCAPPARE	to escape	échapper	entfliehen	escapar/huir	18
SCARABOCCH*IARE*	to scribble on/off	griffoner	kritzeln	garabatear	24
SCARCERARE	to free from prison	remettre en liberté	freilassen	excarcelar	18
SCARI*CARE*	to unload	décharger	ausladen	descargar	28

SCARSEG*GIARE*	to run/be short	faire défaut	knapp sein	escasear	31
SCARTARE[1]	to unwrap	défaire	auspacken	desenvolver	1
SCARTARE[2]	to discard	écarter	verwerfen	descartar	1
SCASSARE	to break	défoncer	auspacken	destrozar	1
SCATENARE	to unleash/set off	déchaîner	entfesseln	desencadenar	1
SCATTARE	to spring up	se déclencher/bondir	losgehen	brotar/disparar	1
SCAVAL*CARE*	to climb over	enjamber	überklettern	sobrepasar/saltar	2
SCAVARE	to excavate	creuser	graben	excavar	1
SCEGLIERE	to choose	choisir	wählen	escoger/elegir	13
SCENDERE	to go down/get out	descendre	herunter-aussteigen	bajar	13
SCENEG*GIARE*	to adapt for the stage	adapter pour le théatre	für die Bühne bearbeiten	escenificar	3
SCHEDARE	to catalogue	ficher	auf Karteikarten schreiben	clasificar/fichar	1
SCHERMIRSI	to shield	se dérober	sich entziehen	escamotearse	2
SCHERZARE	to joke	plaisanter	scherzen	bromear	1
SCHIAC*CIARE*	to crush	écraser	(zer)quetschen	estrujar/aplastar	3
SCHIAFFEG*GIARE*	to slap	gifler	ohrfeigen	abofetear	3
SCHIANTARE	to break	briser/fendre	entwurzeln/fertig sein	romper/desgajar	1
SCHIARIRE	to lighten	éclaircir	heller machen	aclarar	2
SCHIERARE	to array/line up	ranger	aufstellen	disponer en orden	1
SCHIOC*CARE*	to crack/smack	faire claquer	schnalzen	chascar	2
SCHIVARE	to dodge	esquiver/eviter	ausweichen	esquivar	1
SCHIZZARE	to spurt/squirt	gicler/eclabousser	bespritzen	salpicar	1
SCIACQUARE	to rinse	rincer	spülen	enjuagar	1
SCIALARE	to squander	dilapider	verprassen	despilfarrar	1
SC*IARE*	to ski	skier	Ski laufen	esquiar	2
SCINDERE	to divide	scinder/séparer	trennen	separar/escindir	13
SCIOGLIERE	to dissolve	délier/dissoudre	auflösen	disolver/diluir	13
SCIOPERARE	to strike	faire grève	streiken	estar en huelga	1
SCIUPARE	to ruin/spoil	abîmer	verderben	ajar/gastar	1
SCIVOLARE	to slide	glisser	gleiten	resbalar/deslizar	1
SCOC*CIARE*	to bother/annoy	assommer/embêter	nerven	fastidiar/molestar	3
SCOLLARE	to unstick	décoller/décolleter	ablösen	desencolar	1
SCOLORIRE	to discolour	décolorer	entfärben	decolorar	2
SCOLPIRE	to sculpture	sculpter	Stein behauen	esculpir	2
SCOMMETTERE	to bet	parier	wetten	apostar	9
SCOMODARE	to bother	déranger	stören	incomodar	1
SCOMPARIRE	to disappear	disparaître	verschwinden	desaparecer	4
SCOMPORRE	to take apart	décomposer	durcheinanderbringen	descomponer	11
SCOMUNI*CARE*	to excommunicate	excommunier	exkommunizieren	excomulgar	2
SCONFIGGERE	to defeat	battre/vaincre	besiegen	derrotar	3

SCONGELARE	to defrost	décongeler	auftauen	descongelar	18
SCONGIURARE	to beg/implore	adjurer/supplier	beschwören	suplicar	18
SCONSIGL*IARE*	not to advise	déconseiller	abraten	desaconsejar	24
SCONTARE	to deduct	escompter/déduire	abziehen	descontar	18
SCONTENTARE	to displease	mécontenter	unzufrieden machen	descontentar	18
SCONTRARSI	to meet in battle	se heurter	aufeinanderstoßen	chocar	18
SCONVOLGERE	to upset	bouleverser	erschüttern	trastornar	162
SCOPARE	to sweep	balayer	kehren	barrer	18
SCOPP*IARE*	to explode	éclater	ausbrechen	estallar	24
SCOPRIRE	to discover	découvrir	entdecken	descubrir	54
SCORAG*GIARE*	to discourage	décourager	entmutigen	desalentar	31
SCORDARE	to forget	oublier	vergessen	olvidar	18
SCORGERE	to distinguish	apercevoir	erblicken	vislumbrar/divisar	109
SCORRERE	to run/move down	couler	fließen	fluir/correr	56
SCORTARE	to escort	escorter	eskortieren	escoltar	18
SCOSTARE	to move away	éloigner	wegschieben	apartar/alejar	18
SCOTTARE	to burn/scald	brûler	verbrennen	quemar	18
SCOVARE	to find	débusquer	aufspüren	descubrir	18
SCRIVERE	to write	écrire	schreiben	escribir	134
SCRUTARE	to scrutinize	scruter	erforschen	escrutar	18
SCUCIRE	to unstitch/unpick	découdre	auftrennen	descoser	58
SCULAC*CIARE*	to spank	fesser	versohlen	zurrar	30
SCUOTERE	to shake	secouer	schütteln	sacudir/agitar	135
SCURIRE	to darken	foncer/brunir	dunkel werden	obscurecer	21
SCUSARE	to excuse	excuser	entschuldigen	excusar	18
SDEBITARSI	to pay one's debts	s'acquitter	Schulden abzahlen	desendeudarse	18
SDEGNARE	to disdain/scorn	dédaigner/indigner	entrüsten	desdeñar	18
SDRA*IARSI*	to lie down	s'étendre	sich hinlegen	tumbarse/tenderse	24
SEC*CARE*[1]	to dry up	sécher	trocknen	secar	28
SEC*CARE*[2]	to bother	embêter	belästigen	fastidiar	28
SEDERE	to sit	s'asseoir	sitzen	sentar	136
SEDURRE	to seduce	séduire	verführen	seducir	151
SE*GARE*	to saw	scier	sägen	segar	29
SEGNALARE	to signal	signaler	hinweisen	señalar	18
SEGNARE	to mark/score	marquer	kennzeichnen	marcar	18
SEGUIRE	to follow	suivre	folgen	seguir	20
SEGUITARE	to continue	continuer	fortsetzen	continuar	18
SELEZIONARE	to select	sélectionner	auswählen	seleccionar	18
SEMBRARE	to seem	sembler	scheinen	parecer	18
SEMINARE	to sow	semer	säen	sembrar	18

SEMPLIFI*CARE*	to simplify	simplifier	vereinfachen	simplificar	28
SENSIBILIZZARE	to make sensitive	sensibiliser	empfindlich machen	sensibilizar	18
SENTIRE	to hear/feel	entendre/sentir	hören/fühlen	oír/sentir	20
SEPARARE	to separate	séparer	trennen	separar	18
SEPPELLIRE*	to bury	ensevelir	begraben	enterrar	21
SEQUESTRARE[1]	to seize	saisir/confisquer	beschlagnahmen	embargar	18
SEQUESTRARE[2]	to kidnap	séquestrer	entführen	secuestrar	18
SERBARE	to put aside/keep	garder	aufbewahren	conservar	18
SERRARE	to close/shut	fermer/serrer	verschließen	cerrar	18
SERVIRE	to serve	servir	bedienen	servir	20
SEZIONARE	to divide up	sectionner	zerlegen	seccionar	18
SFAMARE	to appease hunger	rassasier	Hunger stillen	saciar	18
SFASC*IARE*[1]	to unbandage	débander	Verband abnehmen	desfajar	24
SFASC*IARE*[2]	to crash	casser/démolir	niederreißen	destrozar/demoler	24
SFIDARE	to challenge	défier	herausfordern	desafiar	18
SFIGURARE[1]	to cut a poor figure	faire piètre figure	sich blamieren	quedar mal con alguien	18
SFIGURARE[2]	to disfigure	déformer	entstellen	desfigurar	18
SFIORARE	to touch (lightly)	effleurer	streifen	rozar	18
SFO*CIARE*	to flow	déboucher (sur)	münden	desembocar	30
SFO*GARSI*	to give vent to	ouvrir son coeur	sein Herz ausschütten	desahogarse	29
SFOGL*IARE*	to glance at	feuilleter	durchblättern	hojear	24
SFOLLARE	to evacuate	se disperser/évaquer	evakuieren	evacuar	18
SFONDARE	to break the bottom	défoncer	durchbrechen	derrumbar/romper	18
SFORZARSI	to strive	s'efforcer	sich anstrengen	exforzarse	18
SFRATTARE	to evict	expulser	kündigen	desahuciar	18
SFRE*GIARE*[1]	to disfigure	balafrer	verunstalten	herir/marcar	31
SFRE*GIARE*[2]	to deface	rayer	beschädigen	señalar/arañar	31
SFRUTTARE	to exploit	exploiter	ausbeuten	explotar/disfrutar	18
SFUGGIRE	to escape	échapper	entfliehen	escapar	20
SFUMARE	to tone down	estomper/atténuer	verfliegen	esfumar	18
SGAN*CIARE*	to unhook	décrocher	abhängen	desenganchar	30
SGOMBRARE	to evacuate	déblayer	räumen	desalojar/desocupar	18
SGONF*IARE*	to deflate	dégonfler	abschwellen	desinflar	24
SGOZZARE	to cut the throat	égorger	schlachten	degollar	18
SGRIDARE	to scold	gronder	schelten	reñir/reprender	18
SIGNIFI*CARE*	to mean	signifier	bedeuten	significar	28
SILLABARE	to syllabify	articuler les syllabes	in Silben teilen	silabear/deletrear	18
SIMULARE	to simulate	simuler	simulieren	simular	18
SINGHIOZZARE	to sob	sangloter/hoqueter	schluchzen	sollozar	18
SINTETIZZARE	to synthesize	synthétiser	kern zs-fassen	sintetizar	18

SISTEMARE	to arrange	arranger	ordnen	organizar/regular	18
SLAC*CIARE*	to unlace	dénouer	aufschnüren	desatar	30
SLAN*CIARSI*	to throw o.s.	s'élancer	sich stürzen	lanzarse	30
SLE*GARE*	to untie	délier	lösen	soltar	29
SLO*GARSI*	to sprain	se luxer	sich verrenken	dislocarse	29
SLOG*GIARE*	to move out	déloger	ausziehen	desalojar	31
SMACCH*IARE*	to remove stains	détacher	reinigen	quitar manchas	24
SMALTARE	to enamel/glaze/varnish	émailler	lackieren	esmaltar	18
SMALTIRE	to digest/swallow	digérer/écouler	verdauen	digerir	21
SMAN*IARE*	to be restless	s'agiter	sich aufregen	agitar	24
SMARRIRE	to lose	perdre	verlieren	perder	21
SMASCHERARE	to unmask	démasquer	entlarven	desenmascarar	18
SMENTIRE	to deny/belie	démentir	dementieren	desmentir	21
SMETTERE	to stop	cesser	aufhören	dejar/cesar	94
SMONTARE	to dismantle	démonter	auseinandernehmen	desmontar	18
SMUOVERE	to move	déplacer	wegrücken	remover/desplazar	97
SNELLIRE	to make slim	amincir	schlank machen	agilizar	21
SOBBAR*CARSI*	to undertake	prendre en charge	sich aufbürden	cargar con	28
SOCCORRERE	to help	secourir	helfen/beistehen	socorrer	56
SODDISFARE*	to satisfy	satisfaire	befriedigen	satisfacer	81
SOFFERMARSI	to stop (a little)	s'arrêter un instant	sich aufhalten	pararse/detenerse	18
SOFF*IARE*	to blow	souffler	blasen/wehen	soplar	24
SOFFO*CARE*	to suffocate	étouffer	ersticken	sofocar	28
SOFFRIGGERE	to fry slightly	faire revenir	anbraten	sofreir	84
SOFFRIRE	to suffer	souffrir	leiden	sufrir	137
SOFISTI*CARE*	to adulterate	frelater	punschen	adulterar	28
SOGGIORNARE	to stay	séjourner	sich aufhalten	residir/habitar	18
SOGGIUNGERE	to add	ajouter	hinzufügen	añadir	85
SOGNARE	to dream	rêver	träumen	soñar	18
SOLLECITARE	to press for	presser	drängen	solicitar	18
SOLLEVARE	to raise/lift	soulever	heben	levantar	18
SOMIGL*IARE*	to resemble	ressembler	gleichen	asemejar/parecerse	24
SOMMARE	to sum	additionner	addieren	sumar	18
SOMMERGERE	to submerge	submerger	überschwemmen	sumergir	75
SOMMINISTRARE	to administer	administrer	darreichen	suministrar	18
SOPPORTARE	to support	supporter	ertragen	soportar	18
SOPPRIMERE	to eliminate	supprimer	abschaffen	suprimir	80
SOPRAGGIUNGERE	to arrive	survenir	plötzlich kommen	sobrevenir	85
SOPRAVVALUTARE	to overestimate	surestimer	überschätzen	sopravalorar	18
SOPRAVVIVERE	to survive	survivre	überleben	sobrevivir	160

SORBIRE	to sip/put up with	siroter/supporter	schlürfen/aushalten	sorber	21
SORGERE	to rise	se lever	sich erheben	levantarse	109
SORPASSARE	to overtake	doubler/dépasser	überholen	sobrepasar/rebasar	18
SORPRENDERE	to catch	surprendre	überraschen	sorprender	112
SORREGGERE	to hold/support	soutenir	stützen	sostener/sustentar	117
SORRIDERE	to smile	sourire	lächeln	sonreír	121
SORTEG*GIARE*	to draw	tirer au sort	auslosen	sortear	31
SORVEGL*IARE*	to watch over	surveiller	beaufsichtigen	vigilar	24
SOSPENDERE	to suspend	suspendre	unterbrechen	suspender	138
SOSPETTARE	to suspect	soupçonner	verdächtigen	sospechar	18
SOSPIRARE	to sigh/long	soupirer	seufzen	suspirar	18
SOSTARE	to stop/halt	faire halte/stationner	haltmachen	detenerse	18
SOSTENERE	to support	soutenir	unterstützen	sostener	148
SOSTITUIRE	to replace	remplacer	vertreten	sustituir	21
SOTTERRARE	to bury	enterrer	begraben	enterrar	18
SOTTINTENDERE	to imply	sous-entendre	zum verstehen geben	sobrentender	147
SOTTOLINEARE	to underline	souligner	unterstreichen	subrayar	18
SOTTOMETTERE	to submit	soumettre	unterziehen	someter	94
SOTTOPORRE	to subject	soumettre	unterwerfen	someter	110
SOTTOSCRIVERE	to sign/subscribe	souscrire	unterschreiben	suscribir	134
SOTTOSTARE	to submit	être soumis/se plier	unterliegen/gehorchen	someterse	143
SOTTRARRE	to subtract	soustraire	entziehen	sustraer	152
SOVRAPPORRE	to superimpose	superposer	übereinanderlegen	sobreponer	110
SOVVERTIRE	to subvert	renverser	stürzen	subvertir	20
SPAC*CARE*	to burst	fendre	spalten	reventar/partir	28
SPAC*CIARE*	to pass off/peddle	vendre	absetzen/dealen	despachar	30
SPALAN*CARE*	to open wide	ouvrir (tout) grand	aufreißen/sperren	abrir de par en par	28
SPALMARE	to spread/rub	enduire/étendre	bestreichen	untar	18
SPARARE	to shoot	tirer	schießen	tirar/disparar	18
SPARECCH*IARE*	to clear the table	desservir	Tisch abdecken	quitar la mesa	24
SPARGERE	to scatter	répandre	austreuen/verbreiten	desparramar	139
SPARIRE	to disappear	disparaître	verschwinden	desaparecer	21
SPARTIRE	to divide up	partager/repartir	(auf)teilen	dividir/partir	21
SPAVENTARE	to scare	effrayer	erschrecken	espantar/asustar	18
SPAZZARE	to sweep	balayer	fegen	barrer	18
SPAZZOLARE	to brush	brosser	bürsten	cepillar	18
SPECCH*IARSI*	to look at os in the mirror	se regarder à la glace	sich spiegeln	mirarse al espejo	24
SPECIALIZZARSI	to specialize	se spécialiser	sich spezialisieren	especializarse	18
SPECIFI*CARE*	to specify	spécifier	spezifizieren	especificar	28
SPECULARE	to speculate	spéculer	spekulieren	especular	18

SPEDIRE	to send	expédier	schicken	enviar	21
SPEGNERE	to put out/turn off	éteindre	auslöschen	apagar	140
SPENDERE	to spend	dépenser	ausgeben	gastar	141
SPERARE	to hope	espérer	hoffen	esperar	18
SPERIMENTARE	to test/experiment	expérimenter	experimentieren	experimentar	18
SPETTARE	to be the concern of	être du ressort	zustehen	concernir/tocar	18
SPETTINARE	to dishevel	décoiffer	zerzausen	despeinar	18
SPEZZARE	to break	briser	zerbrechen	romper/quebrar	18
SPIACERE	to be sorry	regretter	leid tun	lamentar/desagradar	106
SP*IARE*	to spy	épier	spähen/spionieren	espiar	25
SPIC*CIARSI*	to hurry up	se dépêcher	sich beeilen	darse prisa	30
SPIE*GARE*	to explain	expliquer	erklären	explicar	29
SPINGERE	to push	pousser	stoßen	empujar	142
SPLENDERE**	to shine	resplendir	glänzen	resplandecer	19
SPOGL*IARE*	to strip	dépouiller	ausziehen	desnudar	24
SPOLVERARE	to dust	épousseter	entstauben	espolvorear	18
SPOR*CARE*	to dirty	salir	beschmutzen	ensuciar	28
SPORGERE	to jut out/stick out	pencher/dépasser	vorstrecken	sobresalir/asomar	109
SPOSARE	to marry	épouser	heiraten	casar	18
SPOSTARE	to move	déplacer	verschieben	mover/desplazar	18
SPRE*CARE*	to waste	gaspiller	verschwenden	gastar/malgastar	28
SPREMERE	to squeeze	presser	ausdrücken	exprimir	19
SPROFONDARE	to collapse	sombrer	versinken	hundir/profundizar	18
SPRUZZARE	to spray/sprinkle	asperger	spritzen	rociar	18
SPUTARE	to spit	cracher	spucken	escupir	18
SQUILLARE	to ring	sonner	klingeln	resonar	18
STABILIRE	to establish	établir	bestimmen	establecer	21
STAC*CARE*	to take off	détacher	abreißen	despegar	28
STAMPARE	to print	imprimer	drucken	imprimir/estampar	18
STAN*CARE*	to tire	fatiguer	ermüden	cansar	28
STARE	to stay	rester/être	bleiben/sein	estar	143
STARNUTIRE	to sneeze	éternuer	niesen	estornudar	20-21
STENDERE[1]	to stretch	étendre	ausstrecken	desplegar/extender	147
STENDERE[2]	to relax	détendre/s'étendre	entspannen	relajar	147
STENOGRAFARE	to write in shorthand	sténographier	stenographieren	estenografiar	18
STENTARE	to have difficulty in	avoir de la peine	Mühe haben	lograr con dificultad	18
STIMARE	to estimate/esteem	évaluer/estimer	schätzen	estimar/valorar	18
STIMOLARE	to incite/prod	stimuler	antreiben	estimular	18
STINGERE	to discolour/make fade	déteindre	entfärben	desteñir	65
STIRARE	to iron	repasser	bügeln	planchar	18

STONARE[1]	to play flat	jouer faux	falsch spielen	desentonar	1
STONARE[2]	to sing flat	chanter faux	falsch singen	desentonar	1
STORDIRE	to stun	étourdir	betäuben	aturdir	2
STRAC*CIARE*	to tear up	déchirer	zerreißen	rasgar	3
STRANGOLARE	to strangle	étrangler	erdrosseln	estrangular	1
STRAPPARE	to tear	arracher	reißen	rasgar	1
STRAVOLGERE	to twist/trouble	bouleverser	verwirren	trastornar	16
STRAZ*IARE*	to torture/torment	martyriser	quälen	atormentar	2
STRILLARE	to scream/shriek	crier	schreien	chillar	1
STRINGERE	to clasp	serrer	drücken	apretar	14
STRISC*IARE*	to creep/graze	ramper/érafler	kriechen/streifen	rastrear	2
STRON*CARE*	to break off/cut short	casser	abbrechen	truncar	2
STRUTTURARE	to structure	structurer	strukturieren	estructurar	1
STUD*IARE*	to study	étudier	studieren	estudiar	2
STUFARE	to be/get sick of	ennuyer	langweilen	cansar/hartar	1
STUPIRE	to amaze	étonner	verwundern	asombrar	2
STUZZI*CARE*	to pick/excite/tease	piquer/taquiner	reizen/anregen	hurgar	2
SUBIRE	to suffer	subir	erleiden	sufrir/soportar	2
SUCCEDERE	to happen	arriver	geschehen	suceder	14
SUCCH*IARE*	to suck	sucer	saugen	sorber	2
SUDARE	to sweat	transpirer	schwitzen	sudar	1
SUGGERIRE	to suggest	conseiller/souffler	einflüstern	sugerir	2
SUICIDARSI	to commit suicide	se suicider	s.das Leben nehmen	suicidarse	1
SUONARE	to play	jouer	spielen	tocar (instrumento)	1
SUPERARE	to exceed/surpass	dépasser	überwinden-holen	superar/adelantar	1
SUPPLI*CARE*	to implore	supplier	anflehen	suplicar	2
SUPPORRE	to suppose	supposer	vermuten	suponer	11
SURGELARE	to (deep-)freeze	surgeler	einfrieren	congelar	1
SUSCITARE	to arouse/cause	susciter/soulever	hervorrufen	suscitar	1
SUSSURRARE	to whisper	murmurer	flüstern	susurrar	1
SVALUTARE	to devalue/depreciate	dévaluer/déprécier	entwerten	desvalorizar/devaluar	1
SVANIRE	to disappear	s'évanouir	entschwinden	desvanecer	2
SVEGL*IARE*	to wake up	réveiller	wecken	despertar	2
SVENIRE	to faint	s'évanouir/défaillir	in Ohnmacht fallen	desmayarse	15
SVENTOLARE	to wave	agiter/éventer	schwenken	ondear	1
SVESTIRE	to strip	déshabiller	ausziehen	desvestir	2
SVILUPPARE	to develop	développer	entwickeln	desarrollar	1
SVOLGERE	to carry out	développer	entwickeln	desenvolver	16
SVUOTARE	to empty	vider	leeren	vaciar	1

T

TACERE	to silence/be quiet	se taire	schweigen	acallar/callarse	146
TAGL*IARE*	to cut	couper	schneiden	cortar	24
TAPPARE	to close up/cork	boucher	verstopfen/zukorken	tapar	18
TAPPEZZARE	to paper/tapestry	tapisser	tapezieren	tapizar	18
TARDARE	to be late	tarder	sich verspäten	tardar	18
TASSARE	to tax/levy a duty on	taxer	besteuern	tasar	18
TASTARE	to touch/feel	tâter	tasten	palpar	18
TELEFONARE	to telephone	téléphoner	anrufen	telefonear	18
TELEGRAFARE	to telegraph	télégraphier	telegraphieren	telegrafiar	18
TEMERE	to fear	craindre	fürchten	temer	19
TEMPERARE[1]	to mitigate/temper	tempérer/modérer	dämpfen	templar	18
TEMPERARE[2]	to sharpen	tailler	anspitzen	sacar punta	18
TENDERE	to stretch	tendre	spannen	estirar/tender	147
TENERE	to hold	tenir	halten	tener	148
TENTARE	to try	essayer	versuchen	probar/intentar	18
TENTENNARE	to shake/waver	branler/hésiter	schütteln/schwanken	titubear/vacilar	18
TERMINARE	to end	terminer	beendigen	terminar/acabar	18
TERRORIZZARE	to terrorize	terroriser	erschrecken	aterrorizar	18
TESTIMON*IARE*	to testify	témoigner	bezeugen	atestiguar	24
TIFARE	to be a fan/side with	être supporter	Fan sein	ser seguidor (club)	18
TIMBRARE	to stamp	timbrer	abstempeln	timbrar/sellar	18
TINGERE	to dye	teindre	färben	teñir	149
TIRARE	to pull	tirer	ziehen	tirar/arrojar	18
TOC*CARE*	to touch	toucher	berühen	tocar	28
TOGLIERE	to remove	enlever	wegnehmen	quitar/sacar	150
TOLLERARE	to tolerate	tolérer	dulden	tolerar	18
TORMENTARE	to torment	tourmenter	quälen	atormentar	18
TORNARE	to return	revenir/retourner	zurückkommen	volver	18
TORTURARE	to torture	torturer	foltern	torturar	18
TOSSIRE	to cough	tousser	husten	toser	20-21
TRABALLARE	to stagger	tituber/branler	wanken	tambalear	18
TRAC*CIARE*	to trace/mark	tracer	zeichnen	trazar	30
TRADIRE	to betray	trahir	verraten	traicionar	21
TRADURRE	to translate	traduire	übersetzen	traducir	151
TRAFFI*CARE*	to trade	trafiquer	handeln	traficar	28
TRAINARE	to pull/drag	traîner/remorquer	schleppen	arrastrar/remolcar	18
TRALASC*IARE*	to leave out	omettre/négliger	versäumen	omitir	24
TRAMANDARE	to hand down	transmettre	überliefern	transmitir	18
TRAMONTARE	to set	se coucher/décliner	untergehen	ocultarse/ponerse	18

TRANQUILLIZZARE	to calm	tranquilliser	beruhigen	tranquilizar	18
TRANSITARE	to pass/cross	transiter/passer	begehen	transitar	18
TRAPIANTARE	to transplant	transplanter	umpflanzen	trasplantar	18
TRARRE	to draw from/pull	tirer	(heraus)ziehen	traer	152
TRASCINARE	to drag	traîner	schleppen	arrastrar	18
TRASCORRERE	to pass/spend	passer	verbringen	pasar/transcurrir	56
TRASCRIVERE	to transcribe	transcrire	abschreiben	transcribir	134
TRASCURARE	to neglect	négliger	vernachlässigen	descuidar	18
TRASFERIRE	to transfer	transférer	versetzen	transferir	21
TRASFORMARE	to transform	transformer	verwandeln	transformar	18
TRASGREDIRE	to transgress	transgresser	übertreten	transgredir	21
TRASLO*CARE*	to transfer/move	déménager	umziehen	trasladar	28
TRASMETTERE	to transmit	transmettre	übermitteln	transmitir	94
TRASPARIRE	to shine through	transparaître	durchscheinen	transparentar	21
TRASPORTARE	to transport	transporter	transportieren	transportar	18
TRATTARE	to treat	traiter	behandeln	tratar	18
TRATTENERE	to keep/detain	retenir	zurückhalten	retener	148
TRAVESTIRE	to disguise	déguiser (en)	verkleiden	disfrazar	20
TRAVOLGERE	to sweep away	emporter	mitreißen	revolcar	162
TREMARE	to tremble	trembler	zittern	temblar	18
TRIONFARE	to triumph	triompher (de)	triumphieren	triunfar	18
TRON*CARE*	to cut off	trancher	abschlagen	truncar/cortar	28
TROVARE	to find	trouver	finden	hallar/encontrar	18
TRUC*CARE*[1]	to rig	truquer	(ver)fälschen	falsificar/trucar	28
TRUC*CARE*[2]	to make up	maquiller/farder	schminken	maquillar	28
TRUFFARE	to cheat/swindle	escroquer	betrügen	estafar	18
TUFFARSI	to plunge/dive	plonger	untertauchen	zambullirse	18
TUONARE	to thunder	tonner	donnern	tronar	18
TURBARE	to upset	troubler	trüben	turbar	18
U					
UBBIDIRE	to obey	obéir	befolgen	obedecer	21
UBRIA*CARSI*	to get drunk	s'enivrer	sich betrinken	emborracharse	28
UCCIDERE	to kill	tuer	töten	matar	153
UDIRE	to hear	entendre	hören	oír	154
ULTIMARE	to complete	achever	zu Ende führen	ultimar/acabar	18
ULULARE	to howl	hurler	heulen	aullar	18
UMIL*IARE*	to humiliate	humilier	demütigen	humillar	24
UNGERE	to oil/grease	graisser/huiler	einfetten	ungir	85
UNIFI*CARE*	to merge/unify	unifier	einigen	unificar	28
UNIFORMARE	to adapt/even out	uniformiser	anpassen	uniformar	18

UNIRE	to join	unir	vereinigen	juntar/unir	21
URINARE	to urinate	uriner	urinieren	orinar	18
URLARE	to shout	hurler	schreien	gritar/vocear	18
URTARE	to knock/irritate	heurter/bousculer	anstoßen/ärgern	chocar/irritar	18
USARE	to use	user	gebrauchen	usar	18
USCIRE	to leave	sortir	hinausgehen	salir	155
USTIONARE	to burn	brûler	verbrennen	quemar	18
UTILIZZARE	to utilize	utiliser	gebrauchen	utilizar	18
V					
VAGABONDARE	to be a vagabond	vagabonder	vagabundieren	vagabundear	18
VA*GARE*	to wander	errer	umherziehen	vagar	29
VAGIRE	to wail	vagir	winseln	gemir	21
VALERE	to be good/worth	valoir	gelten/wert sein	servir/ser útil/valer	156
VALORIZZARE	to exploit/appreciate	valoriser	aufwerten	valorizar	18
VALUTARE	to estimate	évaluer	bewerten	estimar/evaluar	18
VANEG*GIARE*	to talk windly	délirer/divaguer	faseln	desvariar/delirar	31
VANTARE	to boast of/claim	vanter	rühmen	jactarse/presumir	18
VAR*CARE*	to cross/pass	franchir/dépasser	überschreiten	pasar/cruzar	28
VAR*IARE*	to vary	varier	ändern	variar	24
VEDERE	to see	voir	sehen	ver	157
VEGL*IARE*	to stay awake-up	veiller	wachen	velar	24
VELARE	to veil	voiler	verhüllen	velar/ocultar	18
VENDEMM*IARE*	to gather grapes	vendanger	Weinlese halten	vendimiar	24
VENDERE	to sell	vendre	verkaufen	vender	19
VENDI*CARE*	to revenge	venger	rächen	vengar	28
VENERARE	to venerate	vénérer	verehren	venerar	18
VENIRE	to come	venir	kommen	venir	158
VERGOGNARSI	to be ashamed	avoir honte	sich schämen	avergonzarse	18
VERIFI*CARE*	to check/control	vérifier	prüfen	verificar	28
VERNI*CIARE*	to paint	vernir	mit Firniß überziehen	barnizar	30
VERSARE	to pour	verser	gießen	verter	18
VESTIRE	to dress	habiller	ankleiden	vestir	20
VEZZEG*GIARE*	to pet/fondle	cajoler/câliner	(ver)hätscheln	mimar	31
VIAG*GIARE*	to travel	voyager	reisen	viajar	31
VIBRARE	to vibrate	vibrer	schwingen	vibrar	18
VIETARE	to forbid	interdire	verbieten	vetar/prohibir	18
VIGILARE	to supervise	veiller/surveiller	überwachen	vigilar	18
VINCERE	to win	gagner/vaincre	siegen	ganar/vencer	159
VINCOLARE	to bind	lier/bloquer	vinkulieren/binden	vincular	18
VIOLARE	to violate	violer	verletzen	violar	18

VIOLENTARE	to rape	violenter/violer	vergewaltigen	violar	18
VISITARE	to visit	visiter	besuchen/besichtigen	visitar	18
VIVERE	to live	vivre	leben	vivir	160
VIVISEZIONARE	to vivisect	disséquer vivant	vivisezieren	viviseccionar	18
VIZ*IARE*	to spoil	gâter	verwöhnen	viciar/malcriar	24
VO*CIARE*	to shout/bawl	brailler/hurler	schreien	vocear/gritar	30
VOLARE	to fly	voler	fliegen	volar	18
VOLERE	to want	vouloir	wollen	querer	161
VOLGERE	to turn	tourner	wenden	volver	162
VOLTARE	to turn	tourner	wenden	volver/volcar	18
VOMITARE	to vomit	vomir	erbrechen	vomitar	18
VOTARE	to vote	voter	wählen	votar	18
VUOTARE	to empty	vider	leeren	vaciar	18
Z					
ZAPPARE	to hoe	piocher	harken	cavar	18
ZITTIRE	to silence/be quiet	faire taire	z. Schweigen bringen	acallar	21
ZOPPI*CARE*	to limp	boiter	hinken	cojear	28
ZUCCHERARE	to sugar	sucrer	zuckern	endulzar	18

*«**BENEDIRE**» si coniuga come «**DIRE**», ma alla seconda persona dell'Imperativo si usa la forma «**benedici**» e all'Imperfetto e Passato remoto si usano anche le forme «io benedivo» e «io benedii»

*«**CONTRADDIRE**» si coniuga come«**DIRE**», ma alla seconda persona dell'Imperativo si usa la forma «**contraddici**»

*«**DISDIRE**» si coniuga come«**DIRE**», ma alla seconda persona dell'Imperativo si usa la forma «**disdici**».

*«**DISFARE**» si coniuga come «**FARE**», ma al Presente Indicativo è molto usata la forma «io disfo».

*«**EVOLVERE**» ha il Participio passato «**evoluto**».

*«**INDIRE**» si coniuga come«**DIRE**», ma alla seconda persona dell'Imperativo si usa la forma «**indici**»

*«**MALEDIRE**» si coniuga come«**DIRE**», ma alla seconda persona dell'Imperativo si usa la forma «**maledici**» e all'Imperfetto e Passato remoto si usano anche le forme «io maledivo» e «io maledii».

*«**PREVEDERE**» si coniuga come «**VEDERE**», ma al Futuro si usa anche la forma regolare «io prevederò».

*«**PROVVEDERE**» si coniuga come «**VEDERE**», ma il Futuro e il Condizionale sono regolari: «io provvederò» e «io provvederei».

*«**RIDIRE**» si coniuga come«**DIRE**», ma alla seconda persona dell'Imperativo si usa la forma «**ridici**»

*«SEPPELLIRE» ha due participi passati: «seppellito» e «**sepolto**».

*«**SODDISFARE**» si coniuga come «**FARE**», ma al Presente Indicativo e Congiuntivo è molto usata la forma «io soddisfo» e «io soddisfi»

** Questi verbi non hanno il Participio passato, ad eccezione di ESPANDERE («**espanso**») e «ESIGERE» («**esatto**»); quest'ultimo si usa solo nel significato di «**riscosso**»

*** «**RIFLETTERE**» nel significato di *to reflect*; *refléter*, *widerspiegeln*; *reflejar* ha il Participio passato irregolare «**riflesso**» e al Passato remoto, oltre alla forma regolare, c'è anche la forma «io **riflessi**»

NOTE

Finito si stampare
nel mese di maggio 2004
presso la “Tipografia Il David”
di Firenze